Abrázame

Abrázame

Alicia Erian

Traducción de
Teresa Camprodón

Lumen

narrativa

Título original: *Towelhead*

© 2005, Alicia Erian
© 2005, de la presente edición en castellano para todo el mundo:
Random House Mondadori, S. A.
Travessera de Gràcia, 47-49. 08021 Barcelona
© 2005, Teresa Camprodón Alberca, por la traducción

Printed in the U.S.A.

ISBN-13: 978-0-7394-9856-9

Fotocomposición: Lozano Faisano, S. L. (L'Hospitalet)

Para David Franklin

Todos lo haremos mejor en el futuro.

Raymond Carver,
«On an Old Photograph of My Son»

1

El novio de mi madre estaba colado por mí, así que ella me envió a vivir con papá. Yo no quería vivir con él; tenía un raro acento libanés. Mi madre lo conoció en la universidad, se casaron y me tuvieron a mí, luego se divorciaron, cuando yo tenía cinco años. Mi madre me contó que lo hicieron porque mi padre era ordinario y mandón. A mí su divorcio no me sentó mal. Recordaba a papá abofeteando a mi madre y a ella quitándole las gafas y pisoteándolas. No sabía por qué se peleaban, pero me alegré de que él dejara de ver bien.

Pese a todo, tenía que pasar un mes con papá todos los veranos, y eso me deprimía. Cuando llegaba el momento de ir a casa, me ponía contenta. Vivir con papá significaba estar siempre con los nervios de punta. Quería que todo se hiciera de una manera que solo él sabía. Incluso moverme me daba miedo. Una vez derramé un poco de zumo en una de sus alfombras de importación y me dijo que nunca encontraría marido.

Mi madre sabía lo que yo sentía por papá, pero aun así me envió a vivir con él. Estaba muy furiosa porque a su novio le gustaba yo. Le dije que no se preocupara, que a mí no me gustaba Barry, pero ella dijo que esa no era la cuestión, que andaba siempre paseándome por ahí con mis tetas de punta y que a Barry le costaba no fijarse en ellas. Eso hirió profundamente mis sentimientos, pues yo no podía evitar tener las tetas así. Nunca le pedí a Barry que se fijara en mí. Yo solo tenía trece años.

En el aeropuerto me pregunté por qué estaba tan preocupada mi madre. No habría podido robarle a Barry aunque lo hubiese intentado. Ella era irlandesa al cien por cien. Tenía los pómulos salidos y una preciosa nariz de punta redonda. Cuando se pintaba un poco los ojos, le brillaban y se le encendían. Me habría pasado horas cepillándole el lustroso cabello castaño, si me hubiera dejado.

Cuando anunciaron mi vuelo, empecé a llorar. Mi madre dijo que no era para ponerse así, luego me dio un empujoncito en la espalda para que caminara hacia el avión. Una azafata me ayudó a encontrar mi asiento, pues aún seguía llorando, y el hombre que estaba a mi lado me cogió la mano durante el despegue. Probablemente pensó que me daba miedo volar, pero no era eso. En realidad deseaba con todas mis fuerzas que nos estrelláramos.

Papá se reunió conmigo en el aeropuerto de Houston. Alto, bien afeitado, con el cabello ondulado y fino peinado a un lado. Cuando mi madre le machacó las gafas, empezó a usar lentillas. Me estrechó la mano, cosa que no había hecho jamás.

—¿No vas a abrazarme? —le pregunté.

Y me respondió:

—Así saludamos en mi país.

Luego empezó a caminar muy rápidamente por el aeropuerto, apenas podía seguirle el ritmo. Mientras esperaba con papá a que salieran los equipajes sentí que ya no tenía una familia. Él ni me miraba ni me hablaba. Los dos estábamos ahí sin más, esperando mi maleta. Cuando llegó, papá la levantó de la cinta transportadora y la dejó en el suelo para que yo la cogiera. Tenía ruedas y un asa, pero se caía si iba demasiado deprisa. Y en cuanto empecé a aminorar el paso, papá fue alejándose de mí. Al final, cogió la maleta y la llevó él.

Había un largo trecho hasta su apartamento e intenté no fijarme en aquellas vallas publicitarias de clubes para caballeros que había en el trayecto. Era embarazoso ver a todas aquellas mujeres con los pechos colgando. Me pregunté si Barry me veía así. Papá no dijo nada sobre las vallas, lo cual aumentó mi desagrado. Empezaba a sentirme como si fuera culpa mía. Como si todo lo horrible y lo sucio fuera culpa mía. Mi madre no le había hablado a papá de Barry y de mí, le había dicho que pensaba que estaba creciendo demasiado deprisa y que tal vez me convendría una educación más estricta.

Aquella noche dormí en el sofá cama del despacho de mi padre. La sábana se arrugaba y la tapicería de vinilo se me pegaba a la piel. Por la mañana, mi padre se asomó a la puerta y silbó como un pájaro para que me despertara. Fui a desayunar en camiseta y ropa interior; papá me dio una bofetada y me dijo que me vistiera con decencia. Era la primera vez que alguien me daba una bofetada y me puse a llorar.

–¿Por qué has hecho eso? –le pregunté, y me dijo que las cosas iban a ser diferentes a partir de entonces.

Volví a la cama y lloré un poco más. Ya quería irme a casa y solo llevaba dos días allí. Al cabo de poco mi padre entró en la habitación.

–Muy bien, te perdono, ahora levántate –anunció.

Lo miré y me pregunté qué me estaría perdonando. Pensé en preguntárselo, pero no me pareció lo más acertado. Ese día salimos a buscar una casa nueva. Papá dijo que ganaba un buen sueldo en la NASA y que los colegios mejores estaban en los barrios de las afueras. Yo no quería volver a la autopista debido a todas aquellas vallas publicitarias, pero me daba miedo decir que no. Sin embargo, resultó que las vallas de camino a los barrios de las afueras anunciaban casas nuevas y urbanizaciones. Las más baratas costaban ciento cincuenta mil dólares, casi el triple de lo que mi madre había pagado por nuestra casa de Syracuse. Era profesora de enseñanza media y no podía pagar mucho.

Papá escuchaba la radio mientras yo miraba la carretera por la ventanilla. Houston me parecía el fin del mundo, el último lugar que alguien elegiría para vivir. Era caluroso y húmedo, y el agua del grifo sabía a arena. Lo único que me gustaba de papá era que mantenía el aire acondicionado a diecinueve grados. Decía que todo el mundo pensaba que estaba loco, pero no le importaba. Le encantaba entrar en el apartamento y exclamar:

–¡Ahhh!

Estaban dando noticias sobre Irak y papá subió el volumen. Acababan de invadir Kuwait.

–¡Jodido Saddam! –renegó papá, y eso de que dijera palabrotas me relajó un poco.

Fuimos a una urbanización que se llamaba Charming Gates y vimos la casa de muestra. Una agente inmobiliaria llamada señora Van Dyke nos la enseñó de arriba abajo y acabó en la cocina, donde le ofreció a papá una taza de café. Hablaba mucho de la belleza de la casa, de su precio razonable, del colegio y de la seguridad del barrio. Papá intentó regatear y ella dijo que eso no era posible. Le explicó que si comprara una casa más vieja podría hacerle un descuento, pero las casas nuevas tenían precios fijos. En el coche se burló del acento sureño de la vendedora, que sonaba aún más divertido mezclado con el suyo.

Para cenar tomamos pizza en un lugar llamado Panjo's. Papá dijo que era su restaurante favorito y que comía allí muchas veces. Comentó que la última vez estuvo con una mujer de su trabajo con la que había salido, que ella le gustaba mucho hasta que sacó un cigarrillo. Entonces se dio cuenta de lo estúpida que era. Yo también pensé que era estúpida, no porque fumara sino porque había salido con papá.

Aquella noche, en la cama de vinilo, pensé en mi futuro. Lo imaginé como una sucesión de días desgraciados. Llegué a la conclusión de que nunca me sucedería nada bueno y empecé a fantasear con Barry. Imaginé que venía a rescatarme de mi padre y que luego volvíamos a Syracuse sin decírselo a mi madre. Vivíamos en una casa situada en el otro lado de la ciudad y podía ponerme lo que me diera la gana para desayunar.

Por la mañana, Barry aún no había llegado. Era mi padre quien estaba de pie en el umbral, silbando como un pájaro.

—Eso no me gusta nada —le dije. Él se rió y volvió a silbar.

Aquel día fuimos a ver otras casas de muestra. Y algunas más durante el fin de semana. El domingo por la noche, papá me preguntó cuál prefería y yo elegí la más barata, en Charming Gates. Dijo que coincidía conmigo, y al cabo de unas semanas nos mudamos. Era una casa bonita, con cuatro habitaciones, una para papá, una para mí, una para despacho y otra para los invitados. Yo tenía mi propio cuarto de baño. El papel pintado de la pared se llamaba «adobe», pues era de un color parecido a esas casitas de barro, y el lavabo y el mármol eran de color crema, con purpurina dorada atrapada en su interior. La limpieza de mi cuarto de baño era responsabilidad mía, papá me compró una botella de Ajax para que la colocara debajo de la pila.

El baño de mi padre era el doble de grande que el mío. Comunicaba con su habitación y tenía dos lavamanos y un vestidor con dos hileras de colgadores, una encima de la otra, como en las tintorerías. Hasta había algunos trajes guardados en bolsas de tintorería. El váter estaba en un pequeño cuarto con una puerta de separación e inmediatamente después de mudarnos empezó a oler a meados. No tenía bañera como el mío, pero sí una ducha con mampara que hacía un fuerte clic cuando se cerraba.

Había un salón y una salita de diario, y también un comedor y un rincón para desayunar. Empezamos a usar cada habitación de acuerdo con su nombre. Desayunábamos en el rincón del desayuno, comíamos en el comedor, veíamos la tele en la sala de diario (que también tenía la chimenea) y recibíamos invitados en el salón, en la parte delantera de la casa.

Nuestros primeros invitados fueron los vecinos de al lado, el señor y la señora Vuoso y su hijo Zack, de diez años. Aparecieron con un pastel que la señora Vuoso había preparado. Papá los invitó a sentarse en su sofá de terciopelo marrón y trajo té caliente para todos, aunque no lo habían pedido.

–¡Qué curioso! –se extrañó la señora Vuoso–, té en un vaso.

–Así lo servimos en mi país –indicó papá.

La señora Vuoso le preguntó qué país era ese, y papá se lo dijo.

–¡Qué cosas! –comentó, y papá asintió.

–Debe de tener opiniones muy interesantes sobre la situación que se vive allí –aventuró el señor Vuoso.

Era un hombre de aspecto muy pulcro, con pelo corto, castaño y reluciente. Llevaba una camiseta negra y tejanos que parecían planchados. Tenía unos grandes músculos en los brazos, los más grandes que había visto en mi vida. Se dibujaban en sus brazos hasta cuando estaban en reposo.

–Sí, desde luego –respondió papá.

–Algún día podríamos hablar de eso –anunció el señor Vuoso, pero lo dijo como si en realidad no tuviera ganas de hacerlo.

–Hoy no, por favor –advirtió la señora Vuoso–. Nada de política hoy.

Vestía una falda de color tostado y zapatos planos. Su rostro joven contrastaba con el cabello corto y totalmente gris. Me costaba hacerme a la idea de que era la esposa del señor Vuoso, y no su madre.

–¿Sabes jugar al bádminton? –me preguntó Zack.

Se sentó entre sus padres en el sofá, con las piernas colgando. Tenía cierto parecido con su padre, el cabello corto castaño y los tejanos pulcros.

–Un poco.

–¿Quieres jugar ahora? –me preguntó.

–Vale –dije, aunque no me apetecía. Estaba más interesada en quedarme con los mayores. Seguía preguntándome si el señor Vuoso se enfrentaría a papá.

Los Vuoso tenían una red de bádminton en el jardín y Zack se dedicó a lanzar la pluma contra mis tetas y reírse.

–Para ya –le dije por fin.

–Yo solo le pego. No puedo saber dónde aterriza.

Se lo dejé hacer unas pocas veces más y luego me retiré.

–¿Quieres hacer otra cosa? –preguntó.

–No, gracias –le dije, invadiendo su campo y dándole la raqueta.

Volvimos a mi casa, donde los Vuoso se preparaban para marcharse.

–¿Quién ha ganado? –preguntó el señor Vuoso.

–Yo –dijo Zack–. Esta se retiró.

–No decimos «esta» cuando la persona está a nuestro lado –le corrigió la señora Vuoso.

–No recuerdo su nombre –contestó Zack.

–Jasira –le recordó el señor Vuoso–. Se llama Jasira. –Me sonrió y yo no supe qué hacer.

Cuando se fueron, papá me dijo que el señor Vuoso era reservista y que eso significaba que era militar en activo durante los fines de semana.

–Ese tipo es increíble –comentó papá sacudiendo la cabeza–. Cree que me encanta Saddam. Es un insulto.

–¿No le dijiste que no? –le pregunté.

–No le dije nada. ¿Qué me importa lo que piense?

Había una piscina en Charming Gates y a papá le parecía que debíamos disfrutar de ella. Decía que no pagaba tanto dinero para quedarnos en casa sentados tomando el fresco del aire acondicionado. Le dije que no quería ir, pero cuando me preguntó por qué, me dio demasiado corte decírselo. Era por mi vello púbico. Cada vez tenía más y se asomaba por el traje de baño. Le supliqué a mi madre que me enseñara a depilarme, pero me dijo que no, que una vez empiezas, no puedes parar. Yo no dejaba de dar la lata con eso, pero ella me decía que cortara el rollo. Le dije que en clase de gimnasia las chicas me llamaban Chewbacca, y me respondió que no sabía quién era ese. Barry dijo que él sí sabía de quién se trataba, y que eso no era muy halagador, pero mi madre le contestó que él no tenía hijos y que no metiera las narices en lo que no le importaba.

Entonces, una noche que mi madre tenía una entrevista con mi tutor, Barry me llamó para que fuera al cuarto de baño. Él estaba allí de pie, con pantalones de chándal y una camiseta, sosteniendo una cuchilla y un bote de espuma de afeitar en las manos.

–Ponte el bañador. Vamos a ver cómo lo hacemos.

Así que me puse el bañador, me metí de pie en la bañera, y él me rasuró el vello púbico.

–¿Qué tal? –preguntó al terminar, yo le dije que muy bien.

Cuando llegó el momento de volver a rasurarlo, Barry me preguntó si recordaba cómo se hacía o si necesitaba que me lo enseñara otra vez. Le dije que necesitaba que me lo enseñara, aunque me acordaba perfectamente. Me parecía agradable estar allí de pie y que él me hiciera algo tan peligroso y delicado.

Mi madre nunca lo habría descubierto de no haber sido porque, al cabo de un tiempo, se atascó la bañera. Llamó al fontanero y, cuando metió la sonda, empezaron a salir mis rizos negros.

—A veces ocurre —dijo—. No siempre son pelos de la cabeza. —Luego cobró cien dólares por echar un poco de desatascador líquido por el desagüe.

—Bájate las bragas —me ordenó mi madre cuando se fue el fontanero, y lo hice. No tenía sentido desafiarla.

—¿Te dije que podías afeitarte? —me preguntó—. ¿Te lo dije?

—No.

—Dame la maquinilla de afeitar —me pidió, y le contesté que no tenía, que se la había birlado a Barry.

Cuando su novio llegó a casa, mi madre me obligó a disculparme con él por haber cogido algo suyo sin pedírselo.

—No tiene importancia —respondió él, y ella me estuvo martirizando durante un mes entero.

Al cabo de unos días, Barry decidió contarle la verdad. Le dijo que me había rasurado él mismo, que llevaba semanas rasurándome, que no podía dejar de rasurarme. También dijo que todo era culpa suya, pero mi madre me responsabilizó a mí porque, según ella, si no hubiera estado todo el día hablando de mi vello púbico, eso nunca habría ocurrido. Dijo que cuando Barry se ofreció por primera vez para rasurarme yo tenía que haber dicho no. Que había maneras correctas e incorrectas de actuar con respecto a los hombres, y que para que aprendiese quién era quién, tal vez debiera ir a vivir con uno de ellos.

Al final, papá me obligó a ir a nadar. Imaginé que probablemente le gustaría todo ese vello púbico, pues me daba un aspecto horrible. Pero cuando llegamos a la piscina y me quité los pantalones cortos se quejó:

–Este bañador ni siquiera te tapa.

–Sí me tapa –dije bajando la vista hacia el bañador de ingles bajas.

–No, no te tapa. Se te sale todo. Vuelve a ponerte los pantalones inmediatamente.

Me volví a poner los pantalones y me senté en la toalla mirando a papá, que nadaba a lo largo de la única calle que habían preparado para adultos. En un momento dado, un niño pequeño se confundió y se coló por debajo de la cuerda de flotadores que separaba la calle, y papá tuvo que pararse en mitad de una brazada. Pensé que probablemente le pegaría un grito, pero se limitó a sonreír y a esperar a que se quitara de en medio. Entonces comprendí que todo habría ido bien entre papá y yo si hubiéramos sido unos desconocidos.

Empezó el colegio, donde un montón de conserjes mexicanos me hablaban en español. No les entendía, pero me apunté a clase de lengua española para aprender. Luego, papá quiso que me cambiara a francés, pues ese era el otro idioma que hablaba su familia de Líbano, y tal vez algún día llegaría a conocerlos. No hablaba mucho en las clases, salvo que los profesores me lo pidieran. Cuando los demás niños oían mi acento, me preguntaban de dónde era y yo decía: de Nueva York. Y ellos: ¿La ciudad de Nueva York?, y como eso les suscitaba cierto entusiasmo yo decía que sí.

Encontré trabajo cuidando de Zack Vuoso cuando salía del colegio. La señora Vuoso trabajaba en el departamento de cobros de la consulta de un médico y el señor Vuoso dirigía su propia copistería en el centro comercial de la localidad. Él llegaba a casa poco después de las seis y ella más tarde, alrededor de las siete. Al par de horitas que yo pasaba con Zack cada tarde lo llamaban «hacerle compañía».

A Zack le sacaba de quicio tener canguro. Siempre andaba diciendo que yo solo tenía tres años más que él y que cuando jugábamos juntos los fines de semana sus padres no me pagaban nada.

—Claro, tus padres están en casa los fines de semana —decía yo, pero aun así le resultaba ofensivo.

Para no sentir que estaba cuidando de él, un día se le ocurrió la idea de ir a visitar a su padre en el trabajo. Yo no quería, pero Zack echó a andar, así que lo seguí. Estaba segura de que el señor Vuoso me despediría en el acto por no hacer bien mi trabajo, pero pareció alegrarse de vernos.

—Justo a tiempo —dijo, y nos puso a trabajar en la trastienda. Nos mandó compaginar instrucciones para tricotar calcetines de Navidad.

Al cabo de un rato, Zack se aburrió y empezó a fotocopiar diferentes partes de su cuerpo. Pegó la cara al cristal, luego una mano, luego la otra con el puño cerrado y el dedo corazón extendido.

–No deberías hacer eso –dije al ver cómo se bajaba los calzoncillos y se fotocopiaba el culo.

Luego sacó todas las copias y las puso entre las páginas de las instrucciones para tricotar. Cuando el señor Vuoso regresó para ver por dónde íbamos, preguntó qué significaba todo aquello. Le dije que lo sentía y el señor Vuoso preguntó:

–¿Has hecho tú estas fotocopias? –Negué con la cabeza y él añadió–: Entonces no tienes por qué sentirlo.

Le dijo a Zack que recompaginara las instrucciones desde el principio, que nosotros le esperaríamos en la parte delantera de la tienda hasta que acabase.

No sabía qué decirle al señor Vuoso. De vez en cuando entraba un cliente y no era necesario que dijera nada; a ratos me limitaba a sentarme en el taburete que me había ofrecido e intentaba no estar tan callada. Sabía por papá que era malo estar callada. Salvo que otras veces, cuando hablaba, tampoco parecía gustarle. Lo peor de él era que tenía unas reglas siempre cambiantes.

–Siento ser tan callada –le dije finalmente al señor Vuoso.

Se echó a reír. Había recibido un pedido de mil tarjetas de visita y acababa de rellenar el papeleo.

–Te diré una cosa, no hay nada peor que hablar por hablar.

Yo asentí y me relajé un poco. Era agradable ver al señor Vuoso hacer su trabajo. No parecía notar que yo estaba allí, lo cual me alegraba. Estaba harta de que se fijaran en mí.

Cuando por fin Zack acabó de compaginar, cerramos la tienda y volvimos a casa en el monovolumen de los Vuoso. El señor Vuoso me dijo que me sentara delante, a pesar de que

Zack se lo había pedido, y cuando empezó a dar patadas en el respaldo de mi asiento, su padre le dijo que cortara esa mierda. Para bromear, el señor Vuoso se metió en el sendero de mi casa y me dejó en la mismísima entrada, aunque vivíamos puerta con puerta.

–Esta noche –dijo– Zack y yo vamos a tener una charla sobre la autoridad. Verás cómo mañana irá mejor.

Luego se inclinó y me abrió la puerta.

Al día siguiente Zack parecía aún más enfadado. Jugamos al bádminton y siguió disparándome a las tetas. Cuando le dije que lo dejaba, me llamó «moraca» y corrió hacia la casa. Entré para buscarlo, pero no estaba en la sala de estar.

–¡Zack! –grité, pero no me contestó. Subí la escalera y lo encontré en la habitación de los invitados, sentado en el borde de la cama y mirando un *Playboy*.

–¿Qué estás haciendo? –le pregunté.

–Déjame en paz –soltó sin levantar la mirada.

La puerta del armario estaba abierta y vi un gran montón de revistas. Algunos uniformes del ejército del señor Vuoso colgaban de la barra superior.

–Vamos, Zack. Deja eso.

–¿Por qué? Quiero verlas.

–Eres demasiado pequeño.

–¿Tú no quieres verlas? –me preguntó.

–No.

–Entonces puedes ir abajo a ver la tele.

Bajé y encendí el televisor, pero no encontré ningún programa que me gustara, así que volví a la habitación de invitados.

–Vale –le dije a Zack–, deja eso.

–Mira –dijo, y me mostró una foto de una mujer que montaba a caballo desnuda.

–Menuda estupidez.

Se encogió de hombros y siguió pasando páginas. Al cabo de un momento me acerqué al armario y cogí una revista. Me la llevé a una silla de mimbre y la abrí por el principio. Ya en el índice aparecía una mujer sin blusa. Volví a cerrar la revista y luego la abrí por la mitad, por las páginas centrales. No las desplegué, pero miré las fotos de las otras páginas. La mujer lucía un curioso corte de pelo entre las ingles. Una fina franja que aumentaba en el centro, como un mohawk. Iba vestida, pero la ropa estaba abierta para que se le pudieran ver las partes. Junto a las fotos había texto, las opiniones de la mujer sobre los hombres y los ligues, y sobre la comida que le gustaba. Aparecía también el nombre del hombre que había hecho las fotos. Después de ver aquello cerré la revista y la guardé en el armario. Bajé la escalera y me senté en la sala de estar. Al cabo de poco bajó Zack.

–¿Lo has dejado todo tal como estaba? –le pregunté.

Asintió y se tumbó en el sofá.

–No puedes volver a ver las revistas –le advertí.

–Puedo hacer lo que me dé la gana, moraca.

–Deja de llamarme así.

–¿Por qué? Eres una moraca, ¿verdad?

–No –le dije, aunque ni siquiera sabía qué era una moraca.

–Tu padre sí. Si tu padre lo es, tú también lo eres.

Entonces lo capté, pero me pareció estúpido, pues papá

era cristiano, como todo el mundo en Texas. Un verano, cuando yo tenía siete años, me llevó a la iglesia árabe, donde me bautizaron en una pila. Llevaba días llorando, asustada por tener que desnudarme delante de un puñado de gente que no conocía, pero, afortunadamente, el sacerdote me dio una túnica. En el coche, de regreso a casa, papá se burló de mí por haberme preocupado sin motivo y entonces me percaté de que sabía lo de la túnica.

Zack se quedó dormido en el sofá y yo subí para asegurarme de que no quedara ningún *Playboy* por ahí tirado. Me decepcionó que no hubiese ninguno, así que fui al armario y saqué uno. Me senté en el borde de la cama, lo abrí por las páginas centrales y esta vez las desplegué. Empezaba a acostumbrarme a las fotos. No me impresionaban tanto como antes. Me gustaban sobre todo aquellas en las que salían mujeres casi sin vello púbico. Si me frotaba las piernas al mirarlas, me producía una sensación agradable.

El señor Vuoso llegó a casa y me preguntó si había tenido algún problema con Zack. Le dije que no.

–Eso es lo que quiero oír –dijo buscando su cartera.

Temía ponerme más nerviosa delante de él ahora que sabía qué tipo de revistas leía, pero no fue así. Al contrario, me sentía más cómoda. Me pareció que él no pensaba que hubiera nada malo en los pechos y el cuerpo.

Cuando llegué a casa, vi que había sangre en las bragas. Al menos eso me pareció. Tenía un color entre naranja y óxido. Cogí el teléfono y se lo describí a mi madre.

–Está clarísimo que es sangre –me dijo.

–¿Qué tengo que hacer?

Aquello era lo que más había temido: pasar mi primera regla con papá. La noche antes de irme de Syracuse, mi madre me había dado un par de compresas de las suyas, pero no me iban a alcanzar.

–¿Qué quieres decir con eso de qué tienes que hacer? Ponte una compresa y díselo a papá cuando llegue a casa. Él sabe qué es la regla.

–¿No puedes decírselo tú?

–¿Por qué tendría que decírselo yo?

–No quiero hablar de esto con él.

–¿Por qué no? Vas a tener que hablar de esto alguna vez.

–Tú no lo entiendes. A papá no le gusta mi cuerpo.

–¿Qué quieres decir?

–No lo sé.

–Estás haciendo una montaña de un grano de arena. Cálmate.

Colgamos y fui al baño a ponerme una de las compresas. Mientras caminaba por la casa me parecía oír los ruiditos del roce contra mis bragas. En el colegio nos habían pasado una película que decía que aquel era un día especial, pero yo me sentía como un bebé con pañales.

Cuando a las siete apareció papá en el camino de la entrada, salí a recibirlo a la puerta de atrás.

–Hola –dije.

–Hola, Jasira –murmuró.

Papá rara vez estaba contento al final del día. Los de la

NASA le atosigaban porque no trabajaba tanto como antes. Era mejor quitarse de en medio y dejar que se preparara él mismo la cena, pero yo estaba demasiado preocupada por mi provisión de compresas.

–Papá –dije mientras bajaba su maletín–, necesito hablar contigo de una cosa.

–Ahora no –respondió, desatándose los zapatos. Luego se dirigió a la cocina y sacó una cerveza de la nevera.

Fui al baño a comprobar mi compresa, que empezaba a estar empapada. Además, me dolía el estómago. No el estómago en sí, sino por debajo de él. Era como si alguien tuviera una mano dentro de mí y apretara algo que no debía apretar. Regresé a la cocina.

–¿Papá? –dije.

Estaba desenvolviendo un filete y escuchando una pequeña radio que había en la encimera. Probablemente me había oído, aunque no dijo nada. Me quedé allí de pie un rato, esperando a que acabaran las noticias.

–¿Papá? –repetí entonces.

Suspiró.

–¿Qué pasa, Jasira?

–Tengo que hablar contigo de una cosa.

–Pues habla ya. Ahórrate los preámbulos.

–Vale –dije, respirando hondo–. Tengo la regla.

–¿La regla? –Por fin me miró–. Eres demasiado joven para tener la regla.

–Tengo trece años.

Sacudió la cabeza.

–Dios mío.

–He llamado a mamá y me ha dicho que te lo contase.

–Bueno, ¿qué necesitas? ¿Necesitas ir a la tienda?

–Sí.

–¿Ahora mismo?

–Creo que sí.

Se quitó el delantal y se volvió a poner los zapatos.

–No puedes ponerte tampones hasta que estés casada –dijo, ya en el coche–. ¿Entiendes lo que te digo?

Asentí, aunque no estaba segura de comprenderlo.

–Los tampones son para las señoras casadas.

Pasamos por delante de la piscina, que estaba iluminada por la noche. Siempre me daba pena que estuviera cerrada cuando más bonita se veía.

Yo esperaba que cuando llegáramos a la tienda me diera el dinero y me dejara a mis anchas, pero apagó el motor y bajó.

–Veamos –dijo en el pasillo de artículos de higiene femenina, y empezó a sacar todo tipo de compresas. Por fin se volvió hacia mí y me preguntó–: ¿Cómo describirías tu situación, moderada, normal o abundante?

–No lo sé.

–¿Qué quieres decir con «no lo sé»?

–¿Puedo elegir yo, papá?

–¿Por qué? ¿Cuál es el problema?

–Ninguno.

–No vas a ponerte tampones, si es eso lo que estás pensando.

–No quiero ponerme tampones.

–Cuando te cases, podrás comprarte todos los tampones que quieras. Por ahora, te pondrás compresas. Una vendedora delgada y mayor vino a ver si necesitábamos ayuda.

–Todo bien, gracias –dijo papá.

La miré y ella me sonrió.

–¿Son para ti? –preguntó.

Yo asentí con la cabeza.

–Bueno –dijo, cogiendo una caja verde–. Estas son las que le gustan a mi hija.

Cogí la caja y empecé a leer las especificaciones.

–¿Qué tienen estas de malo? –preguntó papá mientras enseñaba a la señora la caja que él había cogido.

–Son un poco más gruesas. No son tan cómodas.

Puso cara de no creerle.

–¿Puedo quedarme estas? –pregunté, enseñándole mi caja.

Papá me las cogió.

–¿Cómo es que son tan caras? –preguntó.

La señora se puso las gafas que llevaba colgando de una cadenita alrededor del cuello.

–Bueno –explicó mirando el precio–, probablemente sea por el tema de la comodidad al que me refería antes.

–¡Vaya timo! –exclamó papá.

–¿Te duele? –me preguntó la señora, y volví a asentir–. Tome –dijo, dándole a papá una caja de Saldeva–. Dele esto.

–Tenemos muchas aspirinas en casa –respondió papá, dejando otra vez las pastillas en la estantería, pero la mujer las cogió y se las volvió a dar.

–Le digo que va a necesitar estas. Las aspirinas no van bien.

Luego le quitó a papá la caja de compresas gruesas de las manos y las volvió a dejar en la estantería.

Yo notaba que estaba furioso con la dependienta, pero no podía hacer nada. Aunque en el coche, de camino a casa, me dijo que a partir de entonces yo me pagaría los artículos de higiene femenina, que ya había visto lo caros que eran y que, como yo trabajaba para el ejército, podía pagarlos. Así es como se refería a mi trabajo en casa de los Vuoso. Aún le fastidiaba que el señor Vuoso creyera que le gustaba Saddam. Si algo le mosqueaba, decía papá, eran los prejuicios de la gente sobre él.

Aquella noche, en la cama, volví a fantasear con que Barry venía y me salvaba. Sabía que no lo haría, pero aun así, pensar en él me hacía sentir mejor. Estaba segura de que yo le gustaba. Incluso más que mi madre. Le gustaba tanto que ella tuvo que despacharme porque estaba celosa. Era lo mejor de mí. Saber que, pasara lo que pasase, yo era más bonita que mi madre. A los chicos les gustaba yo más que ella.

Al día siguiente, al sacar el cuaderno de dibujo de la mochila en clase de arte, se me cayó una compresa superabsorbente. Intenté esconderla, pero era demasiado tarde. Los tres chicos que se sentaban a mi mesa ya la habían visto. La cogieron y empezaron a tirársela de uno a otro mientras yo intentaba recuperarla. Luego uno de ellos abrió el paquete, quitó la tira adhesiva y se la pegó en la frente. La señora Ridgeway le ordenó que se la quitara y él lo hizo, pero entonces la pintó con acuarela roja.

Empezó a circular el rumor de que era sangre de verdad y que yo era tan guarra que iba por ahí con compresas usadas.

No me quedaban más compresas, así que fui al servicio y me puse un puñado de papel higiénico en las bragas. Lloré un poco y una de las conserjes me oyó.

–¿Estás bien? –me preguntó.

Le conté lo que había pasado y me dijo que esperara. Al cabo de un par de minutos regresó y me pasó un tampón por debajo de la puerta.

–No creo que pueda ponérmelo.

–Claro que puedes. Es muy pequeño. –Se quedó fuera y me preguntó un millón de veces si me lo había metido ya–. Relájate –me dijo, y por fin el tampón se deslizó en el interior.

Cuando salí y vio que era yo, empezó a hablarme en español y tuve que decirle que no la entendía.

–¿No habláis español en casa? –me preguntó. Le contesté que no y sacudió la cabeza como si fuera la cosa más triste del mundo.

Durante el resto del día pensé mucho en lo que papá me había dicho: tenía que estar casada para llevar tampones. Supuse que quería decir que cuando te casas, tienes relaciones sexuales y cuando tienes relaciones sexuales hay más sitio para el tampón. Pero ahora sabía que ya había espacio suficiente. La conserje había dicho que me cabría y tenía razón. Empecé a preguntarme qué otras mentiras me había dicho mi padre.

Al salir del colegio, Zack me preguntó si quería ver revistas y le dije que bueno. Él se sentó de espaldas a mí en el borde de la cama y yo en la silla de mimbre. Leí detenidamente todas las entrevistas a mujeres, esperaba que hablasen de algo tan importante como la regla. Pero solo había más de lo mismo: descripciones de cómo mantenían relaciones sexuales con sus novios, cuántas veces a la semana lo hacían o qué color de pelo preferían que tuvieran sus novios. No me di cuenta de que estaba frotándome las piernas hasta que Zack se dirigió a mí:

–Deja de hacer ruido con la silla.

Las mujeres también hablaban de tener orgasmos, y yo no entendía qué querían decir. Supuse que tenía que ver con aquella sensación de cuando apretaba las piernas, pero no era para tanto. Por lo que sabía, era una sensación agradable, como cuando Barry me había rasurado, pero tampoco era para morirse del gusto.

–¡Mira! –exclamó Zack en un momento y vino a enseñarme una foto de una mujer con la piel bronceada y los pezones de color marrón oscuro. Un titular sobre la foto decía: «Reina árabe».

–¿Y?

–Es una moraca, como tú.

–Deja de decir eso. No está bien.

Se llevó otra vez la revista.

–Tal vez algún día salgas en *Playboy*. Tienes las tetas grandes.

Sacudí la cabeza, recordando los nombres de aquellos fotógrafos.

–Mi padre cree que eres guapa –dijo, regresando a su lugar en la cama.

–¿Lo cree?

Zack asintió.

–Dice que vas a tener un montón de novios y que tu padre tendrá que encerrarte.

–No –negué con cierta alarma.

–Espera y verás –me advirtió Zack.

Esa tarde, cuando el señor Vuoso volvió a casa, estaba más nerviosa que de costumbre.

–Hola, Jasira –dijo.

–Bien, gracias –respondí.

Zack pensó que era lo más gracioso que había oído en su vida y no paraba de reírse. Hasta el señor Vuoso se reía, aunque sin mala intención.

–Bueno –se limitó a decir–, te has adelantado un poco, pero no pasa nada. Me alegro de que estés bien.

Luego se fue a la cocina.

–Ahora ya te puedes ir –dijo Zack.

–Ya sé cuándo puedo irme –le repliqué.

En casa, comprobé el estado de mis bragas. Estaban un poco manchadas de sangre, así que me puse una compresa por seguridad. Todavía no quería quitarme el tampón. No hasta que papá llegara a casa y pudiera caminar delante de él con el tampón puesto.

–Deja de pasearte de un lado a otro –me dijo esa noche, más tarde.

–Lo siento. –Y me senté en el rincón de desayunar.

–¿No tienes deberes? –me preguntó. Él estaba de pie junto a la encimera de la cocina, preparando la cena para los dos. Aquella noche tocaba comida extraña de Oriente Próximo.

–Ya los he hecho.

–Bueno, quiero escuchar la radio.

–Estaré callada.

Al cabo de un momento dijo:

–¿Qué tal tu regla?

–Bien.

–¿Se te pasó el dolor?

–Ajá.

–A tu madre también le dolía. Era como si se estuviera muriendo.

–A mí no me duele tanto.

–Siempre creí que mentía. Para llamar la atención. –Asentí. Yo también la había visto así y pensaba lo mismo–. Yo no le hacía caso y ella se ponía furiosa y me decía que era un insensible. No soy insensible. Reconozco a un mentiroso cuando lo veo. –Entonces pensé en mi tampón y en que en realidad no reconocía a un mentiroso–. Ven y ayúdame a cortar este *salapio* –que era el modo en que llamaba tanto al apio como a su sueldo.

–Vale –le dije.

Después de cenar, fui a quitarme el tampón. Estaba muy empapado y con él cayó mucha sangre en el váter. Tuve que usar más papel y, cuando tiré de la cadena, el agua no se iba. No sabía qué hacer, así que grité:

–¡Papá! ¡Ayúdame!

Vino corriendo, vio lo que pasaba y luego salió corriendo otra vez. Cuando regresó con el desatascador de ventosa, el agua rosada empezaba a derramarse sobre la alfombra beige.

–¡Joder! –Y empezó a usar el desatascador.

Aquello hizo que se vertiera más agua y quedaran trozos de papel higiénico sobre la alfombra. Pronto el váter empezó a tragar. Al final, regurgitó, para luego escupir un chorrito de agua clara.

–Ve a buscar una bolsa de plástico –me ordenó papá. Lo hice y metió el desatascador sucio en ella. Luego señaló el suelo y preguntó–: ¿Qué es eso?

Bajé la vista y vi mi tampón. No estaba tan sanguinolento como cuando me lo había quitado, pero se notaba claramente que estaba usado.

–Recógelo –ordenó papá.

Me agaché y lo cogí. No quería tocarlo con las manos, pero papá me impedía llegar al papel higiénico.

–¿De dónde lo has sacado? –exigió.

–En el colegio... unos niños...

–¿Qué te dije de los tampones?

–Que son para señoras casadas.

–¿Estás casada? –me preguntó.

–No.

Me miró un segundo y luego dijo:

–Sígueme.

En la cocina, abrió el armario de debajo del fregadero para que pudiera tirar el tampón.

–Ahora saca la basura –me ordenó, y eso hice.

Al volver a casa, la puerta estaba cerrada. Di la vuelta hasta la puerta principal, pero también lo estaba. Toqué el timbre, pero no respondió.

No sabía muy bien qué hacer. Traté de abrir las puertas del coche, pero también estaban cerradas. Pensé en llamar a la puerta de los Vuoso, pero me temía que si sabían que mi padre me había dejado fuera me despidieran. Al final decidí dar un paseo hasta la piscina. Recordé que había un teléfono público delante de los vestuarios y lo usé para llamar a mi madre a cobro revertido. Aceptó la llamada, luego me preguntó qué coño pasaba.

–Me ha dejado fuera –expliqué, y me puse a llorar.

–Bueno, tu padre acaba de llamarme y me ha dicho que te habías escapado.

–No me he escapado –le conté–. Él ha cerrado las puertas de la casa y no me deja entrar, y he venido al teléfono público a llamarte.

–¿Dónde está el teléfono público?

–En la piscina.

–No deberías llamarme a mí. Deberías llamar a tu padre. No tiene ni idea de dónde estás.

–¡Pero si no me deja entrar!

–Escúchame, Jasira. Tú y yo sabemos que tu padre tiene problemas. Reacciona de un modo exagerado. Eso significa que tendrás que modificar tu comportamiento. Si no te deja entrar, tendrás que esperar un rato hasta que te abra. ¿Me entiendes? Quiero decir, no puedo aceptar estas llamadas a cada momento. ¿Qué sentido tiene que vivas ahí si tengo que arreglarlo todo yo?

–No quiero vivir aquí. Quiero volver a casa.

–No le has dado ninguna oportunidad.

–Sí. Le he dado muchas oportunidades.

–Lo que tienes que preguntarte ahora es: ¿por qué papá no me deja entrar? ¿Te has preguntado eso?

–Sí –mentí.

–¿De verdad? ¿De verdad te lo has preguntado?

–No.

–Porque si papá te dijo que no debías usar tampones y tú te pusiste uno, ¿qué creías que iba a pasar?

–¿Qué hay de malo en usar tampones?

–Bueno, esa no es la cuestión. La cuestión es: ¿qué hay de malo en usar tampones cuando papá te dijo explícitamente que no los usaras? Porque sin duda hay algo malo en eso. Igual que hay algo malo en afeitarte cuando tu madre te dice que no lo hagas.

No respondí.

–O pedir a alguien que te afeite –añadió.

–Lo siento.

–No quiero hablar de eso.

–De acuerdo.

–Ahora cuelga y llama a papá. Irá a buscarte.

Colgué, pero no llamé a papá. Me quedé allí en el pasillo entre el vestuario de hombres y el de mujeres, como si esa fuera mi casa. La máquina de bebidas que había junto al teléfono público ronroneaba como una nevera. El olor a cloro me recordaba el Ajax que usaba para limpiar mi lavabo.

De camino a casa imaginé que me ocurría algo terrible. Que encontraban mi cuerpo después de una larga búsqueda y mis padres se sentían fatal el resto de sus vidas. Pero no ocurrió nada. Llegué a casa sana y salva. Aunque la puerta principal seguía cerrada, la de atrás estaba abierta.

2

Empecé a robar los tampones de la señora Vuoso. Los guardaba en un frasco de cristal transparente detrás del váter, como esos en los que los médicos tienen las espátulas. Fui con cuidado de no coger más de uno o dos por semana, para que no lo notara. Me los metía en los bolsillos de los tejanos y cuando llegaba a casa los escondía detrás del Ajax, debajo del lavabo de mi cuarto de baño. Papá solo había mirado allí una vez, la noche que tuvo que limpiar mi cuarto de baño, cuando me cerró la puerta y no me dejaba entrar. Al llegar a casa descubrí que el lavabo olía a limpio, igual que la alfombra húmeda a su alrededor. Había recogido todo aquel papel mojado y el desatascador de ventosa había desaparecido. Papá estaba en su habitación con la puerta cerrada y, aunque vi luz dentro, no salió ni para gritarme ni para recibirme. A la mañana siguiente, en el desayuno, solo me dijo:

—Pásame el azúcar, por favor. —Y yo se lo pasé.

En octubre, cuando me llegó mi segunda regla, tenía suficientes tampones para todo el período. Eran más grandes que los que me había dado la conserje y al principio me costaba ponérmelos, pero si empujaba, entraban. Compré más compresas con el dinero que ganaba haciendo de canguro, pero como no las usaba, elegía las más baratas.

—¿Lo ves? —dijo papá—. Cuando te toca pagarlas con tu dinero es otra historia.

En eso estuve de acuerdo con él y me hizo sentir bien. Cada vez que papá creía saber algo y en realidad no sabía nada, me sentía bien.

Nunca más volví a tirar los tampones por el retrete, ni siquiera en el colegio, donde el agua de los váteres caía con más fuerza, sino que los envolvía en papel higiénico y los tiraba a la basura, como si fueran compresas. En el colegio había un pequeño contenedor metálico en un rincón de cada retrete, que se suponía que era para eso, y a mí me encantaba mirar su interior. A veces estaban vacíos, pero en otras ocasiones había apósitos dentro que yo no había tirado. Empecé a mirar a las demás chicas del colegio, intentando imaginar quién tenía también la regla.

Al final de la regla apenas me salía sangre, pero aun así me puse un tampón. Luego, al tirar del cordón, se rompió. Fue la peor sensación del mundo: allí de pie en el lavabo de las chicas mirando de un lado a otro, sin saber qué hacer. No podía meterme más de un dedo, no me cabían más. Me senté en el váter y empecé a hacer fuerza, como si fuera a hacer caca, pero no salió nada.

Pasé el resto del día muerta de miedo. Me preocupaba que, sin el cordón, el tampón desapareciera dentro de mí. Además, sabía que podías pillar una enfermedad por dejarte puesto un tampón demasiado tiempo. Al llegar a casa intenté tomarme la temperatura, pero no sabía leer el termómetro. Ya en casa de los Vuoso le pedí a Zack que me tocara la frente.

–Ni lo sueñes, no pienso tocarte –me dijo.

Intenté palparme la frente, pero era como intentar oler tu propio aliento: todo parecía normal.

Pensé que mi única esperanza era mirar un *Playboy*, pues cada vez que lo miraba se me mojaban las bragas. Pensé que si el tampón se humedecía lo bastante, al final saldría. Aquella tarde apreté las piernas más fuerte que nunca. Miré mis páginas centrales favoritas una y otra vez, sobre todo aquellas en las que las mujeres sonreían. Me gustaba pensar que, a pesar de estar desnudas delante de un hombre que les sacaba fotografías, no tenían miedo.

Me gustaba sobre todo la foto de una mujer en un carrito de golf con la blusa abierta. Reía, feliz y contenta, y parecía no darse cuenta de que estaba en un campo de golf donde todo el mundo podía verle los pechos. Intenté imaginar cómo me sentiría en su lugar. Si en público me abriera la blusa y un hombre me sacara fotos. Si sería capaz de sonreír mientras todo eso pasaba. Cuanto más lo imaginaba, más apretaba las piernas. Me daba cuenta de que estaba haciendo mucho ruido en la silla de mimbre, pero no podía parar. Me sentía como si estuviera persiguiendo algo. Como si solo con seguir apretando fuese a lograr una sensación mejor que el apretar. No sé por qué lo sabía, pero lo sabía. Y entonces sucedió: un orgasmo.

Me recordó a cuando respiras gas en la consulta del dentista, porque de repente todo parece perfecto. No odiaba ni a papá ni a mi madre, no me importaba tener que vivir en Houston, ni siquiera me importaba que el tampón se me hubiera quedado dentro. Durante un breve instante, volví a ser feliz. Pero luego fue como el gas, porque se desvaneció. Así de fácil. Y cuando se desvaneció, me sentí aún peor que cuando me vino, porque lo quería otra vez, todo el día, todos los días.

No me di cuenta de que Zack había estado mirándome hasta que acabé.

—¿Qué estás haciendo? —me preguntó.

—Nada.

—¿Por qué te meneabas de esa manera en la silla?

—No me meneaba, es que estaba incómoda y no sabía cómo ponerme.

Me dio la impresión de que no me creía.

—Vuelvo en un minuto —dije, y me levanté para ir al baño.

Me senté en el váter y me puse a hacer fuerza, pero el tampón no se movió. Volví al dormitorio para ver si podía tener otro orgasmo, pero Zack ya estaba recogiendo las revistas.

—Oye —le dije mientras se llevaba la del carrito de golf—, esa la estaba mirando yo.

—Son las cinco.

Era el toque de queda que yo había impuesto para los dos, por seguridad.

—¿En serio? —miré el reloj. Tenía razón.

—¿Qué estabas haciendo en el baño?

—Nada.

—Te he oído. Estabas cagando.

—No.

Entonces gruñó como si hiciera fuerza; se suponía que me estaba imitando, aunque yo sabía que no había hecho ningún ruido.

—¡Cállate! —le solté, y fui al armario a coger mi revista.

—¡Eh! No se miran revistas después de las cinco.

—Podemos cambiarlo hasta las cinco y media —le propuse, pues el señor Vuoso nunca llegaba a casa antes de las seis. No podía esperar al día siguiente para tener otro orgasmo y no me parecía posible tenerlo sin las fotos.

Zack se encogió de hombros y también cogió una revista. Ocupamos nuestros asientos habituales y empecé a hacer ruido con la silla. Notaba que Zack se había dado media vuelta para mirarme, pero no me importaba. Lo único que quería era sentirme bien, tener un orgasmo y, mientras lo tuviera, pensar en que todas las cosas terribles de mi vida ya no parecían tan malas. Pensé que si lo hacía un montón de veces seguidas —si siempre buscaba esa sensación tan buena— nunca volvería a sentirme mal.

Cuando tuve el segundo, fui a por el tercero. Ya no me apetecía, pero seguía pensando que al final sería aún más feliz. Esta vez tuve que esforzarme de lo lindo; apreté las piernas, miré a la mujer del carrito de golf, me imaginé que era ella y apreté todavía más las piernas. Tal vez si la silla no hubiera hecho tanto ruido habríamos oído al señor Vuoso entrar por la puerta principal, o subir las escaleras, o caminar por el pasillo, pero no lo oímos. Yo ni siquiera noté que estaba de pie en la puerta hasta que oí a Zack.

—Papá —dijo.

–¿Qué pasa aquí? –preguntó el señor Vuoso. Parecía distinto que de costumbre. Llevaba la misma ropa pulcra y el cabello cuidado, pero tenía la cara tensa.

–Nada –respondió Zack. Cerró la revista y bajó de la cama. Yo también cerré la mía.

–¿Quién os ha dado permiso para mirar mis revistas? –preguntó el señor Vuoso.

–Nadie –dijo Zack.

–Entonces, ¿por qué las estáis mirando?

–No lo sé –dije yo.

–¿No lo sabes?

Negué con la cabeza.

–Tú eres la canguro. Se supone que deberías saberlo.

Asentí.

–Entonces, ¿por qué lo haces?

–No lo sé –repetí. Era como si estuviéramos manteniendo la misma conversación una y otra vez y yo deseaba que se acabara ya.

–Dame la revista, Zack –ordenó el señor Vuoso.

Zack dio un paso al frente y se la dio a su padre.

–Ahora sal y espérame abajo.

–Sí, señor –respondió Zack y salió de la habitación. Me asustó la rapidez con que se alejó, aunque nadie lo persiguiera.

–No esperaba esto de ti, Jasira –dijo el señor Vuoso.

Se acercó, me cogió la revista que tenía en la mano y nuestros dedos se rozaron durante un segundo. Miré cómo guardaba los dos ejemplares en el armario y luego cerraba la puerta.

–Lo siento.

–¿Lo sientes? –Se echó a reír. No era una risa agradable y quise irme a casa–. Con sentirlo no se arregla nada.

–Supongo que no soy una canguro demasiado buena.

–Supongo que no. –Se sentó al pie de la cama frente a mí y se quedó mirándome un buen rato–. Ven aquí.

No me moví. Desde que el señor Vuoso había llegado, me las había arreglado para irme acercando poco a poco a la puerta, aquel parecía el mejor lugar donde estar.

–Ven aquí –dijo, esta vez en un tono más suave. Miré hacia la puerta y pensé en marcharme. Tenía muchas ganas de irme. Di un paso en esa dirección, pero me detuvo su voz.

–¿Adónde vas? –me preguntó.

–A casa.

–Ven aquí solo un segundo.

–No.

–¿No? –Sonrió, como si creyese que yo había dicho algo gracioso.

–Tengo que irme.

–¿Adónde vas?

–A casa –repetí. Era como si estuviera jugando conmigo.

–Muy bien. Perfecto. Vete a casa.

No me moví.

–Vamos, vete.

–¿Se lo va a contar a mi padre? –le pregunté.

–¿Contarle qué?

–Que estaba mirando revistas.

–Tu padre es un jodido moraco.

Yo no dije nada.

–Vete a casa con el moraco.

–Por favor, no llame así a mi padre.

–¿Por qué no?

–Pues porque no, por favor.

–¿Qué debería hacer, entonces? ¿Debo olvidarlo?

–No lo haré más.

–¿Hacer qué?

–Mirar las revistas.

–¿Te gustó mirarlas?

No contesté.

–Debió de gustarte; ¿por qué ibas a mirarlas si no te gustaban?

Seguía sin contestar.

–Dime por qué te gusta mirarlas y no se lo diré a tu padre.

Intenté pensar por qué, pero no sabía explicarlo.

–Ven aquí.

Di un paso hacia él.

–Solo un segundo –insistió.

Me acerqué hasta su rodilla, luego me paré.

–Dime por qué te gusta mirar las revistas.

–No puedo.

–¿Por qué?

–No sé por qué me gusta mirarlas.

–Pero ¿te gusta?

–Sí.

Alargó la mano y me rodeó la cintura. Era la mano más fuerte que había notado en mi vida, y pensé en que esa mano también tocaba armas.

–Ven y quédate aquí –dijo el señor Vuoso y me puso entre sus rodillas.

Me quedé allí un minuto y él bajó la mano, que pasó por mi trasero y luego subió hasta acariciarme el pelo. Me lo apartó de la cara y me lo recogió detrás de la oreja. Yo miraba al suelo.

–¿Sigues queriendo irte a casa? –me preguntó, y yo asentí.

–Vale. Vete a casa.

No me moví.

–Pensé que querías irte a casa.

Me aparté y me soltó. Di media vuelta y salí por la puerta sin que él me retuviera. Bajé la escalera, pasé por delante de Zack al atravesar la sala de estar y me fui de la casa. Una vez fuera, en los peldaños de la entrada, deseé que hubiera existido una manera de volver a entrar, pero no la había. No hasta el día siguiente.

Ya en casa, me senté en el váter, apreté tan fuerte como pude y por fin el tampón se movió, noté cómo los músculos lo expulsaban. Después cayó en el váter, metí la mano, lo cogí y lo envolví en papel higiénico. Pensé que estaba salvada. Pensé que el señor Vuoso me había hecho sentir tan bien que me había derretido por dentro. Él era mejor que las revistas y me moría de ganas de que aquello se repitiera.

Cuando papá llegó a casa esa noche, estaba de buen humor. Una griega de su oficina le había invitado a cenar el sábado siguiente; la mujer le gustaba de verdad, era muy trabajadora. Para celebrarlo fuimos a Panjo's a tomar una pizza y papá me dejó dar unos tragos a su cerveza. Me gustaba esa sensación de mareo que me producía durante un segundo, cuando acababa de beberla.

En el viaje de vuelta a casa me contó cómo había conocido a mi madre, aunque no se lo había preguntado.

—Tu madre tenía un pequeño Fiat mal aparcado y allí estaba ella, en plena calle, peleándose con el tipo de la grúa que iba a llevárselo. Así que, mientras ellos se peleaban, yo me subí al coche y cerré las puertas. Nadie puede llevarse un coche con una persona sentada dentro. ¿Lo sabías?

Negué con la cabeza.

—Bueno —dijo—, pues así es.

Supongo que era una historia interesante, solo que yo ya no quería oír más. Me fastidiaba saber cosas buenas de papá porque no era así como yo lo veía. No quería que me engatusara y consiguiera caerme bien, para que la vez siguiente que se volviera malo —lo cual sucedería seguro— me pillase demasiado desprevenida.

En casa, papá dijo que necesitaba que le hiciera un favor.

—¿Cuál? —le pregunté. No podía creer que quisiera algo de mí.

—Me gustaría que le escribieras una carta a tu abuela de Beirut.

—¿Por qué?

—Porque te quiere mucho.

—Pero si ni siquiera la conozco.

—Eso no importa. Es tu abuela.

Entonces sacó papel, papel cebolla, le llamó. Era realmente fino y crujía al tocarlo. Me senté a la mesa del comedor y papá se sentó frente a mí.

–Querida abuela... –empezó a dictarme y yo escribí. No sabía que iba a decirme lo que tenía que poner, y me sentí muy aliviada–. Te echo mucho de menos –continuó, y luego hizo una pausa para que pudiera escribir eso también–. Espero que seas feliz y goces de buena salud. Ahora estoy viviendo con papá en Houston. Tenemos una casa muy bonita –dijo cuando hube acabado de escribir.

El resto de la carta iba de lo mucho que sentía no poder escribirle en francés, pero estaba yendo a clases y pronto aprendería. Al final, me hizo poner: «Papá está comprometido con una simpática mujer de la NASA».

–¿Es cierto?

–No.

–Entonces, ¿por qué lo dices?

–Tu abuela no entendería lo de «salir». Estará más contenta si cree que me voy a casar.

–Pero ¿y si no te casas?

–¿Cómo sabes que no voy a casarme?

No dije nada.

–Podría casarme perfectamente. A esa mujer le gusto mucho.

–Vale.

Señaló la carta.

–Ahora escribe: «Te quiero, abuela», y firma.

Poco después la repasó entera y me dijo que era muy bonita.

–A tu abuela le gustará mucho ver tu caligrafía.

Entonces cogió otra hoja del paquete y empezó a traducir mi inglés al árabe. Dijo que podía irme, pero me quedé un rato viéndole escribir de derecha a izquierda. Cuando acabó, me preguntó si quería firmar con mi nombre en árabe y le dije que sí. Pensé que me enseñaría en un borrador y luego me dejaría copiarlo en el papel cebolla, pero en lugar de eso me dio el bolígrafo, me cogió la mano y guió mis movimientos. Ya sé que solo intentaba ayudarme, pero yo no soportaba que me tocase. El brazo se me puso tieso y cuando acabamos dijo que la abuela iba a creer que yo era retrasada.

Aquella noche en la cama apreté las piernas e intenté tener un orgasmo imaginándome a la señora del carrito de golf. No creí que funcionase, pero funcionó. Cuando sucedió, en lugar de pensar en cosas terribles, pensé en el señor Vuoso. Pensé en su mano rodeando mi cintura, en su colonia agradable y en que dejó que me fuera a casa cuando quise. Pensé en que había llamado a papá «jodido moraco» pero, a pesar de eso, yo seguía gustándole.

Al día siguiente en el colegio estaba nerviosa y me preguntaba cómo serían las cosas con el señor Vuoso aquella tarde. Si en algún momento volveríamos a quedarnos solos y podría acariciarme. Mientras estaba sentada en ciencias sociales escuchando contar al señor Mecoy que antes Texas era un país independiente, empecé a apretar las piernas por debajo de la mesa. Estaba muy quieta y silenciosa, para que nadie lo notara, y tuve un orgasmo. Mientras lo tenía miré al otro lado del pasillo a Robert Serling, el chico que se había pegado mi compresa superabsorbente en la frente. Tenía el cabello rubio y rizado, y en aquel momento me di cuenta de lo guapo que era.

—Ya no podemos mirar las revistas —dijo Zack esa tarde, en casa de los Vuoso—. Mi padre las ha guardado en el garaje.

—¿Y no podemos ir al garaje? —le pregunté.

Zack negó con la cabeza.

—Mi padre dice que si nos colamos y las miramos se enterará.

—Muy bien —respondí, aunque estaba contrariada.

—Dice que debiste tener más sentido común —dijo Zack.

—Sí, es verdad.

—Sé lo que estabas haciendo en aquella silla.

—¿Qué?

Se echó a reír.

—Ya sabes.

—No estaba haciendo nada.

Salimos a jugar al bádminton. Por una vez, Zack no se dedicó a apuntarme a las tetas y pudimos acabar un partido. Pero en mitad del segundo tuvimos que dejarlo, cuando se nos cayó la última pluma en el jardín de al lado. Pensamos en trepar por la verja, pero era demasiado alta. Teníamos que esperar a que los recién casados volvieran de su luna de miel. Se habían mudado hacía una semana y después se habían ido directamente a París. Yo no los conocía, pero Zack sí. Me contó que la mujer era guapa, y el hombre, alto.

Entramos en casa de los Vuoso y encendimos el televisor. Ya no me acordaba de lo que hacíamos antes de mirar las revistas y, ahora que habían desaparecido, no se me ocurría qué podíamos hacer. Al cabo de un rato, subí la escalera para robarle un tampón a la señora Vuoso, pero quedaban muy pocos y no quise correr riesgos.

De camino abajo, algo me llamó la atención en el dormitorio principal y me paré. Era un gran petate verde que estaba al pie de la cama con dosel. Entré y me arrodillé en el suelo. Me quedé en silencio un momento, prestando atención por si oía pasos y, como no oí nada, lo abrí. Contenía sobre todo ropa: camisetas blancas, pantalones de camuflaje, botas, zapatillas deportivas, calzoncillos, cinturones. Metí la mano para ver si había algo escondido entre los pulcros montones, y lo había: algo envuelto en plástico o celofán. Al principio pensé que eran golosinas, pero luego saqué el paquete y vi que no se trataba de eso. Eran gomas. En cantidad. «Durex —decía el paquete—. Sensitivo Plus. Super fino para un aumento de la sensibilidad.» Birlé uno, me lo guardé en el bolsillo y volví a dejar el resto en su lugar. Abajo, en la sala de estar, le pregunté a Zack si su padre se iba a algún sitio.

—¿Por qué?

—Hay un petate en el dormitorio.

—Es por si entramos en guerra contra Irak —me explicó Zack.

—¡Ah!

—Puede estallar en cualquier momento. Tiene que estar preparado.

—¿Estallará pronto?

Zack se encogió de hombros.

—No lo sé.

Luego volvió a mirar la tele. Yo me senté en el sofá. Estaba preocupada. Me preguntaba si el señor Vuoso podía morir. Últimamente, papá había estado hablando mucho sobre la posibilidad de una guerra. Se ponía muy nervioso. Decía: «Saddam es un matón. No puede invadir otro país y quedarse tan ancho».

Aquella noche, cuando el señor Vuoso entró por la puerta, me levanté y sonreí.

–Hola –dije.

Él no me devolvió la sonrisa.

–¿Ha ido todo bien?

Asentí.

–Me alegro de oírlo –dijo, y entró en la cocina.

Entonces no supe qué hacer, si seguirle o sentarme a esperar a que regresara.

–Ya te puedes ir –me dijo Zack.

–Cállate –le solté mientras fingía estar interesada en lo que daban en la tele. Al cabo de dos minutos, como el señor Vuoso aún no había vuelto, salí por la puerta principal.

Ya en mi casa, me sentía incómoda. Ni siquiera había tenido un orgasmo. Traté de imaginar una excusa para volver a casa de los Vuoso y, a pesar de no encontrarla, me presenté igualmente. Zack me abrió la puerta.

–¿Qué quieres?

–Necesito hablar con tu padre –le expliqué.

–¿De qué?

–Tú llámalo.

Me miró un segundo, luego se dio la vuelta.

–¡Papá! –gritó.

–¿Qué? –respondió el señor Vuoso.

–¡Jasira quiere hablar contigo!

No contestó, pero al cabo de unos segundos se acercó hasta la puerta.

–¿Sí? –dijo, de pie detrás de Zack.

–¿Puedo hablar con usted en privado? –le pregunté.

–Zack, ¿por qué no vas arriba y empiezas a hacer los deberes? –dijo después de quedarse en silencio durante un segundo.

Zack se marchó, aunque habría jurado que en contra de su voluntad.

–¿Qué ocurre? –preguntó el señor Vuoso, con la mano en el picaporte.

Entonces no supe qué decir. Supongo que creí que él diría –o haría– algo si me las arreglaba para quedarnos a solas.

–Bueno –dije al fin–, quería darle las gracias por no contarle a mi padre lo de ayer.

–Ayer, ¿qué pasó ayer?

Lo miré, parecía tan distinto ahora.

–Ayer, en la habitación de invitados.

–Ayer no pasó nada. No te preocupes por eso.

Me quedé callada durante un segundo.

–¿Eso es todo? –preguntó.

–Supongo.

–Muy bien, entonces te veremos mañana. Buenas noches.

Cerró la puerta y yo me quedé un minuto allí de pie, en el porche. Al cabo de un rato, me fui a casa y me encerré en el cuarto de baño. Saqué del bolsillo el condón del señor Vuoso y lo escondí detrás del Ajax, con los tampones de su esposa. Luego me senté en el borde de la bañera y empecé a llorar. Por la clase de ciencias de la salud sabía para qué eran los condones y que si llamaban a filas al señor Vuoso, la señora Vuoso no lo acompañaría. Eso solo significaba una cosa: que planeaba liarse con otras. No entendía por qué no podía hacerlo conmigo. El resto de la semana fue más de lo mismo. El señor Vuoso llegaba a casa, me preguntaba cómo había ido todo y luego se metía en la cocina. Yo no sabía qué hacer. Pensé en llamarle o escribirle una carta, pero no se me ocurría qué podía decirle. Tal vez él tuviera razón, tal vez en realidad no había pasado nada.

El sábado, papá quería comprarse ropa nueva para su cita, así que fuimos al centro comercial. En Foley's un vendedor le enseñó diferentes americanas informales y papá se las probó todas. Me preguntó qué opinaba y le dije que eran bonitas, aunque me parecían exactamente iguales a las que tenía en el armario de casa. Acabó comprando una de color azul marino y una corbata azul a rayas. Creí que entonces nos iríamos, pero dijo que yo también necesitaba algunas cosillas nuevas.

–No, no me hacen falta –le contesté, pues ir a comprar ropa con papá me parecía tan horrible como ir a comprar compresas superabsorbentes. Pero él se empeñó en que sí porque lo que no se sujeta bien se cae.

Mientras le seguía por la tienda, no podía dejar de pensar en eso: que empezaban a caérseme. No dejaba de pensar que, para saberlo, papá tenía que haberse fijado en mis tetas.

En el departamento de ropa interior femenina le pidió a la vendedora que nos atendiera. Volvió a decir que se me estaban cayendo y ella contestó que tal vez tuviese que empezar a usar sujetadores con aros. Luego cogió un centímetro y me las midió delante de papá. No tuve que quitarme la blusa ni nada por el estilo, pero la cinta se posó, tirante, sobre mis pezones.

—Noventa C —anunció la vendedora, y papá lanzó un silbido como si no pudiera creerlo.

Cuando los dos se alejaron en busca de sujetadores, me senté en una silla de terciopelo rosa que había junto a la caja registradora y pensé en mi madre. La última vez que me llevó de compras intentó comprarme sujetadores con aros, pero yo no los quise. Aprietan mucho.

—No te hará ninguna gracia acabar con estrías —dijo mi madre, pero, aun así, me negué.

Al cabo de un rato se rindió. Fuimos a tomar algo, pedimos unos perritos calientes y ella me dijo que algún día haría muy feliz a un hombre.

—¿Ah, sí? —le pregunté, y ella asintió.

—Aunque te salgan estrías —dijo.

Al cabo de unos meses conoció a Barry; supongo que él no era el hombre al que ella se refería.

Papá y la vendedora volvieron enseguida con un montón de sujetadores. La vendedora me llevó hasta el probador, me dijo que apretara un botoncito rojo si necesitaba ayuda y le respondí que lo haría. Me desvestí y me puse primero el más bonito. Era de color gris plateado con un lacito en medio. No sabía decir si me estaba bien o no, así que apreté el botón rojo. Pero, al abrir la puerta del probador, apareció papá. Crucé las manos sobre el pecho, pero él me dijo que las apartara para que pudiera comprobar si me quedaba bien.

—¿Dónde está la señora? —pregunté, y me dijo que estaba ocupada con otra clienta.

Como no apartaba los brazos, dijo que me dejara de tonterías y que un sujetador es como un traje de baño.

No soportaba ver a papá en el espejo, mirándome. No podía soportar que abriera los ganchitos del sujetador o ajustara los tirantes. No entendía por qué quería saber tanto de mi cuerpo si ni siquiera le gustaba. Pensé que debía alejarse de mí, que mi cuerpo solo debía verlo la gente a la que de verdad le gustase.

Acabó comprándome siete sujetadores, uno para cada día de la semana. La vendedora le dijo que no muchos padres se toman la molestia de velar por que sus hijas tengan la ropa interior adecuada y me di cuenta de que a mi padre le había gustado el comentario. Le dio una tarjeta de compra de la sección de sujetadores para que le hicieran descuento la próxima vez y papá se despidió hasta el año que viene.

En cuanto llegamos a casa, papá me dijo que me pusiera uno de mis sujetadores nuevos y se lo enseñase. Pensé que quería decir sin blusa, como en el probador, pero cuando salí sin ella me dio una bofetada y me preguntó que qué coño estaba haciendo. Me puse a llorar y corrí a mi habitación, y al cabo de poco vino a llamar a la puerta.

—¿Cuál es el problema? —preguntó, y le contesté que ninguno.

–Bien, porque estoy esperando ver uno de esos sujetadores.

Cuando por fin salí en camiseta, dijo:

–Mucho mejor.

–Gracias.

Asintió.

–Intenta recordar que nunca salimos de nuestra habitación a menos que estemos adecuadamente vestidos.

–Vale.

Volví a meterme en mi cuarto y corté las etiquetas de todos los sostenes. Los aros seguían sin gustarme, pero era cierto que me sujetaban más. Cada vez que me miraba en el espejo de cuerpo entero que había en la puerta de mi armario, me sorprendía lo levantadas y en punta que las tenía. Cuando me miré de perfil, me gustó ver cómo las tetas me levantaban la camiseta por delante.

A las siete, papá me llamó a la salita de estar. Estaba vestido con su chaqueta y su corbata nuevas, y llevaba una camisa blanca debajo.

–¿Qué tal estoy? –preguntó.

–Muy guapo.

–¿Crees que gustaré a Thena?

–Sí.

–Bueno, esperemos que sí.

Cuando sacó el coche del garaje y vi cómo se alejaba, me calenté una cena rápida en el microondas. Cené en el rincón del desayuno en lugar de hacerlo en el comedor, luego lavé y sequé los platos. Más tarde, cuando llamé a mi madre para decirle que por fin llevaba un sujetador de aros, fue Barry quien me contestó el teléfono.

—Soy Jasira, necesito hablar con mi madre.

Intenté hablar con una voz lo más parecida a la de un robot, para que no hubiera líos.

—¡Jasira! —dijo Barry, que en absoluto hablaba como un robot. Simplemente parecía contento—. ¿Cómo te va?

—¿Está mi madre? —pregunté.

—No, no está.

—¿Dónde está?

—Ha ido a nadar. Últimamente le ha dado por ponerse en forma.

—¡Ah! —dije. Me preguntaba por qué no me lo había contado ella—. Bueno, ¿puedes decirle que me llame cuando vuelva?

—Sí. ¿Va todo bien?

Me estaba poniendo realmente enferma con su amabilidad cuando yo ponía todo mi empeño en ser seca con él. Pensé que, al menos, podía ser igual de seco conmigo.

—¿Jasira?

—¿Qué?

—¿Estás bien?

—No —dije.

—¿Qué pasa? —preguntó.

—Nada.

—Acabas de decir que no estás bien.

—Deja de hacerme preguntas. No es justo.

—¿No es justo?

–No.

Barry suspiró.

–Muy bien, no te haré preguntas.

–Gracias.

Hubo un silencio, yo no quería que colgara.

–Dime qué estoy autorizado a decir –dijo por fin.

–Nada.

Se rió.

–Entonces, ¿cómo vamos a mantener una conversación?

–No vamos a hablar.

Volvió a suspirar.

–De acuerdo.

–Yo te haré las preguntas –dije.

–Vale. ¡Pregunta!

–¿Cómo estás?

–Estoy bien, sobre todo ahora.

–No te enrolles, solo contesta las preguntas.

–Lo siento.

–¿Mi madre y tú vais a romper?

–No lo sé.

–¿Por qué no?

–Porque estamos intentando no hacerlo.

Quería decirle que en mi opinión debía romper. Que mi madre no era una persona demasiado buena y que, cuando se enfadaba con alguien, era para siempre.

–Hoy he comprado sujetadores nuevos. Con aros –dije, en cambio.

–¿Ah, sí? –dijo Barry.

–Sí. Antes usaba una noventa B, pero ahora tengo una noventa C.

–¡Uaaau!

–He aumentado una talla.

Se quedó en silencio un segundo.

–Será mejor que te deje –dijo luego.

–No, no cuelgues. –Pero ya había colgado.

Al cabo de poco sonó el teléfono: era mi madre.

–Barry me ha dicho que has llamado.

–Sí. ¿Has ido a nadar?

–Dice que le hablaste de tus sujetadores.

No podía creerlo. Había vuelto a chivarse.

–¿No has aprendido nada de todo lo ocurrido? –me preguntó.

–Solo quería que supieras que me he comprado sostenes con aros, para que me sujeten mejor.

–No –dijo–, querías que Barry lo supiera.

No respondí. Era verdad.

–Nadie quiere oír nada sobre tus pechos, Jasira. ¿Me entiendes? Nadie quiere saber nada de tus pechos ni de tu vello púbico y tampoco quiere oír hablar de tu regla ¿vale? Tienes que guardarte todo eso para ti. Entonces, tal vez tú y yo tengamos algo de que hablar.

–Vale.

–¿Te queda claro? –me preguntó.

–Sí.

–Bien.

–¿Vas a colgar?

–No necesariamente. Si es que tienes otro tema de conversación que no sea tu célebre cuerpo.

–Sí.

–Genial. ¿De qué se trata?

–Papá tiene una cita esta noche.

–¿Ah, sí? ¿Cómo es ella?

–No lo sé.

–Bueno, tendrás que ponerme al día cuando la conozcas.

–Vale.

–¿Algo más?

Intenté pensar en algo, pero no se me ocurrió nada.

–No –dije al fin.

–Muy bien. Entonces iré a lavarme el pelo, lo tengo lleno de cloro.

Colgamos y fui a mear. Luego entré en mi habitación y me desnudé. Abrí la puerta del armario y me miré en el espejo. Cuando pensaba en que mi madre o papá pudieran verme así, me sentía mal, pero cuando pensaba en Barry o en el señor Vuoso, la cosa mejoraba. Al cabo de un rato me senté en el suelo con las piernas abiertas frente al espejo, intentando verme. Era de color rosado, peludo y húmedo, y pensé que era horrible. Iba a levantarme, pero decidí echar otro vistazo. Esta vez no estuvo tan mal. Por el *Playboy* sabía que había un punto ahí que provoca el orgasmo, aunque no estaba segura de dónde. Empecé a tocar por todas partes hasta que lo encontré, entonces lo froté una y otra vez. Cuando llegó el orgasmo, me miré al espejo y pensé que quizá era guapa, pero al acabar cambié de opinión.

Me fui a la cama antes de que llegara papá. A la mañana siguiente lo encontré en la cocina con una mujer a la que no había visto nunca. Cada uno sostenía una taza de café y charlaban. La mujer tenía una expresión divertida, como si pensara que papá era agradable o interesante.

—¡Buenos días! —dijo papá al verme.

—Buenos días —dije, parándome justo antes de entrar en la cocina. No sabía si debía quedarme o volver a mi habitación.

—Buenos días —dijo la mujer, dándose media vuelta. Era delgada y de piel morena como la mía y la de papá. Tenía grandes párpados sobre unos enormes ojos marrones y me gustaba que se le viera la sombra de ojos cuando parpadeaba. Lo que no entendía era que estuviera allí de pie, con las piernas desnudas bajo una de las camisas de papá, sin que le cayera una bofetada.

—Jasira —dijo papá—, esta es Thena Panos.

—Hola —saludé, acercándome un poco.

Thena me tendió la mano, que aún estaba caliente de la taza de café, y se la estreché.

—Me alegro de conocerte por fin, Jasira. Tu padre habla de ti todo el rato.

—¿Habla de mí? —pregunté, algo confusa.

Thena asintió.

—Al parecer tienes muchas ganas de comerte el mundo.

—¡Ah! —dije.

—Es un cumplido —explicó papá.

—Gracias —le dije.

—De nada —me respondió él.

Había tortitas cociéndose y papá nos pidió a Thena y a mí que nos sentáramos en el rincón del desayuno para servírnoslas. Las tortitas eran la especialidad de papá. Las preparaba él mismo, y las hacía con mucho aceite, para que quedasen crujientes por fuera.

–¡Oh, Rifat! Soy tu esclava –exclamó Thena después de probar el primer bocado.

–El secreto es la levadura. Mucha levadura.

–No quiero saber el secreto –protestó Thena–. Quiero que sigas haciéndomelas tú.

Papá se echó a reír.

–Por eso no te preocupes –dijo.

Cuando acabamos la segunda tanda, papá trajo más en un plato y se sentó a comer con nosotras. Se puso a contar historias divertidas de la NASA, que me sonaban falsas, ya que odiaba todo lo que tuviese que ver con su trabajo. Luego me hizo más cumplidos y explicó que yo era una canguro fantástica.

–Deberías ver cómo le gusta a ese niño de al lado –dijo papá–. Cree que ella es lo mejor del mundo.

Thena sonrió.

–Apuesto a que sí.

–En realidad no le gusto –dije, cosa que era cierta. Zack me odiaba. Papá no tenía ni idea de lo que decía.

–Claro que le gustas –soltó él bruscamente–. Le gusta jugar al bádminton contigo.

–¿Cómo se llama? –preguntó Thena.

–Zack.

–Su padre es reservista –le explicó papá arqueando una ceja.

–¡Ay, ay, ay! –dijo ella.

Papá asintió.

–Ha descubierto que soy libanés y cree que estoy enamorado de Saddam.

–Típico –dijo Thena.

–La única razón por la que dejo que Jasira trabaje para él es porque así puede ahorrar para la universidad –dijo papá–. Si no fuera por eso, ya podría irse despidiendo.

–¿Cuánto has ahorrado hasta ahora? –me preguntó Thena.

–No lo sé.

Thena se rió.

–¿No lo sabes?

–Papá me guarda el dinero en el banco.

–Ya veo. –Entonces miró a papá y le preguntó–: ¿Cuánto tiene, Rifat?

–Quizá unos doscientos dólares. Algo así –dijo papá, después de pensarlo un minuto.

–¡Uaaau! –soltó Thena–. Es un buen comienzo.

–Gracias.

–¿Qué quieres ser?

–No lo sé.

–Podrías ser modelo.

–Ni pensarlo –protestó papá.

–¿Qué quieres decir con «ni pensarlo»? Las modelos ganan mucho dinero.

–Irá a la universidad. Puede ganar mucho siendo ingeniera.

–¿Quiere ser ingeniera? –preguntó Thena.

Papá se encogió de hombros.

–Es buena en matemáticas y en ciencias.

Thena se volvió hacia mí.

–No seas ingeniera, Jasira –me aconsejó–, es aburrido. Sé modelo, gana mucho dinero y luego pasa el resto de la vida viajando.

–Vale.

–Deja de meterle esas ideas en la cabeza –dijo papá.

–Solo estamos charlando –contestó Thena.

Luego le acarició la mejilla, y con eso pareció conseguir que lo olvidara todo.

Más tarde, cuando se levantó de la mesa para llevar su plato al fregadero, vi que papá le miraba la parte posterior de las piernas desnudas. Thena se excusó para ir al baño y él la estuvo observando mientras ella entraba en la habitación. Luego me miró y me preguntó:

–Es maja, ¿verdad?

–Sí.

–Intenta no parecer tan desgraciada, ¿quieres? –dijo llevándose el plato a la cocina–. Ninguna mujer querrá casarse con un hombre que tiene una niña tan desgraciada.

–No soy desgraciada –respondí, siguiéndole.

–Entonces, ¿por qué no sonríes?

–No lo sé.

Intenté ayudarle a cargar el lavaplatos, pero me dijo que me marchara.

–Nos deprimes a todos.

Me fui a mi cuarto y cerré con llave. Al cabo de un momento, papá llamó a la puerta.

—Tienes que volver a salir —susurró.

—¿Por qué?

—Quiere maquillarte.

—¿Maquillarme?

Asintió.

—No deja de hablar de esa estupidez de que seas modelo.

Le dije que bueno y lo seguí al comedor. Thena estaba ahora completamente vestida, con una falda y una blusa, y había desplegado los botes sobre la mesa. Me pidió que me sentara en una silla cerca de la ventana y luego le dijo a papá que se fuera a la otra habitación hasta que lo llamase.

—¿No puedo mirar? —preguntó papá y Thena le respondió que no, que sería mejor si veía el efecto de golpe.

Cuando se fue, Thena se puso manos a la obra. Me contaba todo lo que iba haciendo a medida que lo hacía.

—Empiezo con la crema hidratante —me explicó, pasando suavemente las manos por mi cara—. Luego te pondré una base. Nunca te pongas la base directamente sobre la piel. Antes protégete con la crema.

Asentí con la cabeza, aunque en realidad no estaba escuchando, sino que miraba por la ventana y vi que la señora Vuoso y Zack salían de su casa para ir a la iglesia. Él tenía el pelo humedecido y peinado a un lado, y ella llevaba un vestido azul con cuello de puntas redondeadas. Me fijé en que apenas tenía pecho y me pregunté si sería por eso que su marido quería tocar mis tetas.

Al cabo de dos minutos salió el señor Vuoso con una pala y empezó a cavar en el jardín delantero. Supuse que ese fin de semana no estaba de servicio.

–Cierra los ojos –dijo Thena, los cerré y ella me puso polvos con una brocha–. Ponte siempre los polvos después de la base, para que se fijen.

Volví a asentir. Tenía ganas de abrir los ojos, pero me dijo que los mantuviera cerrados porque no había acabado de ponerme la sombra.

–Colores claros en el rabillo, oscuros en los párpados –dijo, trazando círculos con las yemas de los dedos sobre ellos.

Me gustaba el modo en que me tocaba, como cuando Barry me afeitó el vello púbico. Sentía un hormigueo en la cabeza y pronto dejó de importarme que no pudiera ver al señor Vuoso.

Al final me puso rímel y carmín.

–¿Qué te parece? –me preguntó, ofreciéndome su espejo.

Al principio no dije nada. Me resultaba raro verme así. Tenía la piel más lisa, los ojos más realzados, las mejillas sonrosadas y la boca como si después de comer algo rojo no hubiera usado la servilleta. Era yo, pero mejor.

–Me gusta –dije por fin.

Ella asintió.

–A mí también. –Luego se giró hacia la cocina y añadió–: ¡Ya, Rifat! ¡Estamos preparadas!

–¿Qué coño está haciendo ese tío? –dijo papá al entrar.

Thena siguió la mirada de papá hasta la ventana.

–Rifat, ¿qué te parece Jasira?

–¿Qué? –dijo papá.

–¿No está espléndida?

Me miró un momento.

–Sí, está muy guapa.

–De veras que podría ser modelo.

–Es él –le dijo papá a Thena, señalando con la cabeza hacia la ventana–. El reservista.

Thena volvió a mirar hacia la ventana.

–¡Ah!

–Está buscando petróleo en el jardín –dijo papá y los dos se echaron a reír.

–¿Me disculpáis? –pregunté. No me gustaba que se burlaran del señor Vuoso.

–¿Le has dado las gracias a Thena? –dijo papá dirigiéndose a mí.

–Gracias.

–De nada, ha sido un placer. Me encanta maquillar.

De nuevo en mi cuarto, abrí la puerta del armario y me miré en el espejo. De repente, sin Thena allí diciéndome que estaba guapa ya no me lo parecía. Solo oía la voz de papá diciendo que estaba muy guapa sin pensarlo de verdad. No sabía por qué creía a papá en lugar de a Thena, pero lo cierto es que así era.

Llamaron a la puerta y papá asomó la cabeza.

–Voy a llevar a Thena a su casa. Ve a lavarte la cara.

–Vale.

Me miró de pie ante el espejo.

–No vas a ser modelo –dijo.

–Lo sé.

Fui al baño y dejé correr el agua pero no me lavé la cara. Después de asegurarme de que papá se había ido, fui a la casa de al lado. El señor Vuoso aún estaba trabajando en el jardín, y me quedé allí de pie un rato, viéndole trabajar con la pala. Me gustaba cómo se le marcaban los músculos del brazo cuando hacía algún esfuerzo. Se veía su forma exacta durante un segundo; luego, cuando acababa, desaparecían otra vez bajo la piel.

–¿Qué está haciendo?

–Cavando –respondió.

–¿Para buscar petróleo?

Rió un poco.

–No –dijo–, para plantar un asta de bandera.

–¡Ah!

Al cabo de unos minutos, hizo un descanso.

–Estás distinta.

–Estoy maquillada.

–¿Tu padre deja que te maquilles?

–No. Su novia me maquilló.

–¿Así que era ella?

Asentí.

–Mi padre la ha llevado a su casa.

El señor Vuoso no dijo nada. Se secó el sudor de la frente con el dorso del brazo y se puso a cavar de nuevo. Pensé que tal vez debía irme a casa y lavarme la cara, pero entonces dijo:

–¿Jasira?

–¿Sí?

–¿Cuántos años tienes?

–Trece.

–¿Cuándo cumples los catorce?

–En junio –dije, y al cabo de un instante añadí–: Y usted, ¿cuántos años tiene?

–Treinta y seis. Soy mucho más viejo que tú.

–Sí.

–Pero pareces mayor con ese maquillaje.

–¿De verdad?

Asintió con la cabeza.

–Parece que tengas unos dieciséis.

No estaba segura de si era un cumplido, así que no le di las gracias.

–Echo de menos ver sus revistas –le dije.

–¿Por qué? –preguntó tras un segundo de silencio.

–Porque me hacían sentir bien.

No dijo nada.

–Me hacían tener orgasmos.

Siguió sin decir nada y continuó cavando. Al cabo de un rato me fui a casa. Me lavé la cara, me la sequé y luego fui a cambiarme las bragas, que se me habían mojado mientras hablaba con el señor Vuoso. Justo cuando me subía la cremallera de los tejanos sonó el timbre. Fui a abrir, pero no había nadie. Bajé la vista y vi una bolsa de papel sobre el felpudo. La cogí y la abrí. Dentro había un *Playboy*.

3

Cuando papá descubrió que el señor Vuoso estaba instalando una bandera, él también se hizo con una. La plantó en el mismo lugar del jardín que el señor Vuoso e instaló un foco que encendía por la noche. «Tienes que hacerlo así si quieres que la bandera ondee siempre», me dijo. De lo contrario, se supone que hay que arriarla al caer el sol e izarla cuando sale. Eso era lo que hacía el señor Vuoso, y a papá le ponía frenético.

–¿Qué intenta demostrar? –preguntó papá, mirándolo desde la ventana del comedor–. ¿Que es más patriota? Pues, mira, no. Es más patriótico tener la bandera ondeando día y noche.

No es que papá fuera patriota, es que quería tocarle las narices al señor Vuoso y darle una lección. Pero a mí no me importaba. Me alegraba tener una bandera. Por una vez parecíamos estadounidenses normales. Al menos hacíamos lo mismo que los demás. Cuando volví a ver al señor Vuoso me preguntó qué pretendía papá, mentí y dije que no lo sabía.

Habían pasado casi dos semanas desde que me dio el *Playboy* y la verdad es que no habíamos hablado de ello.

–Gracias por la revista –le susurré al día siguiente, cuando salía por la puerta después de hacer de canguro.

–¿Qué revista? –dijo, mirándome.

Pero no me sentí herida. Algo en su voz me hacía pensar que en realidad se trataba de un juego y aquella era una de las reglas.

Me había dado precisamente el ejemplar en el que salía la mujer del carrito de golf y me pregunté si se acordaba del día en que nos pilló a Zack y a mí en la habitación de invitados o si había sido pura casualidad. En cualquier caso, me alegró volver a ver a aquella mujer con su sonrisa maravillosa. Deseaba tanto ser como ella... Estar con un fotógrafo y sentirme bien enseñándole las tetas.

Miraba muy a menudo la revista. Me levantaba pronto por la mañana y me iba pronto a la cama por la noche para mirarla. Si alguna vez me despertaba en mitad de la noche, también la miraba. Conforme la fui mirando, dejé de apretar las piernas. En cambio, me tumbaba en la cama, abría las piernas y me tocaba. También me acariciaba los pezones como algunas mujeres del *Playboy*, así los orgasmos llegaban más deprisa. Era como si existiese una conexión entre los pechos y la entrepierna. Para comprobar lo potente que era, intenté tener un orgasmo solo acariciándome los pezones, y funcionó.

Empecé a pensar que mi cuerpo era la cosa más especial del mundo. Mejor incluso que los cuerpos de los demás. No por su aspecto, sino por todas las cosas que podía hacer, por todos los botones que tenía para pulsar. Quería descubrir cada uno de ellos. Quería sentirme tan bien como fuera posible.

A finales de octubre, los recién casados volvieron por fin de París.

–Ella ha engordado en la luna de miel –dijo Zack.

Estábamos sentados en los escalones de su casa viendo cómo la mujer llevaba la compra desde el coche hasta la casa.

–No, no ha engordado. Está embarazada.

–¿Embarazada?

Asentí.

–¿No notas la diferencia?

Se encogió de hombros.

–No mucho.

Esperamos un rato hasta que acabó y fuimos a llamar a su puerta.

–Hola. Me llamo Jasira y este es Zack. Venimos por las plumas que se nos han caído en su jardín.

–¿Qué plumas? –dijo.

Estaba comiendo almendras de una cajita de plástico. La camiseta ceñida moldeaba la forma de su barriga. Tenía el pelo medio rubio medio castaño. La parte castaña estaba en las raíces, como si fuera una corona. Junto al ojo izquierdo tenía un par de lunares pequeños, parecía que llorara lágrimas negras.

–Se nos cayeron algunas plumas en su jardín mientras estaban de luna de miel –dijo Zack–. Nos gustaría recuperarlas.

–¡Ah! –dijo ella–. Os referís a los volantes.

–¿Qué? –exclamó Zack.

–En realidad, las plumas se llaman volantes.

–No –replicó Zack.

–¿Qué te apuestas?

–Nada –respondió Zack después de pensarlo un minuto.

–Bien hecho –dijo ella. Luego se apartó un poco de la puerta–. Venga, entrad. Disculpad el desorden.

Había cajas por todas partes y un montón de alfombras enrolladas. En lugar de moqueta, la vecina y su marido tenían parquet. Se oía la radio nacional, pero no se veía ningún aparato.

Nos ofreció almendras y le dijimos que no.

–¿A qué curso vais? –preguntó, y se lo dijimos. Quería saber si nos gustaban los colegios de aquí y Zack contestó que sí. Yo le dije que me gustaban más los de casa y me preguntó–: ¿Ah, sí? ¿Y dónde está tu casa?

–En Nueva York.

–¿Dónde de Nueva York? –preguntó, y por primera vez desde que me trasladé a Texas le conté a alguien que era de Syracuse.

–¿En serio?

–Sí.

–Mi marido fue a la Universidad de Syracuse.

–Vamos, Jasira –dijo Zack–. Vamos a buscar las plumas.

Salimos y las cogimos todas.

–Jasira. ¿Qué nombre es ese? –preguntó la vecina cuando entramos.

Yo dudé un segundo.

–Es una moraca –dijo Zack.

–¿Perdón? –dijo la vecina.

–Es un nombre de moraca –dijo Zack riéndose un poco.

–¿Quién te ha enseñado esa palabra? –le preguntó.

Zack no respondió.

–No vuelvas a usar esa palabra en esta casa –dijo, y se marchó dejándonos plantados en la cocina. Al cabo de un segundo nos dimos media vuelta y salimos por la puerta principal.

–¡Qué puta! –dijo Zack cuando llegamos a la acera.

–A mí me ha parecido agradable.

–Sí, claro.

–Tiene razón. No deberías usar esa palabra.

–Digo lo que me da la gana, moraca.

Jugamos un poco al bádminton y yo tiré adrede unas cuantas plumas al jardín de la vecina para que tuviéramos que volver a verla al día siguiente.

Más tarde, cuando entramos, Zack cogió el diccionario y buscó «volante».

–¿Significa pluma? –le pregunté, y él asintió–. ¿Lo ves? No te estaba tomando el pelo.

Luego buscó «moraca».

–No sale.

–Porque es una mala palabra –le expliqué.

–¿Ah, sí? –dijo, y hojeó el diccionario para enseñarme «sudaca» y «negrata»–. En los diccionarios nuevos sale todo.

Se fue a ver la tele y aproveché para ir arriba. Me preocupaba mi provisión de tampones para noviembre. Solo me quedaban tres en el escondrijo del baño y la señora Vuoso había dejado de rellenar el frasco de detrás del váter. Aquellos cinco tampones llevaban semanas allí. Aquel día no fue diferente. Estaba a punto de volver abajo sin coger ninguno, pero cambié de opinión. No soportaba la idea de tener que volver a usar compresas. Eran sucias y hediondas y a veces pensaba que ese era el verdadero motivo por el que papá quería que las usara: para hacerme creer que mi cuerpo era horrible.

Cuando el señor Vuoso llegó a casa, Zack le dijo que la vecina de al lado le había gritado.

–¿Por qué? –preguntó el señor Vuoso.

Zack me miró, se puso de puntillas y le susurró a su padre algo al oído.

–Muy bien. Ya hablaremos más tarde –dijo el señor Vuoso cuando Zack acabó. Luego se volvió hacia mí–. ¿Todo lo demás está bien, Jasira? –preguntó.

Asentí.

–Bien –dijo, pasó por delante de mí y se metió en la cocina.

Entonces me marché y mientras me dirigía al sendero de entrada de los Vuoso vi cómo el marido de la vecina tomaba el camino del garaje de la casa de al lado. Conducía una vieja camioneta azul, por lo que pensé que cuando saliese llevaría vaqueros, pero no era así. Vestía un traje gris y llevaba un maletín.

–Hola –dijo, y yo le devolví el saludo. Quise preguntarle algo sobre Syracuse, pero ya casi había llegado a la puerta.

Cuando papá llegó a casa esa noche, me dio una carta que

llevaba mi nombre. Tenía sellos extranjeros, y la persona que la había enviado no sabía cómo escribir la dirección. La ciudad, el estado y el código postal estaban todos en líneas distintas. Le di la vuelta al sobre y vi que era de alguien de quien nunca había oído hablar.

—¿Quién es Nathalie Maroun? —pregunté.

—Es tu abuela —respondió papá, y me dijo que la abriera.

La abrí; estaba escrita en francés. Le pedí a papá que me la leyera, pero me dijo que no. Dijo que la llevara al colegio y le pidiera ayuda a la profesora, y que esperaba una traducción completa para el día siguiente.

Cenamos, luego fui a sentarme al sofá con la carta de mi abuela. Usaba el mismo papel cebolla que papá y su caligrafía era alargada y menuda. *Ma chère Jasira*, empezaba, frase que, como ya sabía, significaba: «Mi querida Jasira». Leí esa parte una y otra vez, preguntándome cómo iba a quererme alguien que ni siquiera me conocía. Pensé que tal vez podría imaginarme el resto de la carta si lo intentaba, pero no quería hacerlo. No quería leer un puñado de cosas bonitas de alguien a quien ni siquiera conocía. No significaban nada.

Al día siguiente, al empezar la clase de francés, le enseñé a madame Madigan la carta y le pedí que me ayudase. Se emocionó mucho, luego se levantó de la mesa y dijo que volvía enseguida. Al cabo de unos minutos, volvió con fotocopias de la carta. Dividió a toda la clase en cinco grupos y le asignó a cada uno un párrafo para que lo tradujera. A mi grupo le tocó uno que decía: «Espero que un día nos conozcamos y pueda besarte en las mejillas y decirte lo mucho que te quiero. Es importante que conozcas a tu familia libanesa. Por favor, ven a Beirut lo antes posible. Tu abuela».

Al final de la clase, no solo todo el mundo me llamaba «moraca», sino también «negrata» y «montacamellos», cosas que no había oído nunca. Hasta Thomas Bradley, que era negro, me llamaba «negrata».

En el camino a casa me sentí fatal. Me senté al fondo del autobús, me puse a pensar en la señora del carrito del golf y apreté las piernas. Eso me alivió un poco, pero luego, cuando llegué a casa de los Vuoso, había una nota para mí en la mesa de la cocina. Era de la señora Vuoso y el sobre estaba cerrado.

–¿Qué es? –preguntó Zack, y le contesté que cómo iba a saberlo.

La abrí y decía:

> Querida Jasira:
> He notado que están desapareciendo mis tampones de detrás del lavabo. Me pregunto si tal vez tú has cogido algunos prestados. Si es así, me gustaría que dejaras de hacerlo. Son algo caros y estoy segura de que, si se los pides a tu padre, te comprará todos los que necesites.
> Gracias,
>
> Sra. V.

–¿Qué dice? –preguntó Zack.

–Nada –contesté, guardándome la nota en el bolsillo.

–¿Te has metido en algún lío?

–No.

–Entonces, ¿qué pasa?

–Tenemos que ir a la casa de al lado a buscar las plumas que perdimos ayer.

–¿Por qué? Aún nos queda un montón.

–Voy a la casa de al lado –le dije.

–Yo no quiero ir.

–Pues quédate aquí.

–Se supone que tienes que cuidarme.

–Creí que no necesitabas que nadie te cuidara.

No hizo ningún caso.

–Si vas a la casa de al lado, no te pagaremos el rato que estés fuera –dijo.

–Bueno.

Miró el reloj.

–No te vamos a pagar desde este momento.

–Bueno –volví a decir, y me marché.

Fui a la casa de la vecina y llamé a la puerta. Al principio no contestaba, luego abrió la puerta. Iba en pantalón de pijama y camiseta.

–Hola, vengo a recoger las plumas otra vez.

–Claro, pasa.

La seguí por la sala de estar hasta la cocina. Estaba colocando un especiero grande sobre la encimera y me fijé en que tenía muchas especias como las de papá: comino, coriandro, cúrcuma, zumaque, cardamomo, fenogreco.

–¿Dónde está tu amigo? –me preguntó.

–¿Zack?

Asintió.

–Está en casa.

—¡Vaya boquita tiene el niño! —dijo, sacudiendo la cabeza.

—No lo decía de mala fe. Solo tiene diez años.

—No me importa cuántos años tenga.

Empezó a ordenar las especias por orden alfabético. Parecía muy organizada, como papá, aunque estuviera hecha un adefesio. Al cabo de un rato, salí a buscar las plumas. Cuando volví a entrar pensé en algo que pudiera decir para no tener que volver a casa de los Vuoso enseguida.

—¿Cómo te llamas? —le pregunté.

—Melina.

Asentí.

—¿Tienes algún tampón?

Se echó a reír.

—¿Tampones? ¿Para qué iba a querer tampones? —No entendí lo que quería decir. Melina dejó lo que estaba haciendo y me miró—. Cuando estás embarazada no tienes la regla. Toda esa sangre se queda en el útero y hace de colchón para el bebé.

—¡Ah!

—¿Por qué? ¿Necesitas un tampón?

—Ahora mismo no —le dije—. Pero pronto lo necesitaré.

—¿Tus padres no te pueden comprar tampones?

—Mis padres no, papá. Vivo con él.

—Bueno, ¿no puedes pedírselos?

Sacudí la cabeza.

—No.

—¿No?

—No me deja usarlos. No hasta que esté casada.

–¡Ah! Creo que nunca había oído algo parecido.

–Es una norma de papá –le expliqué.

–¿De dónde es? –me preguntó Melina.

–De Líbano –respondí, y por primera vez no me sentí incómoda al decirlo.

–¡Ah! ¿Y esa bandera?

–¿Perdón?

–Vosotros vivís al otro lado de los Vuoso, ¿verdad? Asentí.

–Entonces, ¿por qué ha puesto tu padre la bandera?

–Papá odia a Saddam.

Me miró como si no lo entendiera.

–El señor Vuoso cree que a papá le encanta Saddam –intenté explicarle–. Pero no es así. Por eso papá plantó la bandera. Para demostrarlo.

–¿Y por qué le importa a tu padre lo que piense ese tío?

–No lo sé –dije después de pensarlo un instante.

–Porque ese tío es un cerdo –dijo Melina.

–¿Quién?

–Vuoso –respondió–. Lee el *Playboy*.

–¿Ah, sí? –dije. De repente la conversación tomó un cariz confidencial.

Melina asintió.

–Ayer recibimos parte de su correo por equivocación.

–¿Se lo devolviste?

–¡Coño, claro que no! –dijo–. Lo tiré.

–¿Tiraste su *Playboy*?

–¿Por qué no iba a tirarlo?

No respondí.

—Tiraré todo lo que me dé la gana.

Aquello me sentó realmente mal. No solo que Melina hubiera tirado el *Playboy*, sino que pensara que era malo que a alguien le gustase esa revista. No quería que ella pensara eso. Quería que le gustara tanto como a mí. Quería que pensáramos igual en todo.

—Bueno —dije—, supongo que será mejor que me marche.

—Vale.

—Siento lo de las plumas.

—No te preocupes.

Aunque el camino de regreso hasta casa de los Vuoso era muy corto, di un pequeño rodeo para alargarlo un poco.

—¿Por qué has tardado tanto? —me preguntó Zack cuando entré por la puerta.

—Solo he estado fuera diez minutos.

—Han sido quince minutos. Eso significa que perderás cincuenta centavos.

—Me da lo mismo —respondí. En realidad no me importaba. Lo que quería era pensar en Melina. En cómo se le marcaba el bulto del ombligo a través de la camiseta.

Cuando el señor Vuoso llegó a casa, Zack le dijo que lo había dejado solo.

—¿No puedes quedarte solo quince minutos? —le preguntó su padre.

Zack contestó que sí, y el señor Vuoso dijo que entonces no veía cuál era el problema. Cuando su padre se fue a la cocina, Zack me hizo un corte de mangas y me susurró que era una sucia moraca; por lo bajito repliqué que no me volviera a llamar así nunca más.

Más tarde, aquella misma noche, papá me pidió que tradujera la carta de la abuela. Cuando acabé me dijo que había hecho un buen trabajo y me preguntó cuánto había tenido que ayudarme madame Madigan. Pensé en decirle que los niños de la clase me habían insultado, pero luego no se lo conté. No podía repetir aquellas palabras en voz alta. No sé por qué, pero me pareció que papá creería que se las dirigía a él.

La tarde siguiente, en casa de los Vuoso, tiré cuatro plumas seguidas al jardín de Melina.

—¡Imbécil! —gritó Zack.

—Lo siento —dije—. Iré a buscarlas.

—¡No! —chilló, pero no le hice caso.

—¿Las plumas? —preguntó Melina cuando abrió la puerta. Yo asentí. Llevaba unos lápices atravesados en el despeinado moño que se había hecho.

Después de hacerme pasar, me preguntó si la foto que acababa de colgar en la sala de estar estaba recta y le dije que sí. Era un edificio de color arena construido sobre un risco rocoso.

—¿Qué es? —le pregunté.

—La antigua casa de Gil.

—¿En Syracuse? —Aunque en realidad no se parecía en nada a Syracuse.

Se echó a reír.

—No. En Yemen.

Intenté pensar dónde quedaba eso.

—Gil estaba en el Cuerpo de Paz.

–¿Y qué hacía?

Se encogió de hombros.

–Muchas cosas. Sobre todo cavaba pozos negros.

–¡Ah! –dije.

–Letrinas –añadió.

Asentí.

–Ponte en cuclillas –dijo ella.

–¿Qué?

–Dobla las piernas y agáchate.

Lo hice.

–No, más –me dijo.

Me agaché más.

–Aún más. Todo lo que puedas sin que tu trasero toque el suelo.

Cuando estaba completamente agachada, me dijo:

–Así es como hacen sus necesidades allí. No hay váteres de verdad. Simplemente cavan un agujero en el suelo y se acuclillan encima de él.

–¿Ah, sí? –dije levantándome. Me dolían los muslos.

Asintió.

–¿Te imaginas hacer eso estando embarazada?

–No.

–Yo tampoco –respondió poniéndose una mano en la barriga.

–Creo que iré a buscar las plumas.

–¡Ah! Vale.

Pasé por la cocina y salí por la puerta de atrás. No me gustaba nada que Melina se tocara la barriga y no quería hablar de su embarazo. No sabía muy bien por qué y me sentía un poco mal por ello, pero así era.

Zack ya había entrado en su casa cuando regresé. Estaba sentado en la sala, intentando ver la televisión por cable. Sus padres no estaban suscritos a ella, pero a veces se podían entrever personas desnudas a través de las rayas en movimiento.

–¿Ya no quieres jugar al bádminton? –le pregunté.

Sacudió la cabeza sin apartar los ojos del televisor.

–¿Por qué no?

–Porque estás tirando las plumas fuera a propósito para poder ir a hablar con esa señora.

–No es verdad.

–No voy a volver a jugar a bádminton contigo –dijo, y subió a su habitación.

Apagué el televisor, luego fui a la estantería y cogí el diccionario. Había un atlas en las últimas páginas y encontré Yemen, justo debajo de Arabia Saudí.

–¿Conoces a los que se han mudado al lado de los Vuoso? –le pregunté aquella noche a papá durante la cena.

–¿Que si los conozco? No, no los conozco.

A veces lo hacía, contestaba repitiendo mi pregunta, en lugar de responderla.

–¿Sabes que hay nuevos vecinos en la casa de al lado de los Vuoso? –dije después de lanzar un suspiro.

–Sí –respondió esta vez–. Lo sé. La mujer tendría que taparse más la barriga cuando sale. A nadie le interesa ese espectáculo.

–Bueno, su marido vivía en Yemen.

Papá masticó un momento el cartílago del muslo del pollo que estaba comiendo.

–¿Cómo lo sabes? –dijo después de tragarlo.

–Melina me lo contó. Es su esposa.

–No se llama a los adultos por su nombre de pila.

–Pero ella me dijo que podía llamarla así.

–No me importa lo que te haya dicho. Averigua cuál es su apellido y llámala por él.

Después de cenar, papá preparó su ropa y salió para pasar la noche en casa de Thena. Se habían visto con regularidad desde su primera cita, pero papá no le dejó venir más a nuestra casa. Decía que no quería lidiar con ella mientras organizaba todo el lío del maquillaje.

–Acaparas toda la atención. No sé cómo, pero lo haces.

Luego dijo que él también necesitaba atención y que yo era ya bastante mayor para pasar sola un par de noches por semana.

No me importaba estar sola. En realidad, lo prefería. Podía andar por la casa sin preocuparme de si estaba a punto de meter la pata. Podía tener orgasmos con la puerta de la habitación abierta. Podía leer mi *Playboy* en el sofá. Que era justo lo que estaba haciendo cuando, a eso de las nueve, sonó el timbre. Era el señor Vuoso. Llevaba una camiseta blanca y tejanos, y el aliento le olía un poco a cerveza.

–Hola, ¿está tu padre en casa?

–No.

–Bueno –dijo el señor Vuoso–. Se ha apagado el foco de fuera. ¿Se lo dirás?

–Volverá mañana.

–¿Mañana?

Asentí.

–Se ha ido a casa de su novia.

–Eres un poco pequeña para quedarte sola, ¿no crees?

–Puedo arreglármelas perfectamente.

Me miró.

–¿No tienes miedo?

Sacudí la cabeza.

Durante unos segundos no dijimos nada.

–¿Qué estás leyendo?

–¿Qué?

Señaló con la cabeza hacia el sofá que tenía detrás de mí y me di la vuelta.

–¡Ah! –dije. Quería jugar bien a nuestro jueguecito–. Nada.

Sonrió un poco.

–Conque nada, ¿eh?

No supe qué decir, así que también sonreí un poco.

–No sabía cuál darte, así que cogí la primera del montón.

–Es mi favorita.

–¿De veras? –me preguntó–. ¿Por qué?

–Me gusta la señora del carrito de golf.

–La señora del carrito de golf –dijo, como si intentara recordarla.

–Tiene la blusa abierta, pero parece no darse cuenta –le expliqué.

–¿Ah, sí?

Asentí.

–¿Es eso lo que te gusta? ¿Que parezca no darse cuenta?

–Sí.

Me alegraba mucho hablar por fin de esto, comentarle cosas que sabía que solo él podía entender.

–Bueno, no te olvides de decirle a tu padre lo de la luz.

–¿Quiere pasar? –le pregunté.

–No. He de volver.

–¡Ah!

–Llámanos si necesitas algo.

–Vale –dije, intentando pensar en algo para retenerlo.

–Buenas noches –dijo, pero no se iba.

–Buenas noches –respondí.

Entonces me dio un pequeño apretón en el hombro. Luego deslizó la mano hasta una de mis tetas. Después de eso, se dio media vuelta y se marchó.

Cuando se hubo ido, me senté en el sofá y tuve un orgasmo solo tocándome el pecho y pensando en él. Al acabar, recordé que Melina había dicho que era un cerdo. No lo creía. No me parecía posible que alguien que podía hacerte sentir tan bien pudiera ser tan espantoso. Me gustaba mucho Melina y me parecía muy lista, pero también creía que había cosas que tal vez ella no comprendía. Y sobre todo me parecía que cualquier cosa que pudiera producirme un orgasmo era buena. Creía que mi cuerpo era más sabio.

Al día siguiente, en la cafetería, Thomas Bradley llevó su bandeja a mi mesa.

–¿Te importa que coma contigo? –me preguntó.

Asentí con la cabeza y se sentó. Tenía el pelo muy corto y

los ojos de un tono marrón mucho más claro que la piel. Durante un rato no dijimos nada.

—Siento haberte llamado eso el otro día. No sé por qué lo hice —dijo luego.

—No pasa nada —le dije.

—Sí, sí que pasa.

Entonces no supe qué hacer, así que seguí comiéndome los raviolis. Cuando sonó el timbre, Thomas se ofreció a retirarme la bandeja y le dije que bueno. Apiló mi plato, los cubiertos y el cartón de leche en su bandeja, y luego puso la mía debajo.

—Ahora mismo vuelvo —dijo, con lo cual se suponía que yo debía esperarlo, y así lo hice.

—Vale, listos —dijo al regresar, y fuimos juntos hasta su taquilla.

Me preguntó si necesitaba ir a la mía, le mentí y le dije que sí. Era agradable tener a alguien con quien hacer las cosas.

Más tarde, cuando me aburría en ciencias sociales, intenté tener un orgasmo pensando en Thomas, pero no funcionó. No era como cuando pensaba en el señor Vuoso tocándome los pechos o me imaginaba a un fotógrafo haciéndome fotos. Así que lo dejé y empecé a pensar en esas cosas. Pensé que era muy afortunada por tener un sistema tan bueno. Poder probar a distintas personas y decidir si realmente te gustaban.

Esa tarde en casa de los Vuoso comprobé si había tampones detrás del lavabo, por si acaso la señora Vuoso había desistido de intentar pescarme. Pero no. Aún había los mismos cuatro tampones. Bajé y le dije a Zack que necesitaba ir a la casa de al lado un segundo.

–¡Ni lo sueñes! –dijo silenciando el televisor–. Allí no hay ninguna pluma.

–No es eso. Necesito averiguar el apellido de Melina.

–¿Por qué?

–Porque ya no puedo llamarla Melina, mi padre no me deja.

Zack no dijo nada.

–Volveré enseguida, ¿vale?

Se dio media vuelta y volvió a subir el sonido del televisor.

–No puedo quedarme mucho rato, simplemente necesito preguntarte algo –dije cuando Melina abrió la puerta.

–Dime. –Y entró en la casa.

La seguí hasta el salón, donde estaba sacando libros de una caja y colocándolos en una alta estantería de madera. Me fijé en que el lomo de algunos estaba escrito en árabe.

–Necesito saber tu apellido.

–Sí. Hines. ¿Por qué?

–Porque ya no me dejan que te llame Melina.

–¿Ah, no?

Asentí.

–Es una norma de papá.

–Uau –dijo–. Estoy segura de que tiene un montón de normas.

–Pues sí.

–Bueno, tal vez puedas llamarme Melina cuando él no esté.

–Vale.

–Genial.

–¿Melina?

–¿Sí?

–Si te doy dinero del que gano haciendo de canguro, ¿podrías comprarme tampones?

Guardó silencio un segundo.

–Bueno, no lo sé, Jasira.

–¿Por qué no? –le pregunté.

–Supongo que no me sentiría cómoda llevándole la contraria a tu padre.

–Bueno, pero acabas de decir que puedo llamarte Melina cuando él no esté.

Melina suspiró.

–¡Ay, madre!

–No veo por qué no puedo llevar tampones –dije–. Me entran perfectamente.

–¿No podrías hablar con tu madre de esto? –me preguntó Melina.

Sacudí la cabeza.

–No.

–¿Por qué no?

–Porque me dice que haga caso a papá.

–¿También es libanesa?

–No, irlandesa.

–Uau –exclamó Melina–. ¡Vaya mezcla!

Me molestó que intentara hablar de mi nacionalidad en lugar de hablar de los tampones.

–Será mejor que me marche –dije al fin.

–¿Estás segura?

–Sí. Se supone que no debo dejar solo a Zack.

–Lo siento de verdad, Jasira. Me gustaría poder ayudarte. En serio. Estoy segura de que se te ocurrirá algo.

–Gracias –dije, y me marché.

Cuando regresé a casa de Zack, estaba muy enfadada con ella. Era como si me hubiera engañado o algo así. Decía que todo ese asunto de las normas de papá era raro, pero luego estaba de acuerdo con él. Pensaba que tenía que hacerle caso, igual que todos.

–Cuánto tiempo sin verte, moraca –dijo Zack cuando entré en la sala de estar de los Vuoso.

–No me llames así.

–Vale. Montacamellos.

–Cállate.

–Vale. Negrata.

Avancé hacia él y le pegué en un brazo. No le di fuerte, pero reaccionó como si le hubiera dado fortísimo y se puso a llorar.

–¡Te has metido en un buen lío! –me gritó, corrió a su habitación y cerró de un portazo.

Me senté a la mesa de la cocina y esperé a que el señor Vuoso volviera a casa. Supuse que probablemente tenía razón en que me había metido en un lío. Ojalá le hubiera pegado a Zack el fin de semana, mientras estábamos jugando; no habría pasado nada, habrían sido cosas de críos.

A eso de las seis, oí la llave del señor Vuoso en la cerradura y entré en la sala de estar para recibirlo.

–¿Dónde está Zack? –preguntó.

–Arriba.

–¿Todo bien?

–Sí –dije, y salí rápido por la puerta.

Al volver a casa, no sabía muy bien qué hacer. Me serví agua y luego lavé y sequé el vaso. Mientras lo guardaba en el armario sonó el timbre. Fui a abrir; era el señor Vuoso, que estaba en los escalones de la entrada. Aún llevaba su camisa azul clara del trabajo.

–¿Le has pegado a mi hijo? –me preguntó.

Me quedé en silencio un segundo.

–Sí.

Entró en la casa y cerró la puerta.

–¿Qué clase de canguro eres? –preguntó, de pie en las baldosas cuadradas de la entrada.

–No lo sé.

–Cada día es un problema nuevo.

–Lo siento.

–¿No sabes que no hay que pegar a los niños pequeños?

–Sí.

–Bueno, pues parece que no.

No le respondí.

–¿No lo sabes?

–No.

–Quiero que me devuelvas la revista.

–¿Qué?

–Ve a buscar mi revista. Devuélvemela.

No me moví. No quería devolverle la revista.

–¿Dónde está?

–En mi habitación.

–Ve a buscarla ahora mismo.

Como seguía sin moverme, se acercó a mí, me puso las manos en los hombros y me dio la vuelta, de modo que me colocó mirando hacia el fondo de la casa.

—Ve y trae la puta revista —insistió.

Lo intenté, pero él me tenía sujeta. En lugar de soltarme, deslizó las manos desde los hombros hasta las tetas. Empezó a sobármelas. Volví a intentar moverme, pero cuanto más intentaba soltarme, más fuerte me sujetaba.

Entonces bajó las manos hasta metérmelas en los tejanos.

—Iré a buscar la revista —le dije.

Pero él no me escuchaba, me estaba metiendo los dedos por dentro de las bragas, los movía hacia la entrepierna.

—No —dije—, no —aterrorizada de que notara mi vello púbico y pensara que era horrible solo con tocarme.

Pero no dijo nada de eso. Continuó tocándome cada vez más abajo. Entonces empezó a frotarme. Al principio fue brusco, pero luego pasó por encima del punto exacto y me produjo una sensación agradable. Me mojé un poco y sus dedos empezaron a moverse cada vez con más facilidad.

Pensé que no sería tan malo si solo quería tocarme así un rato, pero entonces dejó de hacerlo. En lugar de eso, empezó a meterme los dedos, como si estuviera buscando algo. Pronto lo sentí empujando dentro de mí. Al principio no me dolió demasiado, pero luego parecía como si estuviera usando más de un dedo.

—No —dije, e intenté liberarme, pero tenía los brazos atrapados entre los suyos—. Me está haciendo daño —me quejé, pero siguió.

Era terrible tener un dolor así en el lugar que siempre me hacía sentir tan bien. Lo único que pensaba era que me estaba rompiendo algo allí abajo. Que nunca más volvería a funcionar. Empecé a llorar y entonces fue cuando por fin paró. Sacó la mano de mis bragas y la tenía toda llena de sangre. Durante un segundo pensé que era la regla, pero enseguida me di cuenta de que no.

–¡Oh, joder! –dijo el señor Vuoso, mirándose la mano–. ¡Oh, Dios mío! –Entró en la cocina y oí correr el agua del fregadero. Cuando volvió, añadió–: No quería hacerlo. No quería.

Yo casi había dejado de llorar, pero ahora él parecía lamentarse tanto que rompí a llorar otra vez.

–¡Oh, joder! –dijo.

Di un paso adelante para que me abrazase, pero él retrocedió.

–Tengo que marcharme. Tengo que volver a casa con Zack.

–¡No! –exclamé–. No quiero que se marche.

Pero ya tenía la mano en el picaporte.

–No quería hacerlo –volvió a decir, y se marchó.

Me quedé allí llorando unos minutos. Luego fui al baño y me quité las bragas. Estaban llenas de sangre y habían empapado hasta los tejanos. Me había quedado sangre en la tripa de cuando el señor Vuoso sacó la mano. Me quité toda la ropa y me metí en la ducha. Cuando salí, cogí unas bragas limpias y me puse una compresa superabsorbente. Luego empecé a lavar la ropa en el lavabo. Tenía que darme prisa, pues papá llegaría enseguida. Los tejanos quedaron bastante limpios, pero por más que frotaba las bragas, seguía viéndose una mancha marrón. Al final las envolví en papel higiénico y las tiré a la basura.

Fui a la salita y esperé a papá. En realidad, de algún modo extraño, tenía ganas de verlo. Solo quería compañía y sabía que a papá no le gustaba el señor Vuoso, así que en ese momento me parecía la mejor compañía.

Intenté que a mí tampoco me gustara el señor Vuoso, pero era difícil. Sobre todo si pensaba en lo arrepentido que parecía. Nunca nadie había actuado mostrando arrepentimiento conmigo, y aquello me producía una sensación agradable. Casi valía la pena que alguien se portara mal contigo si luego te iba a tratar así.

Lo primero que hizo papá al llegar a casa fue gritarme por no haber encendido el foco. Le conté la visita del señor Vuoso de la noche anterior.

–¿No lo dirás en serio? –me dijo.

–Sí.

–Bueno, es increíble –dijo papá, aflojándose la corbata–. Apuesto a que se cree la leche, viniendo aquí para eso.

Asentí.

–No le dirías que iba a pasar toda la noche fuera, ¿verdad? –me preguntó.

–No –mentí.

–Bien. Porque no es asunto suyo.

Suspiré un poco y papá me miró.

–¿Qué te pasa? –me preguntó.

–Nada.

–Pareces deprimida.

–No lo estoy.

–¿Has tenido un mal día en el colegio?

–No.

–¿Crees que cada vez que estés deprimida alguien va a hacerte todo tipo de preguntas hasta averiguar por qué?

–No.

–Porque no va a ser así.

–Lo sé.

–Me rindo –dijo, y se fue a preparar la cena.

Yo me metí en el baño para comprobar cómo estaba la compresa. Ya no había tanta sangre, pero me dolía y me daba miedo limpiarme después de mear, así que me quedé allí sentada dejando que goteara. Al cabo de un rato, llamaron a la puerta.

–¿Todo bien? –preguntó papá.

–Sí –dije levantándome y abrochándome los vaqueros. La puerta estaba cerrada, pero me preocupaba que encontrara el modo de entrar.

–¿Te ha venido la regla? ¿Es eso?

–Sí –dije al cabo de un segundo.

–¿Te has tomado algún medicamento?

–No.

–Bueno, tómatelo. No hay motivo para ir por ahí sintiéndose mal.

–Vale.

Empecé a sentirme un poco mejor durante la cena. Fue gracias al medicamento, pero también a que papá estaba de buen humor después de haber pasado la noche anterior con

Thena. Describió la comida que le había hecho, un plato delicioso llamado *musaka* y también un espantoso *baklava*.

–Claro que le dije que estaba muy bueno –comentó–. Pero usa almíbar en lugar de miel. Ese es su error. –Luego dijo que Thena me iba a llamar para ver si quería ir de compras con ella y que yo tenía que decir que no–. Di que tienes que hacer deberes o lo que sea.

–Vale –dije, aunque me habría gustado ir.

–Thena tiene que encontrar amigas de su edad –dijo papá.

Más tarde me dijo que podía tumbarme en el sofá mientras él fregaba los platos de la cena. Cuando acabó, volvió y se puso a leer el periódico en su sillón. A eso de las ocho sonó el timbre. Estaba a punto de levantarme para ir a abrir, pero papá dijo que me quedara quieta. Dejó el periódico en el suelo y se levantó. Cuando abrió la puerta aparecieron la señora Vuoso y Zack.

–¡Ah! –dijo papá–. ¡Hola!

Entonces me senté en el sofá, preguntándome si el señor Vuoso estaba detrás de ellos.

–Hola, Rifat –dijo la señora Vuoso. Pronunciaba su nombre con la sílaba «fat», en lugar de hacerlo como papá, que decía más bien «fot»–. ¿Tienes un momento?

–Claro que sí –dijo papá, y dio un paso atrás para dejarles entrar.

Entonces vi que estaban solo ellos dos. Zack no me miraba, pero la señora Vuoso no me quitaba la vista de encima. Tenía los ojos grises, como el cabello.

–Bueno –dijo la señora Vuoso cuando estuvimos en mitad

de la salita de estar–, hemos venido a darle a Jasira su última paga. Me temo que no será posible que siga haciendo de canguro de Zack.

–¿Zack va a cuidar de sí mismo a partir de ahora? –preguntó papá.

–No –le respondió la señora Vuoso–. Me refiero a que vamos a tener que buscar otra canguro.

–Ella me pegó –le dijo Zack a papá.

Papá le miró.

–¿Quién te pegó?

–Jasira.

Vi que papá volvía la cabeza hacia mí.

–¿Quieres explicarme qué pasa aquí? –me dijo.

Me levanté del sofá, pero antes de que pudiera contestarle, Zack interrumpió.

–Ella me pegó muy fuerte en el brazo.

–¿Es eso cierto? –me preguntó papá.

Yo asentí. Papá se quedó en silencio un segundo.

–¿Por qué le pegaste?

–Bueno –dijo la señora Vuoso–, no creo que pegar sea apropiado bajo ninguna circunstancia.

Papá seguía mirándome.

–¿Estabais jugando?

Negué con la cabeza.

–¡Fue porque sí! –exclamó Zack.

–Solo creo que Jasira parece una muchachita muy infeliz –intervino la señora Vuoso–. Bueno, odio decirlo, pero este no es el primer problema que tenemos con ella.

–¿De qué está usted hablando? –dijo papá.

–Me llamó moraca –intervine, aterrada de que la señora Vuoso empezase a hablar de los tampones que le faltaban.

Papá me miró.

–¿Qué te llamó?

–Moraca –le dije.

–¿Moraca? –repitió papá. Luego se dirigió a la señora Vuoso–: ¿Sabía que su hijo había llamado a mi hija moraca?

La señora Vuoso miró a Zack, como si no supiera nada.

–Y montacamellos –dije.

Papá volvió a mirarme.

–Y negrata –insistí.

Se echó a reír.

–¡Joder!

–No creo que sea para tomárselo a broma –dijo la señora Vuoso–. Quiero decir que si Zack ha utilizado un lenguaje inapropiado, le pido disculpas. Pero la violencia es la violencia. Solo creo que Jasira debe de ser una muchachita muy infeliz.

–¿Dónde está el cheque? –preguntó papá.

–¿Perdón? –dijo la señora Vuoso.

–Dijo que tenía la última paga de Jasira. ¿Dónde está?

–¡Ah! –La señora Vuoso dudó un segundo, luego se metió la mano en el bolsillo–. Aquí lo tiene.

Cuando papá lo cogió, me lo enseñó.

–¿Es la cantidad correcta?

Lo miré, aunque estaba demasiado nerviosa para leerlo.

–Sí.

–Muy bien, entonces –dijo papá–. Creo que debemos dejarlo aquí.

–Bueno –dijo la señora Vuoso–. No hemos terminado todavía.

–Muchas gracias por venir –dijo papá, y fue a abrirles la puerta.

–Bien, de acuerdo –dijo la señora Vuoso al cabo de un momento, y ella y Zack se marcharon.

Pensé que papá me pegaría cuando se hubieran ido. Pensé que tal vez estaba fingiendo ser bueno conmigo delante de Zack y de su madre. Pero no me pegó.

–¿De qué hablaba cuando dijo que había tenido otros problemas contigo?

–No lo sé.

–¿Qué has hecho? –exigió.

–Nada.

–Algo debes de haber hecho.

–Una vez dejé a Zack solo para ir a pedir las plumas a Melina, la vecina de la casa de al lado –dije por fin. Papá me miró–. Quiero decir, a la señora Hines.

Asintió.

–¿Eso es todo?

–Sí.

–¡Vaya tontería!

Entonces salió para arriar la bandera y no ser antipatriota.

–Adivina qué bandera está aún izada –dijo al regresar.

–¿Qué bandera?

–¿Qué bandera crees?

Fui a la ventana del comedor y aparté la cortina. Al principio me costó verla pero, al cabo de un momento, me fijé en que la bandera del señor Vuoso colgaba flácida en el aire quieto. Pensé que el señor Vuoso estaba conmigo al ponerse el sol y que había sido antipatriota por mi culpa.

–Debería acercarme y decir algo –dijo papá.

Pero no lo hizo. Dobló nuestra bandera y la guardó en el armario. Luego se sentó en su sillón y cogió el periódico. Yo volví a tumbarme en el sofá. Debí de quedarme dormida, porque lo siguiente que recuerdo es que papá estaba de pie a mi lado, silbando su horrible canción despertadora. Pero, cuando abrí los ojos, no fue tan terrible ver su cara.

4

Dejé de sangrar al día siguiente y, al cabo de unos días, dejó de dolerme. Me puse a prueba para ver si aún podía tener un orgasmo, y sí podía. Me alegré de que todo siguiera funcionando por allí abajo, pero lo cierto es que ya no quería tener más orgasmos. No me hacían sentir mejor.

Me llegó la regla y los tampones entraban con más facilidad que nunca, aunque solo me quedaban unos pocos y enseguida se me acabaron. Se me ocurrió que podía pedirle al señor Vuoso que me comprara más, y que él aceptaría porque me había hecho daño. Pero luego, cuando lo vi desde la ventana del comedor arriando la bandera, cambié de opinión. Ya no parecía tan arrepentido.

Melina era la nueva canguro de Zack. Jugaba al bádminton con él en el jardín trasero, tal como solíamos hacer nosotros. En realidad no corría mucho, tal vez por el bebé. Se limitaba a quedarse quieta mientras Zack lanzaba las plumas contra ella. A veces le daba en la barriga y ella le gritaba que parara ya. Pensé en contarle lo que el señor Vuoso me había hecho para que se sintiera fatal por trabajar para él, pero no lo hice. Me daba demasiada vergüenza.

Sobre todo estaba deseando que papá llegara a casa por las noches y pusiera verdes a los Vuoso. Decía que eran unos ignorantes, paletos e hijos de puta. Decía que al señor Vuoso lo llamarían a filas dentro de poco, Saddam lo gasearía y se lo tendría bien merecido. Le pregunté a papá qué ocurría cuando te gaseaban.

—Te caes al suelo, no ves nada y no sientes nada, solo sed. Pero el agua que encuentras está llena de gas y al beberla te pones todavía peor —me explicó.

—Creía que odiabas a Saddam.

—Y lo odio. Pero los hechos son los hechos.

Asentí. Era agradable sentirme cerca de papá. Desde que la señora Vuoso me despidió, parecía que se esforzaba en hacerme sentir mejor. Incluso llamó a mi madre para contarle lo que había pasado.

—Ella fue y le pegó —le oí decir—. En el brazo.

Luego me tocó hablar a mí.

—Si tienes algún problema con alguien, mira a ver si puedes dialogar antes de recurrir a la violencia —me dijo mi madre.

—Vale —le contesté.

—¿Qué te está diciendo? —preguntó papá, que estaba allí al lado.

—Que antes intente hablar de las cosas.

—Dame eso. —Y me quitó el teléfono.

Empezó a discutir con ella porque como era irlandesa no

se enteraba de nada. Al final papá le colgó el teléfono y fuimos a tomar una pizza a Panjo's. Nos sentamos en un banco de una mesa que estaba fuera del restaurante, aunque era finales de noviembre.

–Tu madre va a venir a Houston por Navidad –dijo papá.

–¿Ah, sí? –No había oído aquella parte de la conversación. Asintió.

–Quiere quedarse con nosotros para no tener que pagar un hotel.

–Vale –dije, pensando que quería mi aprobación.

–¿Qué quieres decir con «vale»?¿Acaso es tu casa?

–No.

–Exacto –dijo, masticando el reborde de la pizza–. Es mi casa. Yo decido quién se queda.

No dije nada.

–Le he dicho que puede quedarse en mi estudio, aunque contra mi opinión.

Asentí.

–Puede llegar a ser muy difícil convivir con tu madre. Se cree que lo sabe todo.

–¿Cuánto tiempo va a quedarse? –le pregunté.

–Demasiado –dijo–. Una semana.

–Uau.

–Ya le he dicho que si empieza a dar problemas, la echaré de una patada.

No estaba segura de lo que sentía ante la visita de mi madre. Llevaba desde julio sin verla y lo cierto es que ya no la echaba tanto de menos. Me preocupaba que se enfadara si se daba cuenta. Ya se estaba mosqueando porque no la llamaba tan a menudo.

—¿Qué está pasando ahí? —había dicho cuando me llamó—. Ya casi no tengo noticias tuyas.

Le dije que no pasaba nada y me contestó que eso no podía ser verdad. Tenía razón, pero no podía contarle lo que estaba pasando. Yo ya no hacía cosas normales.

Una vez intenté hablarle de Melina, pero le aburría.

—¿Por qué voy a querer oír hablar de una mujer embarazada que no se molesta en salir a comprar ropa maternal decente? —preguntó.

—Su marido trabajaba en Yemen.

—¿Y?

—Pensé que era interesante.

—Bueno —dijo mi madre—. Quiero que me cuentes cosas de ti. Eso es lo que me interesa. Cuéntame cosas del colegio.

—¿Qué quieres que te cuente?

—¿Tienes amigos?

—Sí.

—¿Quién?

—Thomas Bradley.

—Bueno, cuéntame algo de él.

—Comemos juntos. Luego se lleva mi bandeja.

—¿No puedes llevártela tú? —me preguntó.

—Sí, claro, pero él se la lleva primero.

—Eres demasiado joven para tener novio. Recuérdalo.

—No es mi novio —le aclaré.

—Ya.

–No lo es –insistí.

Pero lo era, en cierto modo. Los niños del colegio nos molestaban con esa historia y, cuando lo hacían delante de Thomas, él nunca les decía que no era cierto. A veces yo misma quería decírselo pero temía que, si lo hacía, empezasen a insultarme otra vez. Habían dejado de insultarme desde que me tomaron por la novia de Thomas. No sabía muy bien por qué, pues Thomas no parecía demasiado popular, aunque era mucho más grande que la mayoría de los chicos y ayudaba al equipo de natación de la YMCA a ganar la mayoría de las competiciones.

A principios de diciembre me pidió que fuera a cenar a su casa.

–Mis padres quieren conocerte –me dijo.

–¿Por qué?

–¿Tú qué crees?

Me encogí de hombros.

–No lo sé.

–Bueno –dijo–, ¿vas a venir o no?

–Tengo que preguntárselo a papá.

–Muy bien. Dímelo mañana. Mi madre ha de comprar la comida.

Aquella noche, durante la cena, le conté a papá lo de la invitación.

–No –me dijo–, eres demasiado pequeña.

–¡Pero si sus padres van a estar allí!

–No me importa. Si quieres ir a casa de tus amigos, intenta hacerte amiga de una chica.

Al día siguiente le dije a Thomas que no podía ir a su casa.

–¿Y si mi madre llamase a tu padre? ¿Serviría de algo?

Sacudí la cabeza.

–No lo creo.

–¿Por qué no?

–A papá no le gustaría –dije, aunque no sabía con seguridad si era cierto.

A pesar de eso, aquella noche, la madre de Thomas llamó a papá. Lo supe cuando le oí gritar.

–¡Jasira!

Yo estaba en el cuarto de baño, lavándome los sujetadores con el Woolite que papá me había comprado. Según llegué a la cocina me dio una bofetada. Era la primera vez que era malo conmigo desde que los Vuoso me despidieron, y empecé a llorar inmediatamente.

–La señora Bradley me ha llamado por teléfono –dijo cuando me hube calmado un poco–. ¿Conoces a la señora Bradley?

Asentí, aunque no la conocía personalmente.

–Ha llamado para convencerme de que te dejara ir a cenar a su casa este fin de semana. ¿Te das cuenta de lo incómodo que ha sido para mí?

Asentí de nuevo.

–Cuando digo no, es que no. No significa que le digas a tu amigo que le pida a su madre que me llame para intentar convencerme.

–¡Pero si le dije a Thomas que no lo hiciera, le dije que no te gustaría!

Me miró.

—¿Cómo es que cuando le dices a la gente que no se cree que le estás diciendo que sí?

—No lo sé.

—Bueno, yo sí lo sé. Es porque dices que sí y que no de la misma manera. Nadie sabe lo que piensas realmente. Necesitas aprender a hablar con más énfasis. ¿Me entiendes?

—Sí —contesté, intentando parecer enérgica.

Asintió.

—Eso está mejor.

—Siento que te haya llamado la señora Bradley.

—Que no vuelva a ocurrir.

—No.

—Y que te quede claro que no puedes entrar con ese chico en su habitación. Ya se lo he dicho a su madre.

No supe qué decirle. Había supuesto que no me dejaría ir.

—Te limitarás a las zonas comunes de su casa.

—Vale.

El sábado, papá me llevó al centro comercial y le compramos una caja de bombones Godiva a la señora Bradley. Me daba corte llevar un regalo para alguien a quien no conocía, pero papá dijo que eso es lo que se hace cuando te invitan a cenar. Luego fuimos a la licorería a comprarle una botella de vino.

Esa noche, cuando salí de mi habitación, papá me miró y dijo:

—¿No tienes nada que ponerte que no sean tejanos?

Sacudí la cabeza.

—Cuando te invitan a cenar, no puedes aparecer en tejanos.

–Thomas lleva tejanos.

–No me importa lo que lleve Thomas –dijo papá, y fue directo a mi habitación. Yo le seguí y, cuando llegué, sostenía una de mis faldas de algodón–. Creí que habías dicho que no tenías nada que no fueran tejanos.

Lo miré.

–¿Y esto qué es? –preguntó, moviendo un poco la percha.

–Una falda.

–Póntela –dijo dándomela.

–No puedo.

–¿Por qué no?

–Porque...

–¿Por qué?

–¿No puedo llevar los tejanos?

–¿Por qué no puedes ponerte una falda? –exigió.

–Papá, tengo las piernas demasiado peludas.

Me miró las piernas, aunque los tejanos las tapaban.

–Muy bien. Espera un segundo. –Me dio la falda y se fue. Al cabo de un momento, regresó con espuma y su maquinilla de afeitar–. Ve al baño y usa esto. Luego ponte la falda y nos vamos.

–Vale.

–Date prisa.

No podía creer que por fin fuese a afeitarme. Me hice las piernas lo antes posible y luego la línea del biquini. La piscina estaba cerrada en invierno, así que papá nunca lo descubriría.

–¿Por qué tardas tanto? –gritó, y volvió a gritarme que tuviera cuidado de no cortarme.

Por suerte, la bañera tenía uno de esos desagües con rejilla y cuando acabé pude recoger todos los pelos.

–¡Vas a llegar tarde! –dijo papá cuando por fin salí–. ¿Qué sentido tiene tomarse todas estas molestias si no vas a ser puntual?

–Lo siento.

–Es una grosería llegar tarde –dijo, cogió las llaves y salió por la puerta principal.

De camino hacia casa de los Bradley me dijo que no hablara con la boca llena y que dijera que la comida estaba buena, aunque no fuera así.

–Vale.

–Y no te sientes allí con cara de pena. Intenta sonreír un poco.

Asentí.

–No quiero volver a oír esa mierda de que eres una niñita infeliz. ¿Está claro?

–Sí.

–Ahora practica una sonrisa –dijo, y sonreí un poco–. Bien. Sigue haciéndolo.

Los Bradley vivían dos urbanizaciones más allá. En su día habíamos visto las casas de muestra y, aunque pensamos que eran un poco más bonitas que las nuestras, papá decidió que no valía la pena gastarse tanto dinero.

–Probablemente pagaron veinte mil dólares más que yo, y ¿para qué? –dijo cuando entramos en la calle de los Bradley–. ¿Por una habitación más? Idiotas.

Se metió en el camino de la entrada, que era lo bastante

ancho para dos coches, aunque en ese momento solo había uno. Recordé que el color pálido de los ladrillos del exterior de su casa se llamaba *champagne*.

–Muy bien –dijo papá aparcando el coche–, sal.

Era el modo en que me hablaba cuando quería ser amable conmigo sin usar palabras amables y, de repente, me sentí feliz. Incluso pensé en acercarme y darle un beso de despedida, pero sabía que eso lo estropearía todo, así que no se lo di.

–Gracias por traerme.

Papá asintió.

–Llámame cuando estés lista para volver a casa.

–Vale –le dije cogiendo el vino y los bombones.

–No más tarde de las diez.

–Vale –volví a decir, y salí del coche.

Justo en aquel momento, Thomas abrió la puerta principal y salió hasta los escalones de la entrada.

–Hola –dijo.

También se había vestido para la ocasión con pantalones caqui y un suéter gris de cuello alto.

–Hola.

Miró por encima de mi hombro.

–¿Es tu padre?

Me di la vuelta para ver qué hacía papá aún en el camino de entrada. Le saludé con la mano, pero no me devolvió el saludo. No me miraba. Estaba mirando a Thomas.

–¿Quiere pasar? –me preguntó Thomas.

–No lo creo.

Al cabo de un segundo, papá dio marcha atrás y salió. Volví a saludarle con la mano, pero no me hizo caso y se marchó.

–Estás muy guapa –me dijo Thomas cuando me di la vuelta.

–Gracias.

–Tienes un poco de sangre en la pierna.

Bajé la vista para ver de qué hablaba. Era cierto. Tenía un corte en el tobillo derecho, justo por encima de la parte trasera de mi mocasín.

–Vamos. Te daré una tirita.

Le seguí dentro y me quedé esperando en la sala de estar mientras iba arriba. Había un gran sofá de piel marrón con respaldo alto, como el de un avión, y ya habían puesto el árbol de Navidad. Me gustaba cómo quedaba al lado de la escalera. Daba la impresión de que podías subir por ella cuando quisieras para decorar las ramas más altas.

Cuando Thomas regresó, se agachó y me limpió el tobillo con una gasa, para luego ponerme la tirita.

–¿Cómo te has cortado?

–Afeitándome las piernas. Tenía prisa.

–Ve más despacio la próxima vez –dijo, y se puso en pie.

Fuimos a la cocina a conocer a su madre. Al principio no nos oía por el ruido de la batidora.

–¡Mamá! –le gritó entonces Thomas y ella se dio la vuelta.

Tenía el cabello corto a lo afro, igual que Thomas. Era alta y guapa. Me gustaron los dos pendientes de oro en la oreja izquierda.

–Esta es Jasira –dijo Thomas, y la señora Bradley dio un paso adelante para estrecharme la mano.

–Me alegro de conocerte. Bienvenida a nuestra casa.

–Gracias –le dije. Luego le ofrecí el vino y los bombones–. Son para usted.

–Eres un encanto –dijo al cogérmelos.

–Papá los eligió.

–¿De veras? –dijo, y se rió un poco–. Y eso que no quería que vinieras...

Asentí.

–Papá cree que debería tener más amigas.

–¿No tienes ninguna?

–No.

–¡Vaya! –dijo.

–Las chicas del colegio son gilipollas –dijo Thomas.

Se volvió hacia mí y me preguntó si quería ver su habitación. Miré a la señora Bradley esperando que dijera que no, pero no lo hizo.

–Thomas, si vas arriba, dile a tu padre que necesito que baje y abra el vino.

El señor Bradley estaba en su despacho trabajando en el ordenador.

–Papá –dijo Thomas desde el umbral–, esta es Jasira.

–¡Jasira! –dijo el señor Bradley y se acercó a darme la mano–. Me alegro de conocerte. –Vestía pantalones caqui como Thomas, pero estaba un poco gordo y tenía que abrochárselos por debajo de la barriga–. He oído que tu padre trabaja en la NASA.

Asentí.

–¡Qué interesante! Me gustaría hablar con él algún día. Soy una especie de astrónomo aficionado.

—Vale.

—Vamos, Jasira —dijo Thomas—. Mi habitación está por aquí.

—Deja la puerta abierta, por favor, Thomas —ordenó el señor Bradley cuando salimos.

—La dejaré abierta.

Tenía una cama de matrimonio en lugar de una pequeña como la mía, con una colcha azul oscuro. Del tablero de corcho que tenía encima del escritorio colgaban sus medallas de natación y había un pequeño televisor en un rincón. Las paredes estaban cubiertas de pósters de música, aunque yo no conocía a ninguno de aquellos grupos. Mis padres escuchaban sobre todo música clásica.

—¿Quieres sentarte? —preguntó Thomas.

—Sí —dije, y me acomodé en el borde de la cama.

—Mira esto. —Y cogió una guitarra de un soporte cercano a la mesa. Se la colgó del hombro y empezó a tocarla, pero costaba oírla porque no estaba enchufada al amplificador. Cuando acabó me preguntó si había reconocido la canción y le contesté que no.

—Es «Hey Joe». De Jimi Hendrix.

—¡Ah!

Me preguntó si quería tocar algo y le dije que vale. Me levanté de la cama y me pasó la cinta de la guitarra por encima de la cabeza. Era un poco incómodo porque me aplastaba la teta izquierda, pero Thomas no dijo nada.

—Pon los dedos así —me dijo, y empezó a colocármelos sobre las cuerdas. Cuando por fin los puso bien, me dijo que rasgueara un poco con la mano derecha–. ¿La reconoces?

Yo negué con la cabeza.

–Es de Neil Young. Dame. –Me cogió la guitarra y tocó la canción mejor que yo–. ¿La reconoces ahora?

Yo asentí, fingiendo que la reconocía.

Cuando acabó la canción, apartó la guitarra y nos sentamos en el borde de la cama. Al cabo de un minuto, se había tumbado con los pies aún en el suelo. No estaba segura de si se suponía que tenía que quedarme sentada o tumbarme con él. Al final me tumbé.

–¿Hasta dónde te has afeitado? –me preguntó.

–¿Qué quieres decir?

–Quiero decir que si te has afeitado el pubis.

–Sí.

–¿Del todo?

–No, solo los lados.

–Me gusta cuando las chicas se lo afeitan todo.

No dije nada.

–Tal vez algún día lo hagas.

–Tal vez –dije.

Nos quedamos allí tumbados unos minutos hasta que la señora Bradley nos llamó para que bajáramos a comer. Sobre la mesa había servido humus, *baba ghanouj*, *kebab* de cordero, ensalada, pan de pita, arroz y tabulé. Le dije que estaba muy bueno, y era cierto, aunque no fuese mi comida favorita. Durante la cena el señor Bradley me hizo distintas preguntas sobre mi familia libanesa y me dio mucho corte no saber qué contestarle. No supe decirle cuándo había muerto mi abuelo o cómo se ganaba la vida, ni tampoco el nombre del hermano mayor de mi padre. Intenté desviar la conversación diciendo que mi madre era irlandesa, pero el señor Bradley no parecía tan interesado en ese país.

De postre había helados a los que nosotros mismos pusimos cerezas, nueces, plátanos, crema caliente, grajeas de chocolate recubiertas, nata y virutas de caramelo por encima. Cuando empezamos a cenar, la señora Bradley me preguntó qué hacía mi madre y le dije que era profesora. La señora Bradley asintió.

–¿Así que prefieres vivir con tu padre?

–No. Prefiero vivir con mi madre.

–¡Ah! –dijo la señora Bradley, y me fijé en que miraba al señor Bradley al otro extremo de la mesa.

Después del postre, Thomas y yo fuimos a la sala de estar a escuchar música, mientras sus padres se quedaban en la cocina y lo recogían todo. Pensé que luego vendrían con nosotros, pero no lo hicieron. El señor Bradley solo asomó la cabeza un poco más tarde para decir que él y la señora Bradley se iban arriba y que, por favor, no subiéramos el volumen.

Escuchamos a Jimi Hendrix mientras Thomas tocaba una guitarra imaginaria delante de la chimenea. Cada vez que llegaba un solo se le contraía la cara como si le doliese algo. Al cabo de un rato, vino a sentarse a mi lado en el sofá. Tocaba la batería sobre sus muslos, y cada vez que entraban los platillos golpeaba uno de los míos.

Llegó una canción lenta y Thomas empezó a tocarme los pechos por fuera de la blusa. Luego metió la mano y me los tocó por encima del sujetador. No sé cómo, pero me acariciaba muy bien los pezones y tuve un orgasmo. Entonces rompí a llorar, y él pareció realmente preocupado.

–¿Te he hecho daño? –me preguntó–. No quería hacerte daño.

–No.

–¿Qué te pasa?

–Nada –le dije, y crucé los brazos.

Thomas se levantó un segundo y cuando volvió traía un pañuelo de papel.

–Toma.

Lo cogí y me sequé la cara.

–¿Estás segura de que no te he hecho daño?

–Estoy segura.

–Entonces, ¿por qué llorabas?

–He tenido un orgasmo.

–¿De verdad?

Asentí.

–¿Era la primera vez?

–No.

–¡Ah! –dijo. Parecía decepcionado–. Bueno, ¿cuándo lo habías tenido antes?

–Estando yo sola.

–¡Ah! –repitió.

–Pero no quiero volver a tenerlos.

–¿Por qué no?

–Pues porque no.

–¿No te gustan?

–No.

–Pensé que le gustaban a todo el mundo.

–A mí no.

–Qué lástima...

Me encogí de hombros.

–A mí me gustan –dijo.

No contesté.

–Me gustaría tener uno ahora.

–Tenlo si quieres –le dije.

–¿Tú me mirarás?

–No lo sé.

–No tendrás que hacer nada –dijo–. Solo sentarte ahí.

–¿Y tus padres?

–No van a bajar.

–¿Cómo lo sabes?

–No les gusta Jimi Hendrix.

Lo pensé un segundo.

–Tú solo mira –dijo, y se desabrochó los pantalones y se la sacó. La rodeó con los dedos y empezó a mover la mano arriba y abajo.

–Vale, voy a correrme –dijo.

Y al poco me cogió la mano y la usó para recoger lo que salía.

Respiraba pesadamente, así que esperé un minuto antes de preguntarle qué hacía con aquello.

–Puedes ir a lavarte –me dijo.

Entonces me levanté con cuidado de no derramarlo y entré en el baño. Lo olí un poco antes de abrir el grifo, luego lo probé con la punta de la lengua. Sabía, por el *Playboy*, que a los hombres les gustaba que las mujeres se lo tragaran. Creía que sabría a pis o a pegamento, pero no. Solo era espeso.

Después de lavarme las manos, miré debajo del lavabo y encontré una caja de tampones. No tenía dónde guardarlos, así que cogí un puñado.

—¿Puedo coger esto? —le pregunté a Thomas.

Todavía estaba sentado en el sofá, pero se había abrochado los pantalones. Se encogió de hombros.

—Claro.

—¿Puedes llevármelos el lunes al colegio?

—¿No puedes llevártelos a tu casa esta noche?

—No —dije—. Papá no me deja usarlos.

—¿Por qué no? —preguntó.

—No lo sé.

—¿Porque eres virgen?

Lo miré.

—¿No eres virgen?

—No lo sé.

—¿Cómo que no lo sabes?

No dije nada.

—Yo puedo decirte si lo eres.

—No. No quiero.

—Vale. No tenemos por qué hacerlo.

—No le digas a tu madre lo de los tampones —le dije.

—Lo más seguro es que no le importe.

—Vale, pero no se lo digas —insistí, y él dijo que bueno.

A las nueve, como yo aún no había llamado a papá, llamó él a la madre de Thomas para decirle que iba de camino y que, por favor, se asegurase de que le esperaba fuera. La señora Bradley me dio una bolsa con la comida que había quedado.

—Dile a tu padre que seguro que no está tan bueno como lo que suele comer, pero que espero que le guste.

Luego me dio un abrazo de despedida, aunque acabábamos de conocernos.

Mientras esperaba a papá en los escalones de la entrada, Thomas se inclinó y me besó. Sus labios estaban un poco abiertos y apretaron uno de los míos. Mientras me besaba, empezó otra vez a sobarme un pecho y a acariciarme el pezón. Intenté apartarle la mano, pero él no la movió. Era la primera vez en toda la noche que Thomas me gustaba de verdad.

Al cabo de unos minutos, papá entró por el camino.

—Hasta el lunes —dijo Thomas y se inclinó para volver a besarme, esta vez en la mejilla.

—Nos vemos —dije, y subí al coche—. Toma, de parte de la señora Bradley —le dije a papá, enseñándole la bolsa.

Asintió y dio marcha atrás. Mientras salíamos, me despedí de Thomas con la mano y él me devolvió el saludo.

—Tengo que decirte algo —dijo papá cuando por fin nos alejamos.

—Vale.

—No puedes volver a ver a ese chico.

—¿A Thomas?

Asintió.

—Cuando me hablaste de esta cena, no me diste toda la

información. De manera que no pude tomar la decisión adecuada.

No supe qué contestar a aquello.

–¿Comprendes a qué información me refiero? –me preguntó.

–Creo que sí –dije, aunque no le encontraba ningún sentido.

–Bien. Porque si sigues yendo a casa de ese chico, nadie te respetará. Sé de lo que hablo.

El olor de la comida de la señora Bradley había empezado a inundar el coche y respiré hondo.

–¿Me estás escuchando? –me preguntó papá.

–Sí.

–Entonces dilo.

–Sí, te escucho.

–Bien.

Cuando llegamos a casa me dijo que no me fuera a la cama todavía porque mi madre quería hablar conmigo. Marcó el número y me pasó el teléfono.

–¿Jasira? –dijo ella.

–¿Sí?

–Tu padre me ha contado lo de tu amigo Thomas. Es muy importante que cumplas las normas que tu padre te ha puesto con respecto a él. ¿Lo entiendes?

–No.

–¿Qué es lo que no entiendes?

–Me gusta Thomas.

–Eso está bien –dijo mi madre–. Me alegro de que te guste, pero no puedes ir más a su casa porque, más tarde, eso te plantearía muchas dificultades.

–¿Qué está diciendo? –me preguntó papá.

–Que me planteará muchas dificultades frecuentar la casa de Thomas.

Asintió.

–Así es.

–Dile que se calle –dijo mi madre–. Dile que estoy hablando yo.

–Está bien –dije–. Te escucho.

Se quedó en silencio durante un segundo y supe que se había enfadado porque no le había dicho a papá que se callara de su parte. Yo también estaba enfadada con ella, porque si se lo hubiera dicho, mi padre me habría dado una bofetada.

–Tu padre ni siquiera es negro y la gente me decía de todo –dijo al fin.

–¿Como qué?

–Como «amante de los negros».

No entendía cómo funcionaba eso, porque los niños del colegio ya me llamaban negrata. Parecía como si eso convirtiera también a Thomas en un amante de los negros. Además, tampoco tenía tan claro si de verdad nos amábamos.

–¿Quieres que la gente te llame eso? –me preguntó mi madre.

–No lo sé.

–Bueno, pues confía en mí, no te gustaría.

–¿Y qué le digo a Thomas?

–¿De qué?

–De ir a su casa.

–¿Ya te ha vuelto a invitar?

–No.

–Bueno, tal vez no lo haga. Entonces no tendrás que preocuparte por eso.

–Me invitará.

–¿Ah, sí? –dijo, riendo un poco–. Estamos muy seguras de nosotras mismas, ¿verdad?

No dije nada.

–Si te vuelve a invitar, dile que no puedes ir. Dile que tus padres creen que eres demasiado joven para ir a casa de los chicos.

–Sabrá que miento.

–Bueno, tal vez la próxima vez que ocurra algo parecido te asegurarás de darnos todos los detalles. Considéralo una experiencia de aprendizaje.

–¿Ha terminado? –me preguntó entonces mi padre.

–Papá quiere saber si has terminado.

–¡Ah!, ¿de modo que puedes transmitirme sus mensajes pero no al revés?

–Se pone papá –dije, dándole el teléfono, y empezaron a discutir sobre lo malo que era interrumpirse.

Fui al baño y me senté en el borde de la bañera. Miré la tirita que Thomas me había puesto en el tobillo y decidí que había pasado un buen rato con él. Decidí también que lo que decían mis padres no tenía ningún sentido. Ser la novia de Thomas en el colegio no me había hecho ningún daño; al contrario, me había ayudado. Y aunque más tarde me hiciera daño, no me importaba. Nunca le diría lo que mis padres querían que le dijera, ni en un millón de años.

El lunes, durante el almuerzo, Thomas me dio una bolsa con los tampones.

–Gracias.

–No tiene importancia.

–¿Thomas?

–¿Sí?

–¿Tu madre tiene maquinillas de afeitar?

–¿Por qué?

–Porque también necesito maquinillas.

–¿Tu padre no te compra?

Negué con la cabeza.

–Pero el otro día te rasuraste.

–Era una ocasión especial.

–Claro. Te conseguiré algunas maquinillas –dijo después de beber un sorbo de leche.

–Gracias.

–¿Hasta dónde vas a rasurarte?

–No lo sé.

–Deberías rasurarte todo.

–Lo pensaré.

Después de que Thomas se llevara mi bandeja, lo acompañé hasta su taquilla, luego él me acompañó a la mía. Por el camino me cogió de la mano y noté que algunos niños a nuestro alrededor nos miraban. En el colegio había otras pocas parejas que se cogían de la mano, pero a nadie le importaba porque todos eran blancos.

En casa no tenía nada más que hacer salvo acabar los deberes y ver la televisión. Mientras hacía mis lecturas de lengua, oía a Melina y a Zack jugar al bádminton en el jardín de atrás. Me levanté, me puse los zapatos y salí fuera. Crucé el camino de entrada y me quedé en el límite entre nuestro patio de cemento y la hierba de los Vuoso. Melina me vio inmediatamente.

–¡Jasira! –gritó–. ¡Ven, acércate!

Zack, que me daba la espalda, se volvió.

–¡Ni hablar! –protestó–. ¡Se supone que no tengo que jugar con ella nunca más!

Pero Melina ya había dejado su raqueta en el suelo y se acercaba a mí.

–Cuánto tiempo sin verte –dijo, y me revolvió el pelo.

–¡Melina! –gritó Zack, sin moverse de su lado del campo–. ¡Vuelve! Acabemos el partido.

Melina no le hizo caso.

–¿Qué hay de nuevo? –me preguntó.

Me encogí de hombros.

–Nada.

–¿Qué tal el colegio?

–Bien. Tengo novio.

Sonrió.

–¿En serio? Eso es genial.

–Gracias.

–¡Melina! –gritaba Zack.

Al final, Melina se dio la vuelta.

–Zack, ahora estoy hablando con Jasira, así que tendrás que cerrar el pico un segundo, ¿lo entiendes? –le dijo.

Zack no respondió, Melina se volvió hacia mí y puso los ojos en blanco.

–La señora Vuoso me despidió.

–Ya me enteré –dijo Melina–. Vino a verme.

–Has ocupado mi puesto.

–No, no lo he ocupado.

–Sí, lo has ocupado.

–¿Bromeas? –dijo, bajando la voz–. Yo no quiero hacerle de canguro a este niño. Le estoy haciendo un favor a su madre hasta que encuentre a alguien.

–¿Por qué le haces un favor?

–No lo sé. Me dio lástima. Le asustaba mucho que Zack se quedase solo.

Quise decirle que yo me quedaba sola todo el tiempo y nadie se asustaba por ello, pero no lo hice.

–¡Me voy adentro! –gritó Zack. Me señaló con la raqueta y dijo–: ¡Se supone que no tengo ni que acercarme a ella!

–¡Bien! –le gritó Melina–. ¡Lárgate!

–¡No puedes hablarme así!

–¡Venga, no seas tan crío!

Furioso, cruzó el patio y entró por la cristalera corredera. Intentó hacer mucho ruido al cerrarla, pero no le salió bien.

–Yo también tengo que irme –le dije a Melina.

–¿Por qué? –me preguntó.

–Tengo que hacer los deberes.

Suspiró.

–¿Aún estás enfadada conmigo por lo de los tampones?

–No –mentí.

–Si estuvieras enfadada –me dijo–, lo entendería.

–Thomas me consigue tampones.

–¿Quién es Thomas? –me preguntó.

–Mi novio.

–¡Ah!

–Hoy me ha traído un puñado al colegio.

–Qué bien, parece un tío muy enrollado.

–Lo es.

Pensé en darle toda la información, pero no lo hice. Era demasiado absurdo. No acababa de entender por qué no quería comprarme tampones, y después, cuando otra persona me los traía, decía que era enrollada. No tenía sentido.

Nos despedimos y entré a terminar los deberes. Cuando papá llegó a casa y me preguntó si le había dicho a Thomas que no podía volver a verle, le mentí y le dije que sí.

–Bien –contestó–. Es lo mejor.

Después de cenar, fuimos al estudio de papá y lo preparamos para cuando viniera mi madre. Mientras quitaba los papeles de su mesa se puso de muy mal humor. Dijo que no entendía por qué mi madre tenía que quedarse con nosotros, que tenía un buen trabajo y que podía pagarse un hotel decente. Decidió llamarla y explicárselo, y acabaron peleándose. Le oí decirle algo así como:

–No creas que vas a meterte en mi cama, porque no te lo voy a permitir.

No sé lo que ella le contestó pero, fuera lo que fuese, consiguió que papá le colgara.

Al día siguiente, durante el almuerzo, Thomas me dio una bolsa de maquinillas de afeitar de plástico.

—Gracias —le dije.

—¿Vas a rasurarte hoy? —me preguntó.

—Me rasuré el sábado.

—Ya sabes a lo que me refiero.

—¡Ah! —dije—. Bueno.

—Podría hacértelo yo.

Le miré.

—Lo haría con mucho cuidado. Te lo prometo.

Le dije que no, pero más tarde, en clase de francés, no podía dejar de pensar en ello. Me acordaba de todas aquellas veces con Barry en nuestro cuarto de baño de Syracuse, y empecé a notar una agradable sensación en la entrepierna. Al principio intenté no hacerle caso, pero luego se volvió demasiado fuerte y tuve que apretar las piernas.

Después de clase fui a mi taquilla. Thomas se acercó y me preguntó qué había estado haciendo por debajo de la mesa.

—¿Qué quieres decir?

—Estabas frotándote las piernas.

—No, no es verdad.

—¿Te estabas haciendo pis o qué?

—No.

—He leído que las chicas pueden tener orgasmos de ese modo.

—¿De qué modo?

–Apretando las piernas.

No dije nada.

–¿Es eso lo que estabas haciendo? –me preguntó.

Para entonces ya habíamos llegado a mi taquilla y empecé a marcar la combinación.

–Jasira –dijo Thomas, reclinando la cabeza contra la taquilla de al lado.

–¿Qué?

–Déjame afeitarte.

–No –dije, pero con poca convicción, y ese día, cuando subí al autobús después del colegio, Thomas ya estaba allí, guardándome un sitio.

En casa, Melina y Zack estaban en la calle chutando un balón de fútbol.

–¡Hey! –nos saludó Melina al vernos llegar.

Le pasó el balón a Zack y fue a encontrarse con nosotros en el camino de entrada de mi casa. Los presenté y se dieron la mano. Luego, Melina se volvió hacia mí y puso una especie de cara de emoción.

–¿Es hijo tuyo? –le preguntó Thomas señalando con un gesto de la cabeza a Zack, que no se había movido ni un milímetro desde que aparecimos. Estaba allí plantado en la calle con el pie sobre el balón.

–¡No, por Dios! –dijo Melina.

–Ese es Zack –le expliqué–. Vive en la casa de al lado.

–¡Hola, Zack! –gritó Thomas, pero Zack no dijo nada.

–¿Qué vais a hacer, chicos? –preguntó Melina.

–Nada –dije.

—Pasar el rato —dijo Thomas.

—¿Queréis jugar al fútbol? —preguntó Melina.

—¡A mí no me dejan jugar con ellos! —contestó entonces Zack, a gritos.

Thomas le miró.

—¿Qué problema tiene ese niño?

—No le hagas caso —le dije.

—Solo intentaba ser amable con él.

—Es un malcriado —le expliqué—. No importa.

Thomas no parecía escucharme.

—¿Qué clase de niño no quiere pegarle patadas a un balón?

—Un niño rarito —dijo Melina.

Thomas la miró.

—Pero si estaba jugando al balón contigo.

—Está acostumbrado a mí —explicó Melina—. Si te conociera más, también jugaría al balón contigo.

Thomas no dijo nada ni yo tampoco. Estaba segura de que aunque Zack hubiera conocido a Thomas, tampoco hubiese querido jugar al balón con él.

—¿Hace calor? —preguntó Melina, abanicándose con las manos—. Tengo calor.

—No mucho —le dije.

—Tal vez sea yo —respondió, poniéndose la mano en la barriga.

Me fastidiaba que siempre se las arreglara para empezar a hablar de su bebé.

—¿Es niño o niña? —le preguntó Thomas.

—Niña —dijo Melina—. Dorrie.

–¿Dorrie?

Melina asintió.

–¿Qué clase de nombre es ese?

–El de mi abuela.

–¡Ah!

–También es el nombre de una bruja –dije.

–Sí –asintió Melina–, es cierto.

–¿Qué bruja? –preguntó Thomas.

–Dorrie la bruja. Es un personaje de cuentos.

–Pero es una bruja buena, ¿verdad? –preguntó Melina.

–No lo sé –dije, aunque sí lo sabía.

–Creo que sí –insistió Melina.

–Tenemos que marcharnos.

Cogí a Thomas de la mano y lo llevé por el camino de entrada hasta mi casa. Una vez dentro, le dije que se quitara los zapatos.

–No sabía que las embarazadas pudieran hacer deporte –dijo Thomas, agachándose para desatarse los cordones.

–En realidad no estaba jugando. Solo estaba ahí de pie, chutando el balón.

–¿Cuándo va a tener el bebé?

Me encogí de hombros. No me gustaba nada pensar en el bebé de Melina.

Thomas me preguntó si podía beber algo y fui a la nevera a buscarle una Coca-Cola.

–No puedes quedarte mucho rato –le dije al volver.

–¿Por qué no?

–Porque no le he pedido permiso a papá.

Se acabó la Coca-Cola y me pidió que le enseñara la casa. No le iba a enseñar la habitación de papá, pero entonces dijo: —¿Qué hay aquí? —Y abrí un poco la puerta para que pudiera echar un vistazo. Estaba a punto de volverla a cerrar, pero dijo que quería entrar.

—Es mejor que no entremos.

—¿Por qué no?

—Porque... —dije, intentando buscar una razón.

—Solo un segundo —insistió Thomas, y entró.

La verdad es que no había mucho que ver. Papá era muy limpio. Siempre se hacía la cama por la mañana, su traje siempre colgaba pulcramente del galán de noche, sus zapatos estaban alineados contra la pared. Tenía hormas para cada par y la madera de cedro perfumaba la habitación.

En el cuarto de baño, Thomas abrió y cerró la mampara de la ducha y luego asomó la cabeza en el retrete. Me pregunté si notaría el olor a meados, pero no dijo nada. Después de pasar revista a los trajes del armario de papá, cogió un bote de espuma de afeitar del mármol del lavabo.

—Oye, necesitamos esto.

Por fin salimos y fuimos a mi zona de la casa. Le enseñé a Thomas mi baño y el estudio donde dormiría mi madre, y acabamos la visita en la puerta de mi dormitorio.

—¿Es aquí? —preguntó.

Me encogí de hombros. Bueno, no tenía ningún cartel ni fotos en las paredes. Había solo una cama individual de estructura metálica, un gran sillón de madera con almohadones, un tocador y una mesita de noche.

–Enséñame tu armario –me pidió, lo hice y dijo–: No tienes mucha ropa.

–No.

Tocó la falda que me había puesto para ir a su casa.

–Me gusta.

–Gracias.

–¿Qué más tienes? –me preguntó.

Miré por la habitación, fui al colchón y saqué el *Playboy*.

–¿De dónde lo has sacado? –dijo Thomas.

–Lo encontré.

Se acercó y me lo quitó.

–¿Dónde?

Lo pensé un segundo.

–En la basura –dije luego.

–¡Ajá!

Se sentó en la cama para hojearlo y yo me senté a su lado. Al cabo de un rato dejó de pasar las páginas.

–¿Lo ves? –dijo, señalando a una mujer con una fina franja de vello púbico–. Así es como creo que deberías rasurarte.

Había visto aquella foto en concreto un millón de veces, pero la miré como si no supiera lo que era.

–Te prometo que tendré cuidado –dijo Thomas.

–Vale.

–¿Dónde están las maquinillas? –preguntó.

Fui a buscarlas a mi mochila, que estaba en la salita. Cuando volví, Thomas estaba esperándome en el lavabo.

–¿Preparada? –me preguntó; yo asentí y me dijo que me quitara los pantalones.

—¿Me pongo el bañador?

—¿Cómo voy a afeitarte si te pones el bañador?

Me encogí de hombros. Así era como lo hacía con Barry.

—Vamos —decidió, y empezó a quitarme los tejanos él mismo. Me los bajó hasta los tobillos y esperó a que me quitara cada pernera. Luego me bajó las bragas. Nos quedamos así un segundo sin hacer nada. Él solo me miraba desnuda.

—Eres guapa —dijo él al fin.

—Gracias.

—¿Quieres quedarte levantada o sentarte?

—Normalmente me quedo de pie —dije, pensando en Barry.

—Vale. Lo probaremos.

Me metí en la bañera y él cogió la espuma de afeitar de papá. La agitó y se puso un puñado en la mano. Luego me la extendió, no por todas partes sino solo por los bordes. Después abrió un poco el grifo de la bañera y empezó a rasurarme. Tras cada pasada, aclaraba la maquinilla en el agua y salía un montón de pelo. Luego me puso más crema de afeitar. Enseguida cogió una maquinilla nueva aunque la primera no estaba demasiado usada.

—Se está desafilando —dijo.

Era muy cuidadoso, tal como había prometido. Tal como Barry había sido siempre. Empecé a tener la vieja sensación que sentía con Barry; alguien me hacía algo peligroso. No fue como aquella vez con el señor Vuoso. Me había hecho algo peligroso pero sin ningún tacto. Me había dolido, me había hecho sangre y había conseguido que dejara de querer apretar las piernas para siempre. Pero ahora, con Thomas, empezaba a sentirme un poco mejor. Empezaba a recordar algunas de las cosas que solían gustarme.

Tardó mucho tiempo, pero al final tenía una fina franja, igual que la señora de la revista, y ni un solo corte. Thomas ahuecó las manos y cogió agua para lavarme los restos de vello y de espuma. Luego buscó mi toalla de baño y me secó con cuidado.

–¿Te gusta? –me preguntó.

Asentí. Parecía muy adulta, aunque también me hacía sentir como una niña pequeña.

–¿Te gusta a ti? –le pregunté.

–Sí. Me gusta mucho.

–Gracias por hacérmelo.

–De nada.

Iba a salir de la bañera, pero me dijo:

–Espera. No puedes vestirte aún.

Me detuve y lo miré.

–¿Por qué no?

–Porque –dijo, y empezó a desabrocharse los tejanos– quiero tener un orgasmo.

–¿Qué hora es? –le pregunté.

–No tardaré. Te lo prometo.

Se la sacó y empezó a meneársela como la otra noche. Mientras se la meneaba, miraba mi pubis recién afeitado.

–Estás tan bien así... –dijo, y al cabo de poco salió eso blanco y se derramó en su mano.

Esperé un minuto a que recuperara el aliento, luego salí de la bañera y me vestí. Empezaba a entrarme pánico. Cada sonido que oía parecía que podía ser papá que llegaba a casa. Cuando acabamos de limpiarlo todo eran ya más de las seis.

–En serio, tienes que marcharte ya –dije, y lo acompañé hasta la salita.

–Avísame cuando te vuelva a crecer. Puedo volver a rasurártelo –dijo mientras se calzaba las deportivas.

–Vale.

Me besó y le abrí la puerta principal. Cuando hubo salido, recorrí la casa para comprobar que todo estuviera normal. Devolví la espuma de afeitar de papá a su baño, comprobé que no hubiera pelos en el desagüe de mi bañera, metí el *Playboy* debajo del colchón e intenté observarlo todo del modo que siempre lo hacía papá: buscando problemas. Cuando me convencí de que todo estaba en su sitio, fui a la mesa del comedor para empezar los deberes, pero, justo después de sentarme, sonó el timbre. Fui a abrir. Era el señor Vuoso.

–¿Qué coño crees que estás haciendo? –me preguntó.

Tenía revuelto el pelo de la frente y las hombreras de su chaqueta estaban un poco torcidas, como si se la hubiera puesto demasiado deprisa. Intenté cerrarle la puerta, pero metió el pie.

–¿Qué crees que estás haciendo con ese negrata?

–No le llame así.

–¿Que no le llame cómo?

No quería repetirle la palabra.

–Vas a arruinar tu reputación –dijo el señor Vuoso–. ¿Me entiendes? Si sales por ahí con ese chico, nadie te querrá.

Le miré.

Me miró.

–Me hizo daño –le dije, e intenté cerrar la puerta, pero no movió el pie.

–Jasira.

Yo seguía empujando la puerta contra su pie.

–Jasira –volvió a decir y metió el brazo para mantener la puerta quieta.

–¿Qué?

–¿Necesitas un médico?

–¿Por qué?

No me contestó.

–¿Por qué? –volví a preguntar.

–Ya sabes –dijo bajando la voz.

Fingí no entenderle.

–Por lo del otro día, cuando te visité –dijo por fin.

–No.

–¿Estás segura?

–Déjeme en paz.

–Oye, estoy intentando ayudarte en esto.

–¡Déjeme en paz o le diré a mi padre lo que hizo!

No dijo nada, se quedó allí, con la respiración agitada. Temí que no me creyera. Que se diera cuenta de que jamás podría pronunciar las palabras que necesitaba decir para contarle a mi padre lo que había ocurrido. Enseguida apartó el pie, quitó la mano de la puerta y dejó que se la cerrara en las narices. Después de echar el cerrojo, fui a la ventana del comedor para mirar cómo arriaba la bandera. Pero no la arrió. Pasó por delante del mástil y entró directamente en su casa.

5

El sábado siguiente a que el señor Vuoso llamara negrata a Thomas, ayudé a papá a plantar ciclamen en el jardín delantero. Eran unas flores altas, rojas y blancas, y la señora del vivero le dijo a papá que resistirían bien el frío. Primero levantamos la hierba y cavamos a cada lado del sendero de delante, luego sacamos las plantas de los tiestos y las introdujimos en el suelo, con cuidado de no dañar las raíces. Papá dijo que quería que el lugar estuviera bonito para cuando llegara mi madre. Dijo que si se creía la única que podía tener un jardín decente, se iba a llevar un buen chasco.

Mientras estábamos plantando, el señor Vuoso y Zack se acercaron. Estábamos arrodillados en el suelo, de espaldas a su casa, y no los vimos hasta que estuvieron justo en nuestras narices.

—Buenos días —dijo el señor Vuoso.

Papá levantó la mirada. Llevaba unos sucios guantes verdes de jardinería y sostenía una palita.

—¿Sí? —dijo.

El señor Vuoso se aclaró la garganta.

—Zack y yo nos preguntábamos si podríamos hablar con usted y con Jasira.

Papá me miró y luego volvió a mirar al señor Vuoso.

—¿No está hablando ya con nosotros? —dijo, y se rió un poco.

Me di cuenta de que el señor Vuoso se estaba mosqueando.

—No hay necesidad de tratarnos así. Venimos como amigos, eso es todo.

—¿Qué amigos? —le preguntó papá entonces, mirando a su alrededor—. ¿Dónde están los amigos?

—Hemos venido a disculparnos —dijo el señor Vuoso—. ¿Verdad, Zack?

Zack levantó la vista para mirar a su padre.

—Adelante —le dijo el señor Vuoso.

Al cabo de un segundo, Zack respiró hondo.

—Siento haberte llamado moraca.

—A mí no —dijo el señor Vuoso, porque Zack aún estaba mirándolo a él—. A Jasira.

Apartó la mirada de su padre y me miró a mí, luego repitió lo que había dicho.

—Bien —le dijo el señor Vuoso—. ¿Qué más?

Zack vaciló.

—¿Quieres ser otra vez mi canguro?

Yo no sabía qué responder. Me volví hacia papá en busca de ayuda, pero él se limitó a encogerse de hombros.

—Haz lo que quieras, pero ya que te quieren tanto, yo pediría un aumento —me dijo.

–Claro –contestó el señor Vuoso–. Podemos concederte un aumento.

–¿Cuánto? –preguntó papá.

–Un dólar más por hora –dijo el señor Vuoso.

Papá no dijo nada.

–Un dólar y medio –dijo el señor Vuoso.

–¿Y qué pasa con Melina? –pregunté yo.

–Era solo provisional –respondió el señor Vuoso.

–¿Tú que crees? –me preguntó papá–. ¿Un dólar cincuenta y una disculpa es suficiente?

–No lo sé.

El señor Vuoso me miró.

–Yo también quiero disculparme.

–¿Por qué? –dijo papá.

–Por decir cosas que no debía. Me refiero a que tal vez Zack me oyó y quizá por eso te dijo esas cosas.

Papá se rió.

–¿Quizá?

–Muy bien, de acuerdo –dijo el señor Vuoso, volviendo bruscamente la cabeza hacia papá–. Seguramente, ¿vale? Seguramente me oyó y seguramente lo sacó de ahí.

–Eso diría yo –opinó papá.

–¿Nunca le enseñaron a aceptar una disculpa? –preguntó el señor Vuoso–, porque no se le da muy bien.

–¿Y por qué debería dárseme bien? –le gritó papá levantándose y quitándose los guantes verdes–. ¿Por qué?

–No quiero hacer de canguro de Zack –intervine.

Nadie parecía escucharme, así que lo repetí con más énfasis.

El señor Vuoso se dirigió a mí.

—¿Por qué?

—Tengo otras cosas que hacer después del colegio —le expliqué.

—¿Como qué? ¿Qué haces después del colegio?

—¿Qué quiere decir con qué hace después del colegio? —intervino papá—. Hace los deberes. Eso es lo que hace. Es una chica lista.

El señor Vuoso me miró larga y duramente, y yo le devolví la mirada.

—Muy bien —dijo—. De acuerdo.

—¿Podemos irnos ya? —preguntó Zack a su padre.

—Sí —contestó el señor Vuoso, y los dos dieron media vuelta y se alejaron.

Entonces papá me dijo que estaba muy orgulloso de mí, que estaba claro que los Vuoso se daban cuenta del error que habían cometido al despedirme, y que ahora solo pretendían quedar bien. No le dije a papá que no tenía ni idea de lo que hablaba, que el señor Vuoso me había metido los dedos, que me había hecho sangre, y que por eso quería que volviera, para intentar hacer las paces conmigo.

Acabamos de plantar el resto de las flores y entonces papá dijo que ahora nuestro jardín parecía la bandera de Líbano: roja, blanca y verde. Me contó que todas las banderas árabes tienen los colores rojo, blanco y verde o negro. También dijo que era una de las pocas cosas en que los árabes habían conseguido ponerse de acuerdo, luego suspiró y dijo: ¡Qué patético!

Aquella tarde empecé a preocuparme por el señor Vuoso. Me preocupaba haber herido sus sentimientos. A veces me pasaba lo mismo después de que papá me hubiera pegado: lo odiaba, pero no quería que se sintiera mal. No estaba segura de por qué me pasaba. Era como si en aquellos momentos fuera peor ser él que yo.

Fui a la habitación de papá. Se estaba preparando para salir con Thena. Iba en pantalones y camiseta.

–¿Azul o beige? –me preguntó, de pie en el umbral de su cuarto de baño, con una camisa en cada mano.

–Beige –le dije, y él asintió.

Guardó la azul en el armario, luego volvió y sacó la beige de su percha.

–Tal vez debí decirle al señor Vuoso que sí.

Papá se puso una manga de la camisa.

–Ya te he felicitado por decir que no. Si cambias de idea, te retiro el cumplido.

Pensé en ello. Supongo que no quería que papá me retirase el cumplido.

–Nosotros no nos arrepentimos de nuestras decisiones –dijo abotonándose la camisa–. Una vez tomamos una decisión, la mantenemos.

–Pero él se disculpó.

–Te debía esa disculpa. Tú no le debes nada.

–Vale.

–Intenta tener un poco más de determinación –dijo dándose media vuelta para que no le viera desabrocharse los pantalones y meterse la camisa por dentro.

Cuando papá se marchó, entré en la cocina y metí en el microondas unos macarrones con queso congelados. Papá siempre me compraba lechuga. Se suponía que yo tenía que lavarla y prepararme una ensalada, pero nunca lo hacía. Arrancaba algunas hojas, las envolvía en papel de cocina y las tiraba al cubo de la basura.

Más tarde, mientras estaba viendo la televisión, sonó el timbre. Era el señor Vuoso.

–Hola.

Se había afeitado y llevaba el pelo bien peinado a un lado. Parecía como si fuera a algún sitio.

–Hola –le dije.

–No te preocupes. No quiero entrar.

No dije nada.

–Zack y su madre han ido a visitar a su abuela.

–¡Ah!

–Su gata acaba de tener gatitos. Supongo que son muy monos.

Asentí.

–¿Tu padre está en casa de su novia? –me preguntó.

–Sí.

–¿Cómo es ella?

–A papá no le gusta que venga aquí porque me presta demasiada atención.

–¡No me extraña! –dijo el señor Vuoso.

–Ella cree que debería ser modelo.

Se rió un poco.

–Apuesto a que a tu padre le encanta.

–No –le dije–. No le gusta nada.

–Lo decía en broma. Ya sé que no le gusta.

–¡Ah!

–Es igual. Es que estoy un poco aburrido.

Le miré los puños de la camisa que sobresalían simétricamente por ambas mangas de la americana.

–¿Tú te aburres?

–No –respondí, aunque sí me aburría.

–Seguro que sí. No hay nada que hacer.

Me encogí de hombros.

–Tal vez podríamos hacer algo juntos.

–No, gracias.

–Tal vez podría llevarte a algún sitio.

–Tengo que quedarme aquí.

–¿Por qué?

–Por si papá vuelve a casa.

–Creí que habías dicho que se quedaba en casa de su novia.

–Y se queda.

–¿Entonces? –preguntó el señor Vuoso.

–Podría cambiar de opinión y volver a casa. Tengo que estar aquí por si cambia de idea.

El señor Vuoso se encogió de hombros.

–Zack y su madre también podrían volver a casa, pero no es probable que lo hagan.

Lo miré. Había suavizado un poco la voz y se había metido las manos en los bolsillos. Yo intentaba tener determinación, como a papá le gustaba, pero me resultaba difícil cuando el señor Vuoso se mostraba tan amable.

–¿Adónde iríamos? –le pregunté.

–Siempre hay una película. ¿Te gusta el cine?

–No –dije, aunque sí me gustaba.

–O podemos salir a cenar algo. ¿Tienes hambre?

Negué con la cabeza.

–Podemos ir a un mexicano. Conozco un sitio buenísimo. Era raro, pero no había probado la comida mexicana desde que me mudé a Texas. Solo pizza y la cocina oriental de papá. Bueno, y la comida oriental que preparó la madre de Thomas.

–Venga –dijo el señor Vuoso–, vamos a comer algo. –Como no respondí, añadió–: ¿Qué te parece esto?

Se metió la mano en el bolsillo y sacó algo que no reconocí.

–¿Qué es? –le pregunté.

Tiró de algo que había dentro y vi que era una navaja.

–¿La ves? –dijo enseñándome la hoja, y la volvió a guardar enseguida–. Es para ti.

–¿Es del ejército? –le pregunté. Era verde.

Asintió.

–Te la presto por esta noche, para que te protejas.

Dejé que me la pusiera en la palma de la mano. Luego le di un par de vueltas con la otra.

–Guárdatela en el bolsillo –me dijo.

Y me la guardé en el bolsillo.

–Ahora ve a buscar el abrigo. Tengo hambre.

En el coche casi no hablamos. Me había cambiado la navaja del bolsillo del pantalón al del abrigo, donde la tenía más a mano, y entonces la saqué y la abrí.

–Ten cuidado –dijo el señor Vuoso–. Está muy afilada.

Aquella noche habría podido llevarme a cualquier sitio y hacer conmigo lo que le hubiera dado la gana. La navaja daba igual. No me imaginaba usándola contra nadie, clavándosela en el cuerpo. Una vez mi madre había salido con un hombre que era diabético y tenía que pincharse cada día, yo no podía ni imaginármelo.

–¿Quieres oír música? –me preguntó el señor Vuoso.

–Me da igual.

Cuando encendió la radio sonó una emisora country. Empezó a tararear la canción, pero enseguida se acabó y pusieron un montón de anuncios a todo volumen, y el señor Vuoso tuvo que bajarlo.

–Esto es ilegal.

–¿El qué? –le pregunté.

–Subir el volumen de los anuncios. Pero todos lo hacen.

Pensé que era una estupidez por su parte hablar de cosas ilegales, pero no se lo dije.

Tardamos un buen rato en llegar al restaurante. La última media hora del trayecto estaba completamente segura de que aquello era una gran mentira. Sobre todo justo antes de llegar, cuando tuvimos que pasar por un barrio chungo del centro. Pero, de repente, allí estaba: un local con brillantes luces de neón, un aparcamiento lleno y música que salía por la puerta de atrás, donde dos mexicanos con delantales blancos estaban fumándose un cigarrillo.

–Es aquí –dijo el señor Vuoso al apagar el motor.

–Uau.

–¿Te gusta?

Asentí. Parecía una pequeña feria.

Entramos, y un hombre que estaba en la puerta nos dijo que tendríamos que esperar unos minutos a que nos dieran mesa.

–Usted y su hija pueden sentarse en la barra –nos indicó, y el señor Vuoso no lo corrigió.

–Señor Vuoso, yo no soy su hija –le dije cuando nos sentamos en los taburetes.

Unas piñatas colgaban del techo por encima de nosotros, y todo tenía mucho colorido. Al parecer, los mexicanos eran muy alegres.

–Es obvio –me contestó el señor Vuoso–. Pero el hombre tenía que llamarte de alguna manera.

Llegó el camarero de la barra y nos puso delante dos margaritas: una para adultos, otra para niños. Probé la mía: era como un helado de lima. El borde de la copa estaba lleno de sal, pero no vi por qué iba a querer lamerla, como hizo el señor Vuoso.

–¿Pues qué soy? –le pregunté.

–¿Qué quieres decir?

–Si no soy su hija.

Lo pensó un segundo.

–Eres mi vecina –dijo.

–¿Y qué más? –Me sentía borracha, o me quería sentir borracha.

–Eso es todo.

–Soy la canguro de Zack.

–Ya no –soltó.

No dije nada. Él suspiró.

–Lo siento. Sé que es culpa mía.

–Soy su novia –dije. Me habría gustado decir que era su esposa, pero esa plaza ya estaba ocupada.

–Eres demasiado joven para ser mi novia.

–Usted me hizo esa cosa –insistí–. Soy su novia.

Tomó un largo trago de su copa.

–Esa cosa –murmuró.

Lo miré fijamente.

–Joder –dijo, y se frotó un poco los ojos.

Cuando acabamos las bebidas y el señor Vuoso pidió otras, el hombre de la entrada del restaurante vino a decirnos que nuestra mesa ya estaba preparada. Estaba cerca de una pequeña catarata artificial rodeada de plantas de plástico, y el señor Vuoso dijo que aquel montaje le iba a dar ganas de mear toda la noche. Se levantó para ir al baño y, mientras estaba fuera, cambié nuestras bebidas. La suya me mareó al cabo de unos sorbos y me gustó. El señor Vuoso volvió antes de que las hubiera vuelto a cambiar.

–¿Has visto la carta?

–Sí –mentí.

–¿Has visto algo que te guste?

–No sé lo que significa esta comida.

–¿Lo que significa? ¿De qué hablas? Hay enchiladas, burritos, tamales. ¿No conoces la comida mexicana?

Negué con la cabeza.

–Bueno, entonces tomarás unas enchiladas de pollo. A todo el mundo le gustan las enchiladas de pollo.

Vino el camarero y el señor Vuoso pidió para los dos. Después dio un par de sorbos a su bebida y miró la copa, extrañado. Miró mi copa, la cogió y la probó.

—Joder, Jasira —dijo volviéndolas a cambiar.

—Estoy borracha.

—¿Cómo lo sabes?

—Me siento feliz.

—¿Ah, sí? —dijo, sonriendo un poco—. ¿Crees que estar borracha te pone feliz?

Asentí.

—Bueno. Supongo que sí, a veces.

—¿Puedo tomar otro trago de su copa?

—No. Ya es bastante. —Me tocó la pierna con la suya por debajo de la mesa durante un momento, luego la quitó.

—¿Por qué le gusto? —pregunté.

—¿Por qué? —Suspiró—. ¡Oh!, no lo sé.

—Yo sí lo sé.

—¿Por qué?

—Por mis tetas.

Bebió un sorbo de su copa.

—Tal vez, pero eso no es todo.

—Mi cabello.

Asintió.

—Tienes un cabello bonito.

—Cuando sea mayor, quiero salir en *Playboy*.

—No, tú no.

—¿Por qué no?

—Porque eso es para putas. ¿Acaso eres una puta?

–No lo sé –dije. Yo creía que no, pero no estaba segura.

–Bueno, pues no lo eres. Por eso no vas a salir en *Playboy*. Llegó la cena, nos pusimos las servilletas en el regazo y empezamos a comer.

–Si sigues saliendo con ese chico negro –dijo el señor Vuoso al cabo de unos minutos–, te volverás una puta.

–Eso no es cierto.

–Sí, lo es.

–Él es mejor que usted. Solo me toca cuando le digo que puede hacerlo.

El señor Vuoso no contestó nada. Ni siquiera siguió comiendo. Se quedó allí sentado. Yo sabía que quería que lo mirase o que sintiera lástima de él por sentirse tan mal o tan avergonzado, pero a mí me daba igual. Estaba borracha y la enchilada estaba buena, notaba la navaja en el bolsillo y lo que había bebido de la copa del señor Vuoso me hacía creer que sería capaz de usarla si era necesario.

De postre pedí helado frito, que era un helado fundido con un recubrimiento duro por encima. El señor Vuoso dijo que él no quería nada, pero cuando llegó mi postre me preguntó si podía probarlo.

–No –le dije. Estaba realmente delicioso y no tenía ganas de compartirlo.

Pensé que de todos modos probaría un poco, pues era él quien iba a pagarlo y técnicamente era suyo, pero no lo hizo. Parecía desilusionado y volvió a poner la cucharilla en el platito de su taza de café.

Durante el viaje a casa, volví a sacar su navaja.

–¿Te gusta? –me preguntó el señor Vuoso.

–Sí.

–Bien. Me alegro.

–Supongo que quiere que se la devuelva –dije.

–¿Confías en mí?

Me encogí de hombros.

–Casi hemos llegado a casa –dije.

–Quédatela hasta que lleguemos.

De repente, me preocupó que fuera eso. Que me hubiera llevado a cenar, me hubiera prestado su navaja y no hubiera probado mi helado como compensación por haberme hecho algo malo. Aquella noche lo había pasado bien y ahora temía que nunca volviera a suceder.

–Aún no sé si voy a chivarme por lo que me hizo –dije deprisa–. No me he decidido.

El señor Vuoso asintió.

–Comprendo.

Cuando llegamos a casa, entró en el camino y apagó el motor. Nos quedamos allí sentados un rato, con los cinturones de seguridad abrochados.

–Vamos a entrar en guerra contra Irak –dijo por fin el señor Vuoso.

–Lo sé.

Aquellos días papá no dejaba de hablar de eso, de lo estúpido que era esperar hasta después de las vacaciones, que Kuwait estaba en llamas pero el presidente quería asegurarse de que la gente se gastaba el dinero en los regalos de Navidad. Papá dijo que como protesta aquel año no iba a comprar ningún regalo para nadie. Dijo que mi regalo sería saber que mi padre no era un títere del sistema.

—Seguramente me llamarán a filas —dijo el señor Vuoso.

—Eso es horrible.

—¿Me escribirás cartas?

—Sí.

Asintió.

—Eso estaría bien.

Me metí la mano en el bolsillo.

—Aquí está su navaja.

—¿Lo ves? —dijo al cogerla—. Puedes confiar en mí.

—Tengo que irme —dije, y bajé del coche.

Fuera estaba oscuro, sin más luz que la de las farolas de la calle. En nuestra manzana había un montón de casas nuevas a las que aún no se había mudado nadie, y me fastidiaba que nunca se viera luz en las ventanas.

Cuando iba por la acera hacia casa, oí que alguien me llamaba. Al volverme vi a Gil al final del camino de entrada de su casa; estaba sacando la basura.

—¡Ah! —dije—. ¡Hola!

—¡Hola! —dijo mirando el monovolumen de los Vuoso. El señor Vuoso aún no había salido—. ¿Ibas en ese coche? —me preguntó Gil.

—No.

—¿No ibas en él?

—Estaba dando un paseo.

—Me pareció que ibas en ese coche.

—Estaba en la acera —le expliqué.

No dijo nada.

–Bueno, buenas noches.

–Buenas noches.

Me puso un poco nerviosa que me hubiera visto, pero aún me ponía más nerviosa pensar que papá podría haber llamado. Cuando entré y comprobé el contestador, solo había un mensaje de mi madre.

–¿Dónde estabas? –me preguntó cuando le devolví la llamada.

–En la ducha.

–¿Una ducha de una hora?

–Me olvidé de mirar el contestador al salir.

–¿Dónde está tu padre? –exigió saber.

–En casa de Thena.

–¿Se queda allí? No se quedará allí, ¿verdad?

–No, claro que no.

–Eres demasiado pequeña para pasar la noche sola.

–Nunca se queda toda la noche.

–Mejor que no lo haga.

–No te preocupes.

–No me digas que no me preocupe. No me gusta.

–Lo siento.

–¿Te hace ilusión que se acerque la Navidad?

–Sí.

–No lo parece.

–Pues me hace ilusión.

–Espero que te gusten los regalos. Me han costado una fortuna.

–Seguro que me gustarán.

–A mí no me compres nada –me dijo–. No quiero nada.

–Vale –contesté.

No le dije que aunque hubiera pensado en comprarle algo, lo cual no era así, papá no me lo hubiera permitido. Ni siquiera permitía que compráramos un árbol, en protesta por el retraso de la guerra. En lugar de árbol, le había puesto unas lucecitas blancas a un gran ficus que había junto a la ventana principal.

–Escucha –dijo mi madre–. ¿Te gusta vivir ahí, con tu padre?

–Está bien –contesté. Fingí que me daba igual una cosa que otra, pues no estaba segura de cuál era la respuesta correcta.

–Barry y yo hemos roto.

–¿Qué?

–Se ha ido.

–¡Oh! –intenté no parecer triste, aunque lo cierto es que me dolió durante un segundo, pues lo más seguro era que no volviera a verlo nunca más.

–Creo que esto está un poco solitario sin ti.

–Bueno. Es una lástima. Lo de Barry, quiero decir.

–¿Sabes qué? No lo es. Porque era un gilipollas. Tengo que decirte, Jasira, que me siento fatal por lo que pasó aquí el verano pasado. Cuando me puse de su lado en lugar de apoyarte a ti.

–No pasa nada.

–Sí. Sí pasa. Claro que pasa.

–Bueno, supongo que podría terminar el año escolar aquí, me gusta mi colegio.

–¡Ah! No había pensado en eso.

–Aquí aprendemos mucho.

–Creí que no te gustaba.

–No –dije–, sí que me gusta.

–Pensé que no te gustaba papá.

No supe qué contestarle. En cierto modo, tenía razón. No me gustaba papá, pero me había acostumbrado a él. Y no quería tener que irme y acostumbrarme a ella otra vez. Era demasiado trabajo.

–Bueno –dijo mi madre de manera cortante–. Supongo que lo habré entendido mal. Muy bien, entonces. Te veo la semana que viene. ¡Que duermas bien! Adiós.

Y me colgó.

Sabía que estaba enfadada. Me lo estaba dejando muy claro e intentaba asustarme. Normalmente, le habría funcionado. Pero ahora me sentía afortunada. Afortunada porque papá no hubiera llamado ni vuelto a casa mientras yo estaba fuera. Afortunada porque mi madre se hubiera enfadado y dejara de molestarme con lo de volver a casa. Afortunada por encontrar un poco de azúcar caramelizado entre mis dientes, quitármelo con la lengua y recordar lo dulce que había sido la noche.

A la mañana siguiente, cuando papá volvió de casa de Thena, le conté lo de mi madre y que quería que yo volviera con ella.

–¿Qué? –preguntó–. Pero ¿quién coño se cree que es?

–No lo sé.

–Tienes que terminar el año escolar aquí.

–Eso es lo que le dije.

—A ti te gusta estar aquí.

—Claro.

—Tú no te vas a ninguna parte —afirmó papá—. No me puedo creer que esté usando este tipo de artimañas. Llamarte a mis espaldas para intentar secuestrarte.

—No quiero ir.

—¡Claro que no! ¿Por qué ibas a querer?

Aquel día fue uno de los más agradables que pasamos juntos. Papá me contó un poco de su noche con Thena y sus planes para ir a Cabo Cañaveral. Había un lanzamiento en marzo y, como los dos habían diseñado partes de la lanzadera, estaban invitados. Durante un segundo me preocupó que yo también tuviera que ir, pero entonces papá dijo:

—Tú puedes quedarte aquí sola un par de días, ¿verdad?

Y le dije que sí.

Más tarde me preguntó qué tipo de comida me parecía que debía preparar para Navidad. Le dije que a mí me gustaba el pavo.

—Perfecto —dijo—. Pues eso comeremos.

Salió a hacer unos recados, mientras yo iba a dar un paseo. Lo que más me apetecía era ver al señor Vuoso, pero él no andaba por allí fuera y aunque estuve esperando en la acera de enfrente de su casa no conseguí que saliera. La que sí salió fue Melina.

—¡Jasira! —me llamó desde los escalones de la entrada de su casa.

La miré.

—¿Sí?

–Ven aquí –dijo, como si yo ya supiera que tenía que hacerlo.

Pasé por su jardín delantero.

–¿Estabas en el coche del señor Vuoso anoche? –me preguntó.

–¿Qué? –dije, intentando parecer confusa.

–Gil me dijo que anoche te vio en el coche del señor Vuoso.

–Yo no estaba en su coche. –La miré directamente a los ojos, pues había visto en un programa de televisión que los mentirosos siempre desvían la mirada.

–¡Ajá! –dijo. Era evidente que no me creía.

–No estaba allí.

–Ven conmigo –dijo, y entró.

La seguí adentro y luego al piso de arriba, donde no había estado nunca, y recorrimos el pasillo. En las paredes había más fotos de Yemen y de todas las letrinas que Gil había cavado.

El baño de Melina no se parecía al de los Vuoso. Era sencillo y moderno, y en los grifos del agua caliente y fría del lavabo estaban escritas las palabras *chaud* y *froid*.

–Toma –dijo Melina después de rebuscar en el armario de debajo del lavabo, y me ofreció una caja de tampones–. Me equivoqué al no darte esto antes. Lo siento.

–Pero ya tengo.

–Se te acabarán. Entonces podrás usar estos. Y cuando se te acaben estos, ven a decírmelo y te compraré más.

Miré la caja.

–Cógelos. Por favor.

–Vale. Gracias.

–¿Estás segura de que no estabas en ese coche? –preguntó al cabo de un segundo.

–Sí –dije, aunque es posible que esta vez no la mirase a los ojos.

–El señor Vuoso es un cerdo. Solo para que lo sepas. Cualquier hombre que quiere ser amigo de una niña de tu edad es un cerdo. ¿Lo entiendes?

–No estaba en ese coche.

No me hizo caso.

–Si te pide que seas su amiga quiero que vengas y me lo digas, ¿vale?

–Vale.

–Lo digo en serio, Jasira.

–Lo haré.

En casa, puse los tampones debajo de mi lavabo junto con todos los demás que Thomas me había dado. Luego fui a acostarme en la cama. Pensé en la noche anterior, cuando Gil me había visto en la acera. Intenté imaginarlo entrando y contándoselo a Melina. Pensé en ella poniéndose furiosa y mandona como se había puesto hoy. Pensé en los dos tomando decisiones sobre mí, preocupándose. Era el sentimiento más extraño que había tenido nunca. Me hizo sonreír, aunque estaba sola.

Al día siguiente, durante el almuerzo, Thomas me preguntó si necesitaba que me volviera a rasurar.

–Tal vez –le dije.

–¿Cómo tienes el pelo de largo? –me preguntó.

–No demasiado. Podemos esperar unos días.

–¡Ah! Vale –y añadió–: ¿Puedo ir a tu casa a verlo?

–No le he pedido permiso a papá.

–Me iré antes de que llegue.

Lo pensé un segundo.

–Vale –dije.

Me gustaba Thomas. No creía que pasar el rato con él me convirtiera en una puta ni arruinara mi reputación ni nada por el estilo. Me recordaba mucho a Barry, porque siempre quería rasurarme.

El autobús nos dejó al final de mi manzana. Como nunca pasaban coches, caminamos por el centro de la calle hasta mi casa. En el autobús habíamos ido cogidos de la mano y Thomas no me soltó ahora, ni siquiera cuando vio a Zack dándole patadas a un balón de fútbol.

–¡Hola, Zack! –gritó Thomas con falsa amabilidad.

Zack dejó de dar patadas un segundo y levantó la vista. No estaba segura de si nos veía las manos, pero supuse que probablemente sí. Entonces volvió a chutar la pelota.

–¿Qué cojones le pasa a ese chico? –dijo Thomas soltándome la mano.

–No lo sé.

–Sí lo sabes –insistió Thomas–. Sabes perfectamente lo que le pasa.

Entonces llegamos a mi casa y Thomas le gritó:

–¡Hey, Zack! ¡Chuta aquí esa bola!

Zack no le hizo caso y siguió jugando solo. Se estaba alejando de nosotros en dirección a la casa de Melina.

Al cabo de un segundo, Thomas fue tras él. No lo persiguió, exactamente, pero casi. Antes de que me diera cuenta, Thomas le había quitado a Zack el balón y se lo llevaba controlado alejándose de él.

—¡Oye! —gritó Zack—. ¡Devuélvemelo!

—Dime «Hola» y te lo devolveré —dijo Thomas.

Me fijé en que era muy bueno con la pelota, aunque su deporte era la natación.

—¡Vale! —gritó Zack—. ¡Hola!

—Ahora dile «Hola» a Jasira.

Zack me miró.

—Dile «Hola» a Jasira y te devolveré el balón —dijo Thomas.

—Hola —me dijo Zack.

—Hola —le respondí.

—Ahora devuélvemela —dijo volviéndose hacia Thomas.

Thomas no le hizo caso. Volvió con la pelota un poco más cerca de Zack, pero sus pies seguían moviéndose tan rápido que Zack nunca podría quitársela.

—¿Dónde está tu canguro? —le preguntó Thomas.

—Dame mi balón.

—Dime dónde está tu canguro y te lo daré.

—Ya no tengo canguro —explicó Zack.

—¿Se ha despedido? —le pregunté.

Zack me lanzó una mirada fulminante.

—Soy muy mayor para tener canguro.

—¿Ah, sí? —dijo Thomas—. ¿Cuántos años tienes?

—Once.

—Pensaba que tenías diez —dije yo.

–Los tenía, pero ha sido mi cumpleaños.

–¿Ah, sí? –dijo Thomas–. ¿Qué te han regalado?

–¡Dame mi balón! –gritó Zack.

–Antes cuéntame qué te han regalado –dijo Thomas. Había saltado el bordillo con la pelota y ahora estaba en la acera de delante de la casa de Zack.

–No tengo por qué contarte nada –contestó Zack.

–Claro que no. Y yo no tengo por qué devolverte el balón.

–Sí tienes que devolvérmelo.

–¿Qué te han regalado por tu cumpleaños? Es una pregunta fácil. Contéstala y tendrás tu balón.

–Ya he contestado a tus preguntas. Dijiste hace cinco preguntas que me devolverías la pelota, pero no tienes palabra. ¡Eso lo demuestra!

Entonces Thomas dejó el balón muerto.

–¿Qué demuestra?

Zack no dijo nada.

–¿Qué demuestra? –repitió Thomas, que cogió la pelota y se acercó a Zack.

–Nada –dijo Zack.

–¿Qué te han regalado por tu cumpleaños?

Thomas estaba allí parado con aire amenazador en las narices de Zack. Era extraño verlo así. Tan malo.

Zack me miró en busca de ayuda. Me dio lástima, pero quería ver hasta dónde estaba dispuesto a llegar Thomas.

–Dile lo que te regalaron por tu cumpleaños y te dará la pelota –le dije.

Zack parecía a punto de llorar. Daba la impresión de creer

que yo era tan mala como Thomas. Por fin, se volvió hacia Thomas y dijo:

—Me regalaron una gatita.

—¿Qué clase de gatita? —preguntó Thomas y, aunque no parecía posible, se acercó aún más a Zack.

—Aléjate de mí —protestó Zack.

—Queremos ver a la gatita —dijo Thomas.

—No podéis. En mi casa no puede entrar nadie.

—Pues tráela aquí.

—No, es una gatita de interior.

—No le hará daño salir un segundo.

Justo entonces, Zack le dio un puñetazo al balón que Thomas sostenía bajo el brazo. Cayó, rodó un poco y Zack lo atrapó rápidamente. Thomas se quedó allí quieto, mirando. Se comportó como si en todo momento Zack hubiera podido recuperar el balón con solo pedírselo. Con el balón en su poder, Zack corrió a su casa y cerró de un portazo.

—¡Qué malcriado! —murmuró Thomas.

Yo asentí.

—Quiero ver la gata —dijo—. Me gustan los gatos.

—Ya la veremos otro día. Ahora vamos dentro.

No se movió.

—Vamos —dije.

—Vayamos a tocar el timbre —propuso Thomas con la mirada fija en la casa de Zack.

—No, no quiero.

—¿Viste lo asustado que estaba mientras hablaba con él? ¿Por qué cojones estaría tan asustado?

–No lo sé.

–Sí que lo sabes.

Entramos y le di a Thomas una Coca-Cola. Luego fuimos a mi habitación. Se tumbó en la cama y yo me quité los pantalones. Me acerqué a la cama, él alargó la mano y me acarició un poco.

–Estoy demasiado cabreado para rasurarte –dijo al cabo de un minuto–. Podría cortarte sin querer. Será mejor que no.

–Vale –dije, y empecé a ponerme los pantalones.

–No –exclamó–. Espera.

Se la sacó y empezó a meneársela, pero no pasó nada. Me miró fijamente y me tocó durante un buen rato, pero no se le puso tan gorda como las otras veces. Al final se rindió y lo dejó estar.

–¿Puedo vestirme ya? –le pregunté.

–Sí.

Fui por mi ropa.

–Supongo que estoy demasiado cabreado –dijo subiéndose la cremallera.

–No pasa nada.

Estaba a punto de sentarme con él en la cama, pero entonces recordé algo y fui hasta el tocador. Lo abrí y saqué una llave plateada.

–Mira –dije, ofreciéndosela a Thomas.

–¿Qué es? –preguntó.

–Los Vuoso olvidaron pedírmela cuando me despidieron.

Se incorporó un poco, apoyándose en los codos.

–¿En serio?

Asentí.

—Podemos ir a ver la gatita —dije.

Cogió la llave y la miró.

—Solo iremos a ver la gatita, ¿vale? —insistí—. No quiero que seamos malos con Zack.

—Eso es lo único que quiero —dijo Thomas—; ver la gatita.

—Vale —contesté, y nos pusimos los zapatos.

Zack no estaba en el salón cuando entramos. Pensé que habría ido a prepararse algo a la cocina, pero cuando entramos allí de puntillas estaba vacía. Había pequeños cuencos de comida y agua junto a la nevera, y unas cuantas bolitas de pienso desparramadas por el suelo. También había algo más. Un olor diferente. Fui a mirar en el lavabo que estaba junto a la cocina y lo encontré: una caja de arena para gatos. Estaba grumosa y con montoncitos, y se veía asomar una caca. Detrás del váter había un spray ambientador.

Thomas entró a buscarme. Estaba comiéndose una manzana que había cogido del frutero de la mesa de la cocina.

—¡Qué olor a meados! —dijo masticando y mirando por encima de mi hombro.

—Zack debe de estar en su habitación —le susurré.

Thomas asintió.

—Tú primero —dijo, y se apartó para dejarme salir del cuarto de baño.

Subimos la escalera en silencio. Al llegar arriba me asomé al dormitorio de los padres de Zack y vi que el petate del señor Vuoso aún estaba al pie de la cama.

–Mira –le dije en voz baja a Thomas, señalándoselo–. Eso es para cuando llamen al señor Vuoso.

–¿Cuando lo llamen para qué? –me preguntó.

–Para ir a la guerra. Es reservista.

–¡Ah!

–Dentro tiene condones –le expliqué.

–¿Cómo lo sabes?

–Los he visto.

Thomas se quedó callado un segundo.

–¿Y qué pasa con su mujer? –me preguntó.

Me encogí de hombros.

–Mierda –dijo Thomas.

Recorrimos el pasillo hasta la habitación de Zack. Pensé que estaría allí haciendo sus deberes o algo, pero no. Estaba en la habitación de invitados mirando *Playboys*. Como estaba sentado en la cama y de espaldas a la puerta, al principio no reparó en nosotros.

Pero sí lo hizo la gatita, una bolita de pelo blanco con ojos azules que estaba sentada en la cama con él. Me miró y esbozó un pequeño maullido. En un primer momento abrió la boca sin que saliera ningún sonido.

–Hola, Zack –dijo Thomas.

Zack dio un brinco y eso provocó que la gatita también saltara para luego echar a correr y lanzarse bajo la cama.

–¡Oh, no! –dije, agachándome hasta el suelo para tratar de encontrarla.

Zack dejó la revista y también se levantó de la cama. Se puso rojo y empezó a llorar.

–¿Qué queréis? –dijo mirando a Thomas–. ¿Vais a matarme? ¡Fuera de aquí! ¡Fuera de aquí ahora mismo!

–¡Cállate! –le dije desde el suelo–. Estás asustando a la gatita.

–¡No la toques! –gritó Zack–. ¡Déjala en paz!

–Zack –dijo Thomas–, cálmate. ¿Quieres calmarte?

Zack no se calmaba. Empezó a llorar aún más fuerte mientras retrocedía hacia la pared del dormitorio.

–¿Cómo habéis entrado? –gimoteó–. ¿Habéis forzado la entrada?

Entonces me levanté del suelo. La gatita estaba fuera de mi alcance.

–Zack –dije–, cállate, ¿vale? Deja de decir tonterías.

–Solo queremos ver la gatita, tío –dijo Thomas–. Eso es todo.

–Bueno, pues no podéis –dijo Zack con la voz ahogada por el llanto–. Os tiene miedo.

–No es verdad –replicó Thomas–. Te tiene miedo a ti. Eres tú quien ha saltado.

–Porque me habéis asustado.

–No hay nada de qué asustarse –le explicó Thomas.

–Habéis forzado la entrada de mi casa.

–No.

–Entonces, ¿cómo habéis entrado?

–La puerta estaba abierta –dije yo.

–No, no estaba abierta, ni hablar.

–Sí que estaba abierta –dijo Thomas.

Zack me miró. Se quedó callado un segundo. Luego dijo:

–Aún tienes tu llave.

–No, no la tengo.

–¡Devuélvemela!

–Yo no tengo tu llave.

–Se lo voy a decir a mi padre.

–Tú no le vas a decir nada a tu padre –dijo Thomas–. Solo hemos venido a ver tu gatita. Eso es todo. Te has asustado sin motivo.

Zack sorbió un poco por la nariz.

–Estamos esperando a que salga la gata –dijo Thomas.

–No va a salir mientras estéis aquí. No le gustáis.

Thomas no le hizo caso.

–¿Es tuyo? –dijo mirando el *Playboy* que había sobre la cama.

–Es de mi padre –contestó Zack.

–Hay más en el armario –dije, y Thomas fue a echar un vistazo.

–Mierda –dijo al ver la pila–. Vas a tener que prestarme un par de estos.

–¡No! –exclamó Zack.

De todos modos, Thomas cogió un par.

–Te los devolveré mañana. Tal vez la gata haya salido entonces.

–¡No podéis volver a entrar aquí! –gritó Zack.

–Mejor. Me quedaré las revistas.

Zack lo miró.

–Vamos, Jasira –dijo Thomas y salió de la habitación.

–Será mejor que me devuelvas la llave –me dijo Zack.

–La puerta estaba abierta –dije, me di la vuelta y seguí a Thomas.

En mi casa, Thomas quiso que me volviera a quitar los pantalones para volver a intentar tener un orgasmo, pero le dije que no.

–Ya no estoy cabreado –dijo sentándose en el borde de mi cama–. Seguramente podré.

–Es demasiado tarde. Papá está a punto de llegar a casa.

–¿Y qué? Quiero decir, ¿cuál es el problema? Sabe que somos amigos.

–Es por su forma de ser.

–Ni siquiera estamos haciendo nada.

–Eso no importa.

–¿Qué pasaría si tu padre llegara a casa ahora mismo y nos encontrara solo hablando?

Lo pensé un segundo.

–Se pondría a gritar.

–¿Eso es todo?

–Sí.

–¿Te pegaría?

–No.

Thomas se quedó callado. No estaba segura de si me creía o no. Tal vez había respondido a su pregunta demasiado rápido.

–Vale, me iré –dijo por fin.

–¿Lo harás? –le pregunté, aliviada.

–Sí –dijo poniéndose en pie–. No quiero meterte en líos.

–Gracias.

Entonces lo acompañé hasta la puerta principal y me besó. Me metió la lengua en la boca durante un buen rato y yo metí la mía en la suya. Las movimos una alrededor de la otra, por los lados, por las puntas y por el fondo de las lenguas. Apretamos todavía más las bocas para que las lenguas llegaran más adentro. En parte resultaba un poco fuerte y desagradable, pero también era tierno, como si en realidad intentásemos acercarnos más.

Aquella noche, el señor Vuoso y Zack llamaron a nuestra puerta.

—¿De qué quiere disculparse esta vez? —dijo papá y se rió un poco.

—No queremos disculparnos —dijo el señor Vuoso—. Solo queremos que nos devuelva la llave.

—¿Qué llave?

—La llave que Jasira tenía cuando cuidaba de Zack.

—Ya se la devolvió —dijo papá—. A su esposa.

—No, no nos la devolvió —insistió el señor Vuoso.

—¿Le devolviste la llave? —me preguntó papá.

Asentí. No sabía qué otra cosa hacer.

—Está mintiendo —dijo Zack—. Hoy ha entrado en mi casa con su colega. Asustaron a mi gata.

—¿Qué amigo?

—Su amigo de color —dijo Zack.

—¿Estuviste con un colega de color? —preguntó papá volviéndose hacia mí.

No dije nada.

–¿Chico o chica? –exigió saber.

–Chico –le respondí.

Pensé que entonces iba a pegarme, así que me encogí para protegerme. Pero solo se estaba llevando la mano a la frente. El señor Vuoso lo vio.

–No hemos venido a causarle problemas a nadie. No creo que haya ningún motivo para eso. Solo queremos que nos devuelva la llave.

Papá seguía mirándome. Volvió a mover la mano y yo no pude evitarlo, volví a encogerme.

–¿Por qué lo haces? –gritó–. ¿Por qué sigues haciéndolo?

–No lo sé.

–¡Bueno, pues deja de hacerlo!

Miré al señor Vuoso. Quería decirle que no se marchara, que en cuanto se fuera las cosas se pondrían más feas que nunca.

El señor Vuoso respiró hondo.

–No creo que hubiera mala intención –dijo manteniendo la serenidad–. Son cosas de niños.

–¿Qué quieres decir? –gimoteó Zack–. ¡Eso es allanamiento de morada!

–Zack –dijo el señor Vuoso–, ya puedes irte a casa.

–Pero… –protestó Zack.

–Te veré en casa –insistió el señor Vuoso.

Zack miró a su padre, luego se volvió despacio y salió por la puerta principal. Cuando se hubo ido, papá se dirigió a mí.

–Ve a buscar esa llave.

Hice lo que me ordenó. Pero cuando volvía a la salita oí

que él y el señor Vuoso estaban hablando, así que me paré en la cocina a escuchar.

—Si le pega —dijo el señor Vuoso—, llamaré a protección de menores. ¿Lo entiende?

Entonces entré y le di la llave al señor Vuoso.

—Gracias.

—Ahora márchese —le dijo papá.

—Recuerde lo que le he dicho —le advirtió el señor Vuoso, me miró a mí y se fue.

Papá cerró la puerta. Se volvió y me levantó la mano como si fuera a pegarme, pero no lo hizo. Me pasó la mano muy cerca de la cara para que pensara que iba a pegarme. Lo hizo un par de veces, y cada vez me encogí. Hasta que por fin dejó de hacerlo.

—Estás castigada. Vendrás directamente a casa después del colegio y te quedarás encerrada. Te iré llamando para asegurarme de que lo cumples. Y si no lo haces, encontraré el modo de pegarte sin que nadie se entere. ¿Has entendido?

Asentí.

Dio media vuelta y se fue a la cama. Yo hice lo mismo. Allí tumbada, estuve dándole vueltas a lo que el señor Vuoso había dicho. Protección de menores. ¿Qué era protección de menores? ¿Era parte del ejército? No tenía ni idea. Pero, por el nombre, me figuraba qué tipo de lugar era, y estaba segura de que se trataba de un sitio donde papá no caería nada bien.

6

Recogimos a mi madre en el aeropuerto tres días antes de Navidad. Papá no habló en el coche. En realidad, casi no me hablaba desde la noche en que el señor Vuoso fue a buscar la llave. Me costaba adivinar qué estaría pensando. En cierto modo, era peor que de costumbre. Al menos cuando me gritaba o me pegaba, se le pasaba.

No había estado en el aeropuerto desde que llegué a Houston el verano anterior. Al acercarnos me fijé en que muchos carteles eran diferentes, pero aún quedaban algunos anuncios eróticos. Esta vez intenté no sentirme como si fuera culpa mía, aunque me costaba. Me habría gustado que papá dijera algo sobre ellos, aunque fuera algo desagradable. Me habría gustado no tener que hacer como si no los viera.

Papá detuvo el coche en el aparcamiento del aeropuerto, apagó el motor y me miró.

–Si quieres volver a Syracuse con tu madre, por mí no hay problema.

No parecía particularmente enfadado ni nada por el estilo, solo cansado.

–No quiero volver –le dije.

–Tal vez cambies de idea al verla.

–No, no voy a cambiar de idea.

–Bueno –dijo desabrochándose el cinturón de seguridad–, haz lo que te dé la gana. Parece que yo no puedo meterte en vereda.

La pantalla de información del aeropuerto decía que el vuelo de mi madre llegaba puntual. Buscamos la puerta y la esperamos fuera entre un montón de gente. Enseguida aterrizó el avión y los pasajeros empezaron a salir. Mi madre salió más o menos hacia la mitad. Cuando la vi me sorprendió un poco. No es que estuviera distinta ni nada de eso, no, estaba igual que siempre. Fue solo que me chocó no haberla visto en tanto tiempo y que, en el fondo, la había echado un poco de menos.

La saludé con la mano y ella me sonrió y me devolvió el saludo. Al llegar junto a nosotros se inclinó y me abrazó. Cuando se apartó me fijé en que lloraba un poco y eso me hizo llorar a mí también.

–Intentad calmaros –nos dijo papá.

–Cállate, Rifat –dijo mi madre secándose los ojos, y luego le dio un beso y un abrazo.

Él la cogió ligeramente por la cintura y simuló que no le gustaba, pero yo estaba segura de que sí. Su cara se relajó un poco, como cuando hablaba en árabe con su madre por teléfono.

–¿Dónde se recoge el equipaje? –preguntó mi madre, y papá nos enseñó el camino.

Mi madre caminaba a mi lado con un bolso y un maletín.

Llevaba un vestido de punto azul claro y un largo abrigo negro de lana. Me dio pena por el calor que iba a pasar en cuanto saliéramos fuera.

–¡Dios mío! –dijo papá retirando de la cinta transportadora las tres grandes bolsas que mi madre señalaba–. ¡Si solo vas a quedarte una semana!

–Son regalos de Navidad –le explicó mi madre–. No seas tan quejica.

–Bueno –dijo papá–, ya sabes que Jasira y yo hemos decidido no hacernos regalos este año.

–¿Por qué no? –preguntó mi madre.

–Como protesta por que Bush esté esperando hasta que acaben las vacaciones para declarar la guerra. Es repugnante.

–Haced lo que queráis –dijo mi madre.

Al salir se quitó el abrigo y me lo dio para que se lo llevase.

–Así que esto es Houston –comentó, aunque estaba oscuro y en realidad no se veía nada.

–Sí –contestó papá.

–Bueno –dijo sonriéndome–, tengo ganas de dar una vuelta.

–Mira –le explicó papá–, que tú estés de vacaciones no significa que yo también lo esté.

Papá empujaba el equipaje en un carrito alquilado que le había costado un dólar.

–Puedes prestarnos el coche a Jasira y a mí, ¿no?

Papá no respondió.

–Daremos una vuelta nosotras solas –dijo ella.

–Houston es una gran ciudad. Creo que descubriréis que puede ser algo difícil orientarse en ella.

–Ya nos las apañaremos –dijo mi madre.

De camino a casa, me sentí como si por fin pudiera relajarme cuando pasamos por delante de todos aquellos carteles de clubes para adultos. Y eso incluso antes de que mi madre dijera:

–¡Dios mío! ¿Cuántos antros de *streap tease* puede tener una ciudad?

–Un montón –respondió papá.

Mi madre se echó a reír.

–Ya lo veo.

Cuando nos metimos en el camino de entrada de casa mi madre dijo:

–¿Y esta bandera?

–Soy un ciudadano estadounidense –dijo papá–. Puedo hacer ondear la bandera si me da la gana.

–¿Y por qué te da la gana?

–Para demostrar mi apoyo a la guerra.

Se echó a reír.

–¡Acabas de decir que estabas protestando por la guerra!

–Estoy protestando por un aspecto de la guerra y apoyando otro aspecto –contestó para luego añadir–: Ya sabes, la capacidad para tener al mismo tiempo dos ideas contradictorias en la cabeza es señal de inteligencia.

–Ya –dijo mi madre como si no le creyera.

–No necesito tu permiso para hacer ondear la bandera.

–Nadie dice que lo necesites –dijo ella, luego se volvió hacia mí y me hizo una mueca como si pensara que papá estaba loco.

Me guardé mucho de actuar como si creyera que papá estaba loco. No hice el menor gesto. Una parte de mí empezaba a preocuparse por que me enviara a casa con mi madre aunque yo no quisiera ir. Todo ese silencio significaba que estaba harto de mí.

Una vez dentro, mi madre dijo que teníamos una casa preciosa. Se la enseñamos de arriba abajo. Lo único que no le gustó fue el ficus con las luces navideñas.

–Mañana compraremos un árbol de verdad. Eso haremos.

–No –dijo papá–. No lo compraremos. Es parte de la protesta.

–Mira –contestó mi madre–, he traído todos estos regalos, me he gastado una fortuna y los voy a poner en un árbol de verdad. Nadie ha dicho que lo tengas que pagar tú, así que no te preocupes.

–Supongo que querrás que te preste el coche para llevar el árbol, ¿no?

–¿Y qué otro coche voy a utilizar si no? –preguntó mi madre, y papá no contestó.

Mi madre y yo compartíamos mi baño. Había quitado todas las cosas secretas de debajo del lavabo y las había guardado en mi habitación, lo cual resultó buena idea porque el primer sitio en el que mi madre miró fue precisamente allí.

–Buen espacio para guardar cosas –dijo, y yo asentí.

Aquella noche, después de cepillarnos los dientes y lavarnos la cara, ella vino a mi habitación a arroparme.

–¿Has vuelto a pensar en lo de volver a casa conmigo? –me preguntó.

–Sí –mentí.

–¿Y qué?

–Tengo que acabar el año escolar –le dije.

Mi madre suspiró.

–Lo siento –añadí.

–No tengo a nadie –dijo–. Estoy muy sola.

–Volveré el verano que viene –le dije, aunque no quería volver. Pero había sido tan buena conmigo aquella noche, que me pareció que algo tenía que decirle.

–¿El verano que viene? Para eso falta mucho.

Entonces se levantó y volvió a su habitación sin darme un beso ni un abrazo, sin apagar siquiera la luz. Al cabo de unos minutos, me levanté y fui a llamar a su puerta.

–¿Sí?

La abrí. Mi madre estaba incorporada en la cama, leyendo.

–¿Estás enfadada? –le pregunté.

Levantó la vista del libro.

–¿Por qué iba a estarlo?

–Porque no vuelvo a casa.

–Sobreviviré.

No estaba segura de lo que significaba aquello. No estaba segura de si lo decía en serio o si en realidad pretendía que me sintiera culpable y cambiara de opinión.

–Buenas noches, Jasira.

–¿Puedo darte un beso?

–Claro.

Me acerqué a la cama y me incliné. Esperaba que me abrazara pero no lo hizo. Fue solo el simple beso de toda la vida, que le di mientras ella se aferraba a su libro.

A la mañana siguiente mamá le pidió a papá que nos hiciera sus tortitas especiales pero contestó que no, que no tenía tiempo. Yo no las había vuelto a probar desde el día en que conocí a Thena.

–Entonces podrías hacerlas la mañana de Navidad –dijo mi madre.

–Ya veremos –le contestó papá.

Subimos todos al coche para llevar a papá al trabajo. Con mamá allí, era como si papá y yo tuviéramos vacaciones el uno del otro. No podía enfadarse conmigo y pegarme delante de mi madre, lo que significaba que yo no tenía que preocuparme demasiado por lo que hacía o decía. Podía arrellanarme en el asiento de atrás y leer los números de las casas pintados en negro sobre los bordillos mientras salíamos de nuestra urbanización.

–Si encuentro algún arañazo en el coche, me enfadaré mucho –dijo papá en un momento dado bajando el volumen de la radio.

–Si no hubiera ninguna guerra y no estuvieras boicoteando la Navidad –le contestó mi madre–, habrías traído un árbol y habrías arañado el coche tú mismo. Así que cállate.

Papá no dijo nada. Era un poco emocionante oírla hablarle así y que él no supiera qué responderle.

–Tampoco quiero manchas de resina en el coche. Es imposible quitarlas.

–¿No puedes dejar de amenazar a la gente ni siquiera un segundo? –preguntó mi madre. Luego se dio la vuelta para mirarme–: Me pregunto cómo puedes vivir así.

Yo quería que dejara de hacer eso, de intentar que dijera cosas malas sobre papá en sus narices. Me ponía de los nervios, sobre todo cuando papá me estaba observando por el retrovisor, esperando a que yo la liara.

–No lo sé –respondí por fin.

Papá puso los ojos en blanco y volvió a mirar hacia la carretera.

–Su respuesta de siempre –murmuró papá.

Me encogí de hombros.

–Bueno –dijo mi madre dándose la vuelta–. Si lo aguantas, pa' ti y pa' tu prima.

No dije nada, me quedé mirando la carretera por el hueco que quedaba entre los respaldos de sus asientos.

–Te sorprendería saber quién me aguanta –dijo papá.

–¿Ah, sí? –preguntó mi madre–. ¿Quién? ¿Tu novia?

–Sí. Mi novia.

–Mejor para ella.

–Exacto –replicó papá.

No se hablaron durante el resto del trayecto. Cuando dejamos a papá en la oficina, mi madre, para demostrar que estaba enfadada, arrancó mientras él aún intentaba decirle algo por la ventanilla del conductor.

–Gilipollas –murmuró mamá.

Yo estaba en el asiento del copiloto y me costó no mirar atrás hacia papá. Me preocupaba llegar a sentir lástima por él.

Teníamos un plano que nos había dibujado la noche anterior. Nos había indicado dónde pensaba que podíamos encontrar un buen árbol, y también dónde estaba la tienda en la que teníamos que comprar unas cuantas cosas. Había tres billetes de veinte dólares sujetos al plano con un clip, y mi madre me pidió que metiera el dinero en su bolso. Al abrir su monedero encontré una foto de Barry.

—¿Qué es esto? —pregunté.

Me miró.

—¿Qué quieres decir con qué es esto?

—Creí que ya no te gustaba.

—Soy yo la que no le gusta a él. Son dos cosas distintas.

—Ah.

Hacía tiempo que no veía a Barry... con su rebelde pelo castaño claro y su hoyuelo en la barbilla... Me parecía que era yo quien debía tener la foto, pues estaba completamente segura de que seguía gustándole.

—¿Ya has guardado el dinero? —me preguntó mi madre.

—Sí.

—Entonces cierra el monedero —me ordenó, y así lo hice.

En la tienda de los árboles eligió uno de los caros, un pino de Oregon. El hombre dijo que conservaría las agujas mucho tiempo. Nos ató el árbol al capó del coche y luego fuimos a comprar la comida. Mamá compró todo lo que papá había apuntado en la lista, y luego me preguntó si yo necesitaba algo.

—No —dije.

—¿Y cosas para tu regla? ¿Compresas?

—No. No necesito.

Nos pusimos a la cola. Mi madre cogió una revista *People* de la estantería y leyó un poco. Yo ya estaba un poco harta de todo aquel rollo de la visita.

A la salida de la tienda, mi madre detuvo el carrito junto al autoservicio de copistería. Buscó en su bolso, sacó unas hojas de papel estrechas y largas, levantó la tapa de la fotocopiadora y las puso sobre el cristal.

—¿Qué estás copiando? —le pregunté.

—Son las nóminas de tu padre —me dijo mientras metía unas monedas en la ranura.

No dije nada, solo miré las copias caer en la bandeja. Eran tres, y cuando la máquina se paró mi madre las recogió y las dobló por la mitad. Se las metió en el bolso, levantó la tapa de la fotocopiadora y sacó los originales.

—Vale —dijo—. Hecho.

En el aparcamiento cargamos las bolsas de la compra en el asiento trasero del coche. Aparté el carro vacío a un lado mientras mi madre se sentaba al volante.

—No se te ocurra irle con el cuento a tu padre —me dijo al cabo de un momento, cuando me estaba abrochando el cinturón de seguridad—. Parece que los dos estáis muy unidos, pero te agradecería de veras que mantuvieras la boca cerrada.

Sabía que lo que en realidad quería era que yo le dijera que no estaba muy unida a papá.

—¿De dónde has sacado esas nóminas? —dije, en cambio.

—De su despacho.

—Pero todos sus cajones están cerrados.

—Bueno, las cerraduras no son muy buenas. —Como no le

contesté, ella añadió–: Mira, Jasira, tengo que protegerme. Por si no lo has notado, tu padre es un hombre muy tacaño. Si alguna vez decides volver a casa, necesito demostrar que gana mucho dinero. Criar a una adolescente sale caro.

Asentí.

–Así que, ¿mantendrás la boca cerrada?

–Sí.

Llegamos a casa, desatamos el árbol y lo metimos. También habíamos comprado una base y yo sujeté el tronco mientras mi madre se aseguraba de que estuviera recto. Una vez encajado, quitamos las luces del ficus y se las pusimos al pino de Oregon. Nos pasamos el resto de la mañana haciendo palomitas de maíz y ensartándolas en hilos para decorar el árbol. Mi madre dijo que estaba cansada y se fue a echar la siesta. Yo me senté en el sofá a mirar el árbol y comerme las palomitas que habían sobrado. Me acordé del árbol de casa de Thomas, que era mucho más grande y bonito. Empecé a pensar que si el árbol tuviera sentimientos, se sentiría herido por tener que pasar las Navidades con nosotros.

A eso de las cuatro sonó el timbre; dejé el cuenco de palomitas en el suelo para ir a abrir. Era Melina y traía un regalo.

–Hola –dijo–. Solo quería traerte un regalito de Navidad.

–¡Oh! Gracias. –Me sentí mal por no tener nada para ella–. Lo pondré debajo del árbol –dije cogiendo el paquete.

–No. No hagas eso. Ábrelo.

–¿Ahora? –pregunté.

–¿Por qué no?

–Vale. –Y empecé a desenvolverlo con cuidado.

–¡Rompe el papel! –dijo sonriendo, y así lo hice.

Dentro había un enorme libro titulado *Changing Bodies, Changing Lives*. En la cubierta salía una foto de un grupo de adolescentes sonrientes.

–Así podrás aprender cómo funciona tu cuerpo –dijo Melina.

–Gracias –respondí hojeando un par de páginas. Parecía interesante.

–¿Jasira? –llamó mi madre detrás de mí.

Me di media vuelta.

Entró en la sala de estar con cara de dormida.

–¿Con quién estás hablando?

–Con Melina, nuestra vecina.

–¡Ay, lo siento! –dijo Melina–. Creí que Jasira estaba sola.

–Mi madre ha venido a visitarnos por Navidad –le expliqué.

–¡Ah! –exclamó Melina. Parecía un poco nerviosa.

–Soy Gail –dijo mi madre, dándole la mano.

–Melina.

–¿Qué es eso? –preguntó mi madre con la vista fija en mi brazo, con el que sujetaba el libro.

–Es un regalo de Melina.

–Espero que no te parezca mal –dijo enseguida Melina–. He pensado que podría serle útil.

–¿Puedo verlo, por favor? –me preguntó mi madre.

Yo no me moví.

Mi madre alargó la mano hacia el libro y lo cogió ella misma.

–¡Ah! –dijo al ver la cubierta.

–No pretendía entrometerme –dijo Melina–. De verdad que no. Pero sé que a veces Jasira se hace preguntas.

–¿Ah sí? –preguntó mi madre. Luego se dirigió a mí–: ¿Te haces preguntas?

–A veces –dije.

–¿Y por qué no me llamas?

–No lo sé.

–Creo que he metido la pata –se disculpó Melina–. Por favor, perdóname.

–No, no –dijo mi madre, pero estaba segura de que mentía–. Es un regalo muy considerado. ¿No crees, Jasira?

–Sí.

–Muy considerado –repitió mi madre.

–Bueno –dijo Melina–. Será mejor que me marche.

–¿Para cuándo lo esperas? –preguntó mi madre alegremente.

–Para abril –respondió Melina.

–Bien –dijo mi madre–. ¡Me alegro por ti! Me parece que vas a ser una madre fantástica. Bueno, encantada de conocerte. –Entonces se dio media vuelta y volvió a su habitación.

–Dame el libro –me dijo Melina.

–No –le contesté–, lo quiero.

–Dámelo –insistió Melina, y esta vez me lo quitó de las manos.

–¡Pero si es mío!

–Sí –dijo Melina–. Lo es. Lo guardaremos en mi casa. Podrás venir y leerlo cuando quieras, ¿vale?

Sabía que seguramente tenía razón, pero me fastidiaba un poco porque el libro parecía mejor que mi *Playboy*. No las fotos, sino el texto.

–Vale –dije por fin.

–Feliz Navidad –me deseó, se inclinó, me besó en la frente y añadió–: Lo siento.

Cuando Melina se marchó, fui a ver si mi madre aún estaba despierta.

–¿Sí? –dijo cuando llamé a la puerta. Entré y me preguntó–: ¿Dónde está tu libro?

–Se lo ha llevado Melina.

–¿Por qué?

–Dijo que sería mejor que lo leyera en su casa.

–¿Qué importa dónde lo leas? –preguntó mi madre.

–No lo sé.

–Pues da igual dónde lo hagas –murmuró.

–Casi es la hora de ir a buscar a papá –le avisé.

Miró el reloj.

–Aún tenemos un poco de tiempo.

Por el modo en que volvió a su lectura, me di cuenta de que prefería estar sola, así que me marché.

Fui a mi habitación y me tumbé en la cama. Casi había llegado la Navidad y me importaba un bledo. Para mí, la Navidad era tan mala como cualquier fin de semana, y los fines de semana eran malos porque no podía ver ni a Thomas ni al señor Vuoso, ni tenía ningún horario estable. Los fines de semana eran el momento en que estaba atrapada en casa con papá todo el día o, si no, atrapada fuera de casa con él.

Y ahora, con mi madre, la cosa no mejoraba. Lo único que quería era tumbarse y leer libros. Era tan aburrida… No sabía cómo me había llegado a gustar tanto. Tal vez porque Barry me había gustado y ella era quien me lo había presentado. Al menos, Barry quería hacer cosas, aunque no estuvieran bien.

Me hubiera gustado tener el libro de Melina. No podía imaginarme cómo sería leer un libro sobre mi cuerpo. Todo lo que quería hacer, todo lo que me gustaba, estaba siempre tan lejos… Pensé en Dorrie y en lo mucho que la odiaba y en la suerte que tendría de ser hija de Melina y Gil. Todo lo que le gustara estaría allí mismo, en su propia casa. Cuando se hiciera mayor podría incluso leer mi condenado libro.

Al cabo de un rato oí a mi madre levantarse para ir al cuarto de baño.

—¿Preparada? —dijo al acercarse a mi puerta.

—Ajá —respondí sentándome en la cama.

—Pero ¿qué clase de habitación te ha puesto tu padre? —dijo mirando a su alrededor las paredes blancas, la cama de estructura metálica, las persianas gradolux de color marfil. Sacudió la cabeza—. Esto no es la habitación de una niña.

—No me importa.

Mi madre hizo una mueca.

—¿Sabes, Jasira?, ya está un poco gastado eso de «me gusta la rutina de papá». Corta el rollo, ¿quieres?

Dio media vuelta y se marchó.

Nos reunimos en la salita y salimos por la puerta trasera de camino al coche. En ese momento, el señor Vuoso apareció para arriar su bandera.

–¿Quién es ese? –preguntó mi madre, parándose ante la puerta del conductor.

–El señor Vuoso –dije–. ¿Te acuerdas? Le hacía de canguro a su hijo.

–¡Ah, sí! –respondió mi madre. Aún estaba mirándolo. El señor Vuoso no llevaba chaqueta, y cada vez que subía un brazo para destrabar la cuerda de la polea se le marcaban los músculos.

–A papá no le gusta.

–Tu padre enseguida se siente intimidado.

Justo entonces el señor Vuoso notó que lo estábamos mirando.

–¡Hola! –gritó mi madre.

Él devolvió el saludo con un movimiento de la cabeza y sonrió un poco.

–Vamos –dijo mi madre alejándose del coche–. Preséntame.

Esperé un segundo y luego la seguí por el camino hasta el jardín delantero de los Vuoso.

–Hola –dije–. Esta es mi madre.

El señor Vuoso me miró. No habíamos estado juntos desde lo del restaurante mexicano. Nos habíamos saludado algunas veces a lo lejos de acera a acera, pero nada más. Lo echaba de menos desde la noche en que amenazó a papá con llamar a protección de menores. Seguía suspirando por que me volviera a sacar a cenar.

–Gail Monahan –dijo mi madre al tenderle la mano.

–Travis Vuoso –respondió el señor Vuoso estrechándosela.

–Encantada de conocerte, Travis. –Y, cuando lo dijo, tuve celos de que fuera lo bastante mayor para tutearlo.

–Yo también –dijo el señor Vuoso, que luego se volvió hacia mí y añadió–: Hola, Jasira.

–Hola.

–¿Cómo estás?

–Bien, gracias.

–¿Sí? ¿Todo bien?

Asentí.

–Bien, me alegro de oírlo –dijo después de quedarse callado un segundo.

–He venido a pasar las Navidades –explicó mi madre, aunque nadie se lo había preguntado.

–¿Ah, sí? –preguntó el señor Vuoso volviéndose hacia ella.

Mi madre asintió.

–Jasira y yo no nos veíamos desde el verano.

–Debes de echarla mucho de menos.

Mi madre asintió.

–Intento que vuelva a casa conmigo.

El señor Vuoso me miró.

–¿Vuelves a casa?

Negué con la cabeza.

–Tengo que terminar el curso –dije.

–¡Ah!

–No será porque no tengamos buenos colegios en Syracuse –comentó mi madre.

–Bueno –dijo el señor Vuoso–, supongo que es difícil cambiar a mitad de curso.

Mi madre se encogió de hombros.

–La gente lo hace todo el tiempo.

Parecía que ahora volvía a ser la de siempre y me sentí aliviada. Así era más difícil que te cayera bien.

–Vamos a llegar tarde a recoger a papá.

Mi madre miró el reloj.

–Vale, vámonos.

–Me alegro de conocerte.

–Yo también –respondió mi madre, que se dio la vuelta y caminó hacia el coche.

Cuando íbamos hacia la NASA, quiso saber a qué se refería el señor Vuoso.

–¿Cuándo?

–Cuando te preguntó un millón de veces si todo iba bien. ¿Qué es lo que podría no ir bien?

–Nada. Trataba de ser simpático. La gente en Texas es muy simpática.

–No creo que solo intentase ser simpático –dijo, y puso la radio.

Al cabo de un minuto cambió las noticias de la radio nacional a una emisora de música clásica, y yo me mordí la lengua para no decir que a papá no le gustaba que nadie le tocara el dial.

Cuando llegamos a la oficina de papá, nos estaba esperando fuera con Thena. En cuanto nos vio, la cogió y la besó en los labios. Después de unos segundos la soltó y ella me saludó con la mano. Quise devolverle el saludo pero sin mirarla siquiera, porque notaba lo enfadada que estaba mi madre, así que solo le sonreí. Al final, Thena se volvió y regresó caminando al edificio.

—Es sencillamente adorable —dijo mi madre cuando papá se sentó en el asiento del copiloto.

—¿El qué? —dijo, aunque lo sabía perfectamente.

—Que te jodan, Rifat.

Entonces papá se rió un poco.

—No seas así, Gail. Estoy seguro de que tienes un montón de novios. Eres una mujer muy atractiva.

Mi madre no le hizo caso. Para intentar que se sintiera mejor, papá dijo que nos llevaba a cenar pizza.

—No quiero pizza —contestó mi madre—. Quiero comida mexicana. ¿Por qué iba a venir a Texas a comer pizza en vez de probar la comida mexicana?

—No conozco ningún mexicano.

—¿Qué quieres decir? Los hay por todas partes.

—Sí, pero tal vez no sean buenos.

—Yo conozco un sitio —intervine.

—¿Qué? —preguntó papá.

—¿Dónde? —dijo mi madre.

—Se llama Ninfa's. Está un poco lejos.

—¿Ninfa? —dijo papá olvidándose de la ese—. ¿Cómo conoces ese sitio?

—Salió en el periódico.

—¿Qué periódico?

Lo pensé un segundo, intentando recordar el nombre del periódico de papá.

—En *The Chronicle*.

–¿En la sección de gastronomía?

–Sí.

–Nunca te he visto leyendo la sección de gastronomía.

–¿Y qué más da? –dijo mi madre–. Vayamos.

–Párate allí –ordenó papá señalando una gasolinera–. Tengo que llamar y conseguir la dirección.

Papá llamó desde la cabina, le dieron la dirección, y luego volvió y buscó el restaurante en su plano de Houston. Dijo que estaba muy lejos pero que podíamos ir. Mi madre y él se cambiaron de asientos y mi padre cogió el volante.

Durante el trayecto, mi madre se puso de mejor humor. Dijo que por fin se sentía a punto de tener una auténtica experiencia texana. Luego se preguntaron el uno al otro cómo iba el trabajo. Mamá explicó un problema que tenía con otro profesor. Aquel hombre no estaba haciendo bien su trabajo con los alumnos así que, cuando le llegaban a mi madre, ella tenía que volverles a enseñar la asignatura que él no les había dado bien, además de la suya propia. Papá dijo que ese tipo parecía un perfecto idiota y que mamá debería denunciarlo al director. Mamá le respondió que no era tan fácil, y papá le preguntó si lo que quería era seguir rompiéndose los cuernos o qué. Suspiró y dijo que no, que verdaderamente no tenía ningunas ganas.

Entonces papá le dijo a mamá que iba a ir a ver el lanzamiento de un transbordador espacial en marzo, puesto que había diseñado una parte del aparato.

–¡Rifat! –exclamó mi madre–. ¡Eso es increíble!

Realmente parecía decirlo de corazón. Luego mi madre le preguntó si Thena también iba a ir y papá no contestó.

—¿Va a ir? —insistió mi madre. Y como papá seguía sin contestar, gritó—: ¿Yo te ayudé a aprobar la carrera y es ella la que va a ir al puto lanzamiento del transbordador contigo?

—Cálmate —le contestó papá, y ella le volvió a decir que se jodiera.

Cuando llegamos al restaurante era la *happy hour* y papá pidió margaritas normales para él y mamá y una sin alcohol para mí. Me hubiera gustado que fueran juntos al lavabo para beber de sus copas, pero fueron uno después del otro.

—Tu madre es un verdadero coñazo —dijo papá mientras ella estaba en el lavabo—. No consigo entender cómo me casé con ella.

Luego, cuando papá se fue al lavabo, mi madre dijo:

—Juro por Dios que si intenta decir que paguemos la cuenta a medias, voy a sacarle esas jodidas nóminas.

—¿No las has vuelto a guardar en su mesa? —le pregunté.

Sacudió la cabeza, bebiendo un sorbo de su margarita.

—No te preocupes. Lo haré esta noche.

Me puse muy nerviosa al pensar en el momento en que llegara la cuenta. No veía por qué papá iba a pedirle que pagaran a medias si había dicho que nos invitaba él, pero tal vez el ofrecimiento fuera solo en caso de cenar pizza.

Llegó la comida y no podía concentrarme.

—¿Qué pasa? —preguntó mi padre—. ¿Acaso no te gusta la comida?

—Sí —dije—, sí que me gusta.

Había pedido las mismas enchiladas de pollo que había tomado con el señor Vuoso.

–Entonces come –dijo, y yo asentí.

Al cabo de unos minutos me encontré un chile realmente picante. Me empezaron a llorar los ojos y no podía parar.

–Bebe –dijo mi madre señalando el agua, y bebí pero no sirvió de nada.

Le pidió al camarero que trajera más agua, pero no se me pasaba. Por mucho que bebía, no dejaba de escocerme. Mis padres me miraron.

–¿Quieres calmarte? –dijo papá.

–Lo estoy intentando –le respondí con voz ronca.

–Es solo un chile, por el amor de Dios –dijo mi madre.

–Lo sé. No puedo evitarlo.

Se miraron e hicieron una mueca. Las muecas significaban que los dos pensaban que me estaba comportando como una cría, que estaba exagerando, aunque el camarero había ido a buscar a la encargada y esta había venido a disculparse. Era una señora mayor de cabello gris y negro, y me pregunté si sería la auténtica Ninfa.

–A veces ocurre –les explicó a mis padres–. Los cocineros son muy cuidadosos, pero ocurre igualmente.

Luego me puso la mano en la espalda como si por el hecho de haberme hecho daño yo le perteneciera.

Cuando llegó la cuenta, decía que estábamos invitados a la cena.

–Mira esto –dijo papá, y sonrió.

–Qué amables –opinó mi madre, y las nóminas de papá se quedaron en su bolso.

Sentada en el coche, de camino a casa, llevaba sobre el regazo una bolsa con el resto de las enchiladas que no me había comido. Poco a poco dejó de picarme la boca, cosa que debería haberme alegrado, pero no fue así. Descubrí que no quería que dejara de picarme. Mientras notara el picor podía sentir la mano de Ninfa en mi espalda, intentando que me sintiera mejor.

La mañana de Navidad nos levantamos y papá nos hizo tortitas. Luego abrí los regalos que mi madre me había traído. La mayoría era ropa, ropa preciosa que me sentaba como un guante. Cuando mi madre se dio cuenta de que de verdad no teníamos ningún regalo para ella, se enfadó. Dijo que creía que papá estaba bromeando, y él le preguntó que por qué iba a bromear. Luego me dijo que al menos yo podría haberle hecho algo en clase de manualidades. Quise recordarle que me había dicho que no le regalara nada, pero pensé que no le gustaría oírlo.

No estaba segura de qué hacer entonces. Me encantaba la ropa nueva y quería estrenarla, pero tenía la sensación de que ya no era mía porque no le había regalado nada a mi madre. Quería ir a casa de Melina a leer mi libro, pero desde la noche anterior había en la entrada un montón de coches que no reconocía, y me daba corte llamar a su puerta.

Mi madre se levantó y se marchó a su habitación. Supuse que iba a meterse en la cama y ponerse a leer, pero entonces volvió con unos papeles en la mano.

—¡Eres un vulgar hijo de puta! —dijo pasándoselos por las narices a mi padre—. ¡Te pagué la maldita carrera para que pudieras ganar toda esta pasta, y ni siquiera me compras un puto frasco de perfume!

Tiró los papeles al suelo y vi que eran las nóminas.

Papá se agachó y las recogió de inmediato.

–¿De dónde las has sacado? –exigió saber.

–¿Cómo que de dónde las he sacado? Las he sacado de donde tú las guardas, ¿o no te acuerdas de dónde las guardas?

–Mi sueldo no es asunto tuyo.

–¡Claro que es asunto mío! ¡Tenemos una hija! ¡Cuesta dinero!

–¿De dónde has sacado la llave de esos cajones?

–No he necesitado llave.

Entonces papá me miró.

–¿Se la has dado tú? ¿Encontraste tú la llave y se la diste?

–No –protesté–. Ni siquiera sé dónde está la llave.

–¡No te creo! ¡No te creo nada!

–¡Vamos, ella no me ha dado la llave! –exclamó mi madre–. Por todos los demonios, usé una lima de uñas.

–¡No! –dijo papá–. ¡Son cerraduras buenas! No puedes haber usado una lima.

–Bueno, pues lo hice. Así que, ¡déjala en paz!

–No es la primera vez que abre algo sin permiso, ¿sabes?

–¿Qué? –preguntó mi madre.

–Entró en la casa del vecino con aquel chico negro.

Mi madre me miró.

–¿De qué está hablando?

–Papá –protesté, dirigiéndome a él–. Yo no le di la llave a esta.

–¿Esta? –dijo mi madre–. No se dice «esta».

–Yo no le di la llave a mi madre –le dije a papá.

–¿En qué casa entraste? –preguntó mi madre.

–En la de los Vuoso –dijo papá, y entonces le contó toda la historia salvo la parte en que el señor Vuoso había amenazado con llamar a protección de menores.

–¡Pero si se suponía que no tenías que ver a ese chico! –dijo mi madre.

Yo no dije nada.

–Hace lo que le da la gana –se quejó papá–. No puedo controlarla.

–¿Qué quieres decir con lo de «no puedo controlarla»? Para eso la envié aquí.

–No puedo controlarla –repitió papá–, y punto. Es así. Es incontrolable.

–¡Tú eres un adulto! –le soltó mi madre.

Mi padre no respondió, simplemente se encogió de hombros.

–Bueno, entonces que vuelva a vivir conmigo.

–No –dije yo–. Tengo que terminar el curso escolar.

–¿Qué es esa mierda del curso escolar? –preguntó ella.

Papá suspiró.

–Deja que viva donde quiera.

–Quiero vivir aquí.

–¡Pero si odias a tu padre! –gritó mi madre–. Eso me dijiste por teléfono.

–¡No es verdad!

–Deberías saber cómo se quejaba de ti al principio de mudarse aquí contigo –explicó volviéndose hacia papá.

–No te odio –le dije a papá–. Nunca he dicho eso.

Papá me miró.

–Memoria selectiva –dijo mi madre.

Estaba segura de que papá me iba a echar de una patada y de que mi madre opinaba igual que yo. Pero no lo hizo. Se volvió hacia mi madre y le dijo:

–Has invadido nuestra intimidad.

Después informó de que se largaba a casa de Thena y se marchó. Mi madre se metió en su habitación.

No quería hablar con mi madre. Estaba furiosa con ella por sacar las nóminas, pero sobre todo por haberle mentido a papá. Era cierto, lo había odiado al principio de mudarme a Houston, pero solo lo pensé, nunca lo dije. Y luego cambié de opinión. No era que ahora quisiera a mi padre; no me imaginaba que pudiera quererlo, ni siquiera que simplemente me cayera bien. Se trataba de algo distinto de todo eso. Lo que había aprendido era que a papá le resultaba muy difícil ser amable, así que, cuando lo era, habría estado mal no intentar reconocérselo.

Solo deseaba que mi madre dejara de comportarse de una manera tan celosa. Podía entender que no quisiera que Barry y yo nos gustásemos, pero ¿papá y yo tampoco? Era mi padre. Se suponía que yo tenía que caerle bien. La mayoría del tiempo no era así, pero, aquel día, justo cuando parecía que le caía un poquitín bien y había dicho que podía vivir donde quisiera, ella tuvo que ir y estropearlo.

Me hubiera gustado estar en casa de Thena con papá. En cambio, fui a llamar a la puerta de mi madre.

–¿Quieres hacer algo? –pregunté.

–Entra.

Abrí la puerta y vi que estaba haciendo las maletas.

–¿Adónde vas? –le pregunté.

–A casa. ¿Adónde iba a ir?

–Pero tu avión no sale hasta dentro de dos días.

–Lo voy a cambiar.

No dije nada, solo la miré doblar la ropa.

–Necesito que me pidas un taxi. ¿Crees que sabrás hacerlo?

–Sí, claro.

–Me va a costar una fortuna –dijo, metiendo su vestido de lana azul claro en la maleta.

–Lo siento.

–Esta es tu última oportunidad si quieres volver a casa conmigo.

Intenté que se me ocurriera otra cosa que decir que no fuera que tenía que acabar el curso escolar, pero no lo conseguí.

–¿Sabes qué? No importa. No quiero vivir con alguien que no quiere vivir conmigo. Tú llama al puto taxi.

Fui a la cocina y cogí la guía telefónica. Miré por «taxi» en las páginas amarillas; había un montón de compañías, así que elegí la que decía que estaba especializada en llevar a la gente al aeropuerto. Cuando llamé, un hombre me hizo esperar un minuto.

–¿Cuál es su dirección? –me preguntó cuando volvió a ponerse.

Se la di.

–¿Adónde va? –preguntó, y se lo dije.

–Veinte minutos –me respondió, y colgó.

Quería ir a contarle a mi madre lo que acababa de hacer porque nunca antes había pedido un taxi para nadie, pero sabía que le importaría un bledo. Así que, en lugar de contárselo, le dije que el taxi llegaría en diez minutos.

Se quedó en la habitación hasta que llegó el taxi, y luego sacó ella sola su maleta. Las otras bolsas en las que había traído mis regalos eran de nailon y supuse que las habría doblado y metido en la maleta grande. Intenté ayudarla cogiéndole el bolso o el maletín, pero me dijo:

–Ya lo llevo yo.

Luego, cuando llegó al bordillo, dejó que el taxista la ayudara en todo.

Me quedé en la acera, aunque sabía que no iba a abrazarme ni a besarme. Se metió en el coche y cerró de un portazo. La ventanilla estaba apenas abierta y ella no la cerró ni la abrió más. Tampoco me miró. Se limitó a mirar al frente. Yo sabía que todo esto era importante para ella porque intentaba hacerme sentir mal. Lo comprendí y me quedé allí en la acera hasta que el taxi se alejó sin que ella se volviera para despedirse.

Cuando por fin se perdió de vista, entré en casa y me probé mi ropa nueva. Había pantalones caqui, una falda y unas blusas muy bonitas. Pensé en llamar a papá para decirle que mi madre se había marchado, pero una vez me advirtió que solo lo llamara a casa de Thena en caso de emergencia. Creía que sería él cuando sonó el teléfono a la hora de cenar, pero no.

–¿Jasira? –dijo una voz de mujer. Era extraño oír pronunciar así mi nombre, con la ese como una ese de verdad, en lugar de una zeta.

—*Oui?* —dije casi sin pensar.

—*Bonne Noël, Jasira!* —dijo mi abuela.

—*Merci.*

—*C'est votre grand-mère* —dijo.

—*Oui. Je sais.*

Se echó a reír.

—*Comment ça va?*

—*Je vais très bien.*

Parecía divertido repetir los diálogos del personaje de mis libros de texto *Francés en acción*. Era el tipo de conversación que había aprendido, pero nunca pensé que la usaría alguna vez.

—*Bon, bon.*

—Hum... *Mon père n'est pas ici maintenant.*

—*Ah non?*

—*Non.*

—*Et votre mère?*

—*Non* —repetí.

Tuve un momento de desconcierto, pues no estaba segura de si mi abuela sabía que mi madre había venido de visita, o si pensaba que mis padres aún estaban casados. Me empezó a entrar un poco de pánico, me daba miedo meter la pata.

—*Mais, vous êtes seule à Noël?*

—Volverán pronto —dije, demasiado nerviosa para pensar en francés.

–¿Eh? –preguntó mi abuela.

Lo pensé un segundo, luego dije:

–*Vous pouvez téléphoner papa à...* –Y le leí el número de Thena de la libreta que había junto al teléfono.

Lo anotó y luego dijo que no entendía por qué papá no estaba en casa en Navidad. Mentí y fingí no comprender lo que decía. Lo repitió un par de veces, pero yo insistía:

–*Je ne comprend pas.*

Al final se rindió y dijo que llamaría a papá, que me quería, y le dije que yo a ella también. No estaba segura de sentirlo de veras, pero me alegraba de tener compañía.

Después de colgar, me puse nerviosa. La llamada de la abuela no era una emergencia. Tal vez no debía haberle dado el número de Thena. Aquella noche apenas dormí, preocupada por lo que papá pudiera hacerme. Pero cuando llegó a casa la tarde siguiente, no parecía enfadado. Sobre todo cuando vio que mi madre se había ido.

–¡Buen viento y buena vela! –dijo.

–Volvió a intentar que me marchara con ella, pero le dije que no.

Papá asintió y se agachó para desatarse los zapatos.

–¿Te llamó la abuela? –le pregunté.

–Sí.

–Siento haberle dado el teléfono de Thena.

–No te preocupes –dijo al levantarse–. Sé que es un coñazo.

–No sabía qué hacer.

–No te preocupes –volvió a decirme.

Entonces fui a abrazarlo. Tenía ganas, no solo en ese momento sino desde el día anterior, cuando pareció defenderme delante de mi madre. En cuanto le tendí los brazos me golpeó en la cara. Retrocedí y caí de espaldas al piso del rincón del desayuno.

–No se abraza a quien se odia –dijo, y luego se metió en su habitación y cerró la puerta.

Al día siguiente, cuando me levanté, tenía un ojo morado. No podía dejar de mirarme en el espejo. Estaba muy, muy nerviosa. Había visto chicos en el colegio con ojos morados, chicos que se habían peleado. Por su aspecto, todo el mundo sabía lo que les había pasado. Ahora, pensé, la gente sabría algo que me había pasado a mí.

Cuando salí a desayunar, papá me miró pero no dijo nada.

–¿Sabes?, si alguien te ve así no vas a poder vivir más conmigo –me dijo más tarde, mientras se comía unos cereales.

Lo miré.

–Tendrás que ir a vivir con tu madre.

No dije nada.

–Así que enséñaselo a quien quieras. Siempre y cuando estés dispuesta a ir a vivir con tu madre.

El resto de la semana lo pasé en casa. A la semana siguiente, cuando empezaba el colegio, papá les dijo que estaba enferma y recogió mis deberes al volver del trabajo. Thomas llamó para ver por qué no iba al colegio y le dije que tenía la gripe.

–Iré a visitarte –dijo.

–No. No puedes, te pondrás enfermo.

–No, ya verás, nunca me pongo enfermo.

–No puedes venir.

–¿Por qué?

–Porque eres negro.

–Ja ja.

–Lo digo en serio. Mis padres no quieren que sea amiga de un chico negro.

Se quedó callado un segundo.

–Espero de verdad que estés bromeando.

–No bromeo. Ya te lo había dicho.

–¿Cómo vas a hacerles caso cuando dicen algo así?

–Porque son mis padres.

Colgamos al cabo de un momento, sin decirnos adiós.

Me sentía fatal por haberle dicho la verdad, pero no podía evitarlo. Me daba demasiado miedo disgustar a papá. No quería que me volviera a enviar con mi madre.

No tenía mucho que hacer, encerrada en casa. Sobre todo miraba la CNN mientras se preparaban para el inicio de la guerra. A veces me miraba el morado en el espejo y me daba pena que estuviera curándose. Era la mejor prueba que tendría jamás de cómo era papá en realidad.

A principios de la tercera semana, papá me compró maquillaje para tapar un poco el pequeño moretón que me quedaba. Volví al colegio e intenté sentarme con Thomas en la cafetería, pero cuando dejé la bandeja en su mesa, él cogió la suya y se levantó.

Después del colegio, fui a casa de Melina para ver si podía leer mi libro.

–¿Dónde has estado? –me preguntó–. Debo de haber llamado a tu casa un millón de veces.

Era cierto, había llamado pero yo no le había hecho caso.

–Estaba enferma.

–¿De qué?

–Gripe.

–¡Ah!

–¿Puedo leer mi libro? –le pregunté.

–Claro –dijo, y se apartó para dejarme pasar.

–Nos sentamos juntas en la sala de estar, Melina en el sillón y yo en el suelo. Ella leía un libro sobre bebés mientras yo leía sobre mi cuerpo. Cuando llegué a la parte que explicaba que yo tenía un himen y que podía doler cuando alguien lo rompía, no pude evitarlo y empecé a llorar. Especialmente en la parte que decía que si quería que me doliera menos, mi pareja podía meterme un dedo e intentar estirarlo un poco con cuidado.

–¿Qué ocurre? –me preguntó Melina levantando la vista.

–Nada –dije y cerré el libro para que no pudiera ver en qué página estaba.

–Claro que ocurre algo.

–Estaba pensando en mi madre. La echo de menos.

–Ajá –dijo Melina como si no me creyese.

Cogió un pañuelo de papel de la mesa que tenía al lado y me lo dio. Me sequé los ojos y me soné la nariz.

–¿Qué es eso?

–¿El qué?

Melina entornó los ojos para mirarme el lado derecho de la cara.

–Parece un morado.

–¿Dónde? –dije como si no lo supiera.

–Es un ojo morado.

–No.

–¡Joder!

–No es un ojo morado –le expliqué–. Estaba intentando pintarme en el colegio y se me corrió el maquillaje.

Entonces no dijo nada, solo se quedó mirándome.

–Gracias por regalarme el libro –dije yo al fin–. Me gusta mucho, de verdad.

–De nada.

–Siento no haberte regalado nada.

–No importa.

No sabía qué más hacer, así que volví a leer. Sabía que Melina no estaba leyendo porque no oía el ruido de las páginas al pasarlas. Solo oía sus extrañas respiraciones entrecortadas que, según me explicó una vez, se debían a que Dorrie empezaba a presionarle los pulmones.

7

El día en que estalló la guerra, papá estaba de buen humor.

—¡Por fin! —dijo esa mañana durante el desayuno.

Tenía puesta la radio nacional en la cocina y la CNN en la salita, y cada vez que pensaba que podía haber algo interesante en la televisión se levantaba de su asiento en el rincón del desayuno.

—Esto no va a durar mucho —decía—. Saddam estará muerto en un par de días.

En el colegio todos los niños estaban emocionados. Decían que íbamos a largar a esos «moracos» de Kuwait. Durante el almuerzo volví a intentar sentarme al lado de Thomas, y esta vez me lo permitió.

—¿Has oído lo de la guerra? —le pregunté.

—Pse —dijo.

Cogí el tenedor y corté uno de los raviolis por la mitad.

—Dice papá que acabará en un par de días.

—La verdad es que me importa una mierda lo que diga tu padre.

–Lo siento.

No hablamos durante el resto del almuerzo, pero me alegró que al menos nos sentáramos juntos.

Al cabo de un par de días, cuando Saddam empezó a disparar misiles Scud contra Israel, papá se deprimió. En la CNN mostraban a todos aquellos palestinos encantados con el asunto, y papá dijo que era una estafa.

–¡Son un puñado de idiotas! –gritó–. ¡Lo único que quieren es mostrar a un puñado de idiotas!

Se puso aún más furioso cuando mostraron un vídeo de Yasir Arafat abrazando a Saddam.

–¡Menudo traidor! –dijo papá–. Me entran ganas de cambiarte el nombre.

–¿Por qué?

–¿Por qué? –repitió–. Porque tú te llamas Jasira precisamente por él.

–¡Ah! –exclamé. No tenía ni idea.

–Fue una estúpida ocurrencia de tu madre. Yo quería llamarte Estelle.

–Es un nombre bonito.

Papá asintió.

–Es francés.

–¿Podemos cambiarme de nombre ahora? –le pregunté.

Papá negó con la cabeza. Me hablaba y miraba la televisión a la vez.

–Es demasiado tarde.

–¿Por qué?

Se encogió de hombros.

—Porque lo es. Nadie se acordaría de llamarte por ese nombre.

Fui a mi habitación y saqué una hoja de papel. Escribí el nombre Estelle una y otra vez; me sentía estafada. Era divertido escribirlo. Era francés. El francés era más normal que el árabe.

Papá estaba todo el rato viendo la televisión y escuchando la radio al mismo tiempo. El sábado siguiente a que la guerra empezara, fuimos a unos grandes almacenes a comprar dos bandejas para poder comer en la salita frente al televisor. Desde la mesa del comedor se veía la tele, pero papá quería estar más cerca para asegurarse de que no se perdía nada de lo que aparecía escrito en pantalla.

Cenaba en la salita con papá mientras veíamos las noticias. A veces era un poco aburrido, sobre todo cuando hablaban de diferentes modelos de aviones o de diferentes tipos de munición. En cambio, me gustaba que saliera Christiane Amanpour porque papá la encontraba muy sexy. Cada vez que decía eso, me daban ganas de saltar del sofá y ponerme a bailar. Me sentía muy feliz al oírle hablar de cosas de adultos delante de mí.

Empecé a pensar que quería ser reportera. Aquella semana había una reunión del periódico del colegio y le dije a papá que pensaba ir.

—Buena idea. La voz árabe no tiene la representación que debiera en la prensa.

Como era un periódico de secundaria, *The Lone Star Times* solo salía una vez al mes. Mi profesor de lengua, el señor Joffrey, era el responsable; no es que hiciera mucho, simplemente se sentaba en su despacho a comer un bocadillo y clasificar papeles. El redactor jefe era un chaval llamado Charles que tenía un tosco cabello castaño y ojos azules. Al empezar la reunión se sentó delante de la pizarra y preguntó a la gente si habían terminado sus artículos o sus reseñas. Luego nos preguntó a las nuevas el nombre y qué temas nos interesaban; éramos yo y otra chica a la que conocía de clase de lengua. Se llamaba Denise y era bonita, rubia y un poco gordita. Tenía la voz chillona y decía unas cosas tan raras que me parecía que los demás chicos de clase pensaban que era tonta, pero en los exámenes y en los trabajos siempre le ponían sobresaliente alto.

Levanté la mano y Charles me señaló.

—Me llamo Jasira —dije—. Y me interesa la cobertura de la guerra.

Un par de niños se rieron, pero Charles no.

—¿Qué clase de cobertura de la guerra? —me preguntó.

—Bueno —dije mientras lo pensaba porque en realidad no tenía respuesta—, supongo que estoy interesada en los reservistas y en cómo se sienten cuando los llaman a filas.

Charles se quedó callado un segundo.

—Vale, buen punto de vista. Habla conmigo después de la reunión.

Denise levantó la mano y dijo que le interesaba escribir reseñas literarias.

—Ya tenemos bastantes críticos literarios —le contestó Charles.

—¡Vaya! —exclamó Denise—. Bueno, ¿de qué no tenéis bastantes?

—Estábamos pensando en empezar una sección de horóscopos. ¿Podrías hacer eso?

—Claro —dijo.

Denise y yo nos quedamos por allí después de la reunión para hablar con Charles.

—¿Cuándo crees que puedes tener el artículo sobre los reservistas? —me preguntó.

—No lo sé. ¿Dos semanas?

—Si lo acabas en una semana y media, podemos incluirlo en el número de marzo.

—Vale.

—Igual que con los horóscopos —dijo dirigiéndose a Denise.

Denise asintió.

—¿Me los invento?

—Claro —dijo Charles—. Solo asegúrate de que antes investigas un poco sobre cada signo. Ya sabes, por ejemplo, los Virgo son unos estirados, así que escribe algo así como que se sentirán tensos, pero que alrededor del catorce les ocurrirá algo que les relajará un poco. ¿Entiendes a lo que me refiero?

—Supongo —dijo Denise, y soltó una risita.

Cuando acabamos de hablar con Charles, Denise y yo salimos del colegio juntas. Nunca había pensado en hacerme su amiga porque tenía aquella voz tan rara y la gente siempre se reía de ella. Aunque supongo que yo tampoco era demasiado popular. Pero ahora me parecía cómodo estar con ella.

—¿Por qué te has apuntado al periódico? —me preguntó.

Me encogí de hombros.

—De mayor me gustaría ser periodista.

—¡Ah! —dijo. Al cabo de un segundo, añadió—: ¿Sabes por qué me he apuntado yo?

—¿Por qué?

—No se lo digas a nadie.

—No.

—Porque estoy enamorada del señor Joffrey y quiero acostarme con él.

—¿En serio?

El señor Joffrey era bajito y tenía los ojos pequeños y gafas redondas. No había dicho ni una palabra en toda la reunión.

—Creo que es sexy —dijo Denise.

—Supongo que no me he fijado —admití.

—Mejor. No quiero competencia.

Salimos afuera para esperar a los últimos autobuses. Cuando íbamos a cruzar la calle, no me di cuenta de que venía un coche y Denise me cogió del brazo.

—¡Espera! —gritó.

—¡Jo! —dije, frenando.

—Vale, ahora puedes cruzar —dijo, una vez el coche hubo pasado.

Noté que dejaba la mano en mi brazo un par de segundos de más, y eso me hizo sentir como si la conociera desde hacía mucho tiempo.

Al llegar a casa, Zack estaba fuera con su gatita. La llevaba con un pequeño collar y una correa, y paseaba arriba y abajo por la acera. Bueno, en realidad no paseaban. Cuando él tiraba de la correa, la gata se paraba o se tumbaba.

—¿No puedes dejarla caminar sin correa? —le pregunté.

–No quiero que se escape –me dijo.

–No se escapará. Es demasiado pequeña.

–¿Y tú qué sabes?

–Suelta la correa y deja que camine, y si se va muy lejos, la coges.

Lo pensó, luego me sorprendió al seguir mi consejo. Por fin la gatita empezó a moverse un poco y a olisquear las cosas. Quise decir «¿Lo ves?», pero me mordí la lengua. En cambio, le pregunté:

–¿Ha llegado ya tu padre a casa?

–No –contestó Zack.

–Bueno. Estoy escribiendo un artículo sobre los reservistas para el periódico del colegio. Necesito entrevistarlo.

Zack no dijo nada porque estaba mirando cómo la gatita giraba bruscamente la cabeza de un lado a otro para seguir los movimientos de un pajarito.

–¿Crees que me dejará? –le pregunté.

–Tal vez. Si no está muy ocupado.

–Genial.

La gatita intentó cazar al pájaro y Zack pisó la correa, que le tironeó un poco del cuello.

–Ten cuidado –le dije–. Vas a hacerle daño.

–Es una idea estúpida –contestó, y volvió a coger la correa.

La gata se tumbó en la hierba como protesta, cosa que lo obligó a arrastrarla para lograr que lo siguiera.

Entré en casa y me senté a la mesa del comedor mientras veía la guerra por la tele y preparaba una lista de preguntas para el señor Vuoso:

1. ¿Tiene miedo de que le maten?
2. ¿Cree que matará a algún iraquí?
3. ¿Qué clase de cosas se llevará de su casa?
4. ¿Irá su mujer a visitarlo?
5. ¿Puede recibir paquetes?
6. ¿Cree que esta es una guerra por petróleo?

Mientras trabajaba apareció Christiane Amanpour en la CNN, y pensé que sería bonito tener una chaqueta marrón clara como la suya, con todos aquellos bolsillos.

Cuando papá llegó a casa y le hablé de la reunión del periódico del colegio, dijo que le parecía bien. Luego le conté lo de mi artículo sobre los reservistas y se mosqueó.

—¿Y cómo representa eso el punto de vista árabe? —me preguntó—. Aquí estás, viviendo con un árabe, ¿y quieres entrevistar a ese cerdo de al lado? ¿Qué clase de idea estúpida es esa?

—Pero ¿y si llaman a filas al señor Vuoso? Entonces no podré entrevistarlo. Por eso quiero hacerlo ahora, mientras aún está aquí.

—Haz lo que quieras —murmuró papá, y fue a sacar una cerveza de la nevera.

—Puedo entrevistarte después.

—La perspectiva árabe —dijo, abriendo una Heineken—. Eso es lo que falta en las noticias. Tú podrías cambiar eso, pero has elegido el camino fácil.

Aquella noche, mientras lavaba los platos de la cena, sonó el teléfono. Papá dejó el paño de secar y fue a responder.

–Es para ti –dijo, y me quité los guantes de goma y fui a cogerlo.

Por la cara de cabreo que puso papá, pensé que sería mi madre, pero no era ella.

–¿Jasira? –dijo la voz de un hombre.

–¿Sí?

–Soy el señor Vuoso. –Como no dije nada, añadió–: El vecino de al lado.

–Sí. Lo sé.

Me daba miedo hablar porque papá estaba de pie allí mismo, sin quitarme ojo.

–¿Cómo estás? –me preguntó.

–Bien, gracias.

–Bueno, estaba un poco preocupado. Hace mucho que no te veo.

–He estado enferma.

–¿Qué tenías?

–La gripe.

–¡Ah!

–Ya estoy mejor –le expliqué.

–Bueno. Zack me ha comentado que querías entrevistarme para el periódico del colegio.

–Sí. Quiero escribir un artículo sobre los reservistas.

–Vale, de acuerdo. ¿Cuándo quieres hacerlo?

–No lo sé.

–¿Qué tal el sábado? Zack y su madre van a llevar la gatita al veterinario. Podrías venir entonces.

–Vale.

–¿Digamos... a las doce?

–De acuerdo.

–Espero que no me llamen a filas antes –bromeó, y se rió un poco.

–Yo también lo espero.

–¿Qué esperas? –me preguntó papá cuando colgué el teléfono. Aún seguía allí plantado con el paño en la mano, mirándome fijamente.

–Que no llamen a filas al señor Vuoso antes de la entrevista –dije, y tuve que dar un rodeo para poder volver al fregadero y acabar de lavar los platos.

–Será mejor que vayas con cuidado con lo que le dices –me advirtió papá.

–Solo voy a hacerle preguntas sobre lo que significa ser un reservista. Eso es todo.

–Ese tipo se cree un vigilante de verdad –dijo papá.

Yo no sabía lo que era un vigilante, pero no me apetecía preguntárselo.

Al día siguiente, en el colegio, Denise me preguntó si quería ir a su casa el fin de semana para trabajar en nuestros artículos.

–No puedo –dije, y le expliqué que iba a entrevistar al señor Vuoso el sábado a mediodía.

–Bueno, entonces puedo ir yo a tu casa, después de la entrevista, y quedarme a dormir. ¿Quieres?

–Hum... –respondí–. Bueno, tengo que pedir permiso.

–Vale –dijo, y me anotó su número de teléfono para que la llamara por la noche.

Volví a almorzar con Thomas en la cafetería.

—¿Qué quieres? —me dijo, mirándome mientras yo movía la silla.

—Nada.

—¿Por qué te sientas aquí si se supone que no debes?

—Mis padres no se enteran de lo que hago en el colegio.

—¡Uau! —dijo Thomas—. Eso es muy valiente por tu parte. Quiero decir, no hacerles caso a tus padres cuando no te pueden pillar. De verdad que admiro tu coraje.

Metió la pajita en el cartón de leche y bebió un buen trago.

—Puedo ir a sentarme a otro sitio.

Thomas dejó la leche. No me contestó.

—¿Quieres que lo haga? —le pregunté.

—Que te jodan.

—No me hables mal.

—Cierra la boca.

Decidí quedarme. Sabía que a veces, cuando la gente se enfadaba contigo, tenías que sentarte allí y aceptarlo. Como cuando mi madre llamó al taxi para ir al aeropuerto. Esperaba que al final del almuerzo Thomas se sintiera mejor después de haberme castigado con su silencio.

Esa noche, durante la cena, le pregunté a papá si podía venir una amiga a dormir el sábado.

—¿Qué amiga? —me preguntó papá.

Estaba sentado en su sillón frente al televisor, con una bandeja sobre las rodillas. Había preparado dos filetes a la plancha y ensalada. Mi plato estaba lleno de trocitos grises de nervio que no conseguía masticar, pero en el plato de papá no había ninguno. No sabía si masticaba mejor que yo o si se había quedado con el mejor filete.

—Una niña del periódico —dije, y añadí—: Una niña blanca.

—No seas tan estúpida —me contestó papá—. No importa de qué color sea, si es una chica. No intentes hacerme quedar como un racista cuando estoy velando por tu bien.

Lo bonito de las bandejas era que, como yo estaba en el sofá y papá en su sillón, quedaba fuera de su alcance y no podía darme una bofetada, lo que sin duda hubiera hecho si hubiéramos estado sentados a la mesa.

—Puedes invitar a tantas amigas como quieras —dijo—. No soy racista.

—Vale. Lo siento.

Durante el resto de la noche vimos las noticias. Papá se estaba poniendo cada vez más furioso por los Scud. Saddam seguía disparándolos contra los israelíes y eso ponía contentos a los palestinos, y en la televisión seguían mostrando a palestinos contentos.

—¡Esta no es la perspectiva árabe! —gritaba papá.

Todos los días él esperaba que los estadounidenses mataran a Saddam. Decía que entonces los Scud dejarían de volar y los palestinos no tendrían nada de lo que alegrarse. Cada día más, me parecía que eso era todo lo que papá deseaba de la guerra. Cuando los palestinos salían bailando, arrojaba las cáscaras de los pistachos contra el televisor.

—¡Estas no son las verdaderas noticias! —gritaba—. ¡Todo el mundo sabe que odian a los judíos! ¡Contadme las verdaderas noticias!

Yo no entendía demasiado sobre palestinos y judíos. Sabía que los judíos habían pasado por el Holocausto y que había sido terrible, pero no sabía por lo que habían pasado los palestinos. Cuando se lo pregunté a papá, me dijo:

–Bueno, si me entrevistaras a mí, te lo diría. Lástima que no me entrevistes.

El sábado por la mañana, papá dijo que podíamos ir a hacer la compra y así yo podría elegir comida basura para mí y para Denise. De camino a la tienda mi padre escuchaba las noticias y cada vez que decían algo que lo enfurecía –como que los israelíes querían entrar en la guerra– apagaba la radio. Al cabo de un minuto la volvía a encender. Lo otro que no le gustaba era cuando alguien mencionaba «la doctrina Powell», que decía que no debíamos matar a Saddam, solo echar a los iraquíes de Kuwait y volvernos a casa.

–Colin Powell –dijo papá apagando la radio por segunda vez– es el mayor idiota que hay sobre la faz de la tierra. Va a estropearlo todo. Lo está haciendo todo mal.

–Tal vez podrías escribirle al presidente y contárselo –le sugerí.

–Bueno –contestó papá–, ya le he escrito al presidente.

–¿En serio?

Asintió.

–¿Qué le has dicho?

–¿Me estás entrevistando? Pensé que ibas a entrevistar al reservista.

–Y lo voy a entrevistar.

–Bueno, tal vez cuando decidas entrevistarme te cuente lo que le he dicho al presidente.

No respondí. Quería que dejara de insistir en aquello.

–No hagas pucheros –me dijo.

–No los estoy haciendo.

Para mí y para Denise cogí Coca-Cola, Doritos, pastelitos de manzana, helado, barritas Hershey, Bugles y macarrones con queso. Papá dijo que nos íbamos a poner enfermas, pero me dejó llevármelo todo. Justo cuando estábamos guardando la compra llamó mi madre.

–Hola, Gail –dijo papá–. ¿Qué ocurre? –Se quedó callado un momento y luego añadió–: ¿Quieres hablar con Jasira? Está aquí mismo, si es que quieres hablar con ella. Yo no tengo ganas de hablar contigo.

Me pasó el teléfono y cuando me lo acerqué a la oreja aún podía oírla hablar con papá.

–Soy yo.

Se quedó callada un segundo.

–¡Ese hijo de puta!

–Hola, mamá –dije intentando parecer cariñosa.

–Hola.

–¿Tuviste un buen viaje de vuelta?

–Estuvo bien.

No me preguntó nada sobre mí, así que le conté:

–Ahora estoy en el periódico del colegio.

–¿Ah, sí?

–Hoy voy a entrevistar al señor Vuoso como reservista.

–¿Ese tipo al que tu padre odia?

–Ajá.

Se rió un poco.

–Bien.

–Me gustaría ser periodista, algún día –le expliqué.

–Bueno, puede ser una profesión muy noble.

–Te enviaré una copia de mi artículo cuando salga.

–Gracias.

–De nada.

–Tengo un nuevo novio –me dijo.

–¿En serio?

–Se llama Richard. Es el orientador profesional del colegio.

–¡Ah! –exclamé.

–Es muy bueno con los niños. Muy competente.

Al cabo de unos minutos colgamos y fui a la sala a decirle a papá que ya me iba a casa del señor Vuoso.

–Haz lo que te dé la gana –me contestó.

Charles me había prestado una grabadora del colegio y la llevaba junto con la lista de preguntas. También me había conseguido una cámara del departamento de audiovisuales. Me había pedido que intentara hacer una foto del señor Vuoso vestido con el uniforme del ejército, preferiblemente delante de la bandera.

Mientras iba a casa de los Vuoso, Melina salió de su casa para recoger el correo. Llevaba unos pantalones verdes de médico, sandalias playeras y una sudadera roja con capucha que le apretujaba la barriga.

–Hey –dijo. Melina siempre decía «Hey» en lugar de «Hola».

–Hey –le contesté, deseando ser una texana como ella.

Estaba a punto de enfilar el camino principal de los Vuoso, cuando dijo:

–¡Eh! Me parece que no están en casa. He visto salir su monovolumen hace unos minutos.

–Seguramente eran la señora Vuoso y Zack. Han ido a llevar la gatita al veterinario.

Levantó las cejas.

–¿Ah, sí?

Asentí.

–El señor Vuoso sí está en casa. Voy a entrevistarle para el periódico del colegio porque es reservista.

–¿Vas a entrevistarlo tú sola?

–Ajá –dije. Sacudí la mochila un poco y añadí–: Tengo una grabadora.

–¿Lo sabe tu padre? –me preguntó Melina.

–Sí.

–¿Sabe que vas a ir a casa de los Vuoso cuando Zack y su madre no están en casa?

–Es el mejor momento para entrevistar al señor Vuoso –le expliqué–. Cuando está tranquilo.

–¿Es eso lo que te dijo? –me preguntó Melina.

Asentí. No recordaba exactamente cómo había sido la conversación, pero estaba convencida de que eso era lo que quería decir aunque no lo hubiera dicho.

–Así que tu padre no lo sabe –dijo Melina.

–Sabe que voy a entrevistar al señor Vuoso. ¿Cuál es el problema?

–Jasira, el señor Vuoso es un hombre mayor. No es apropiado que un hombre mayor esté solo en su casa con una chica de trece años. ¿Me comprendes?

–Es solo una entrevista, ¡Dios mío!

–Un hombre mayor que es un pervertido y lee el *Playboy.*

No dije nada.

–¿No puedes hacerle la entrevista por teléfono? –me preguntó.

–No.

Estaba a punto de decirle que también tenía que hacerle fotos, pero me contuve. De algún modo, pensé que si Melina se enteraba de que también llevaba una cámara en la mochila no me dejaría pasar.

–La grabadora no funciona por teléfono –me limité a decir.

Melina suspiró.

–De verdad que me estás sacando de quicio.

–¿Por qué?

–Porque creo que me estás mintiendo, por eso.

–No te miento.

–Si te ocurriera algo, nunca me lo perdonaría.

–No me ocurrirá nada –dije, aunque ya me había ocurrido.

Notaba los ojos de Melina fijos en mí mientras me volvía y subía los escalones de la entrada de los Vuoso. Llamé y el señor Vuoso pareció contento al verme cuando abrió la puerta. Luego vio a Melina en la acera y ya no pareció tan contento.

–¿Qué quiere? –me preguntó.

–No lo sé –respondí, girándome para mirarla.

–Hey, Travis –saludó Melina–. ¡Que vaya bien la entrevista!

–Gracias –le contestó. Luego me miró y añadió–: Entra, ¿quieres? Me está poniendo nervioso.

Cerró la puerta y nos quedamos mirándonos. Siempre había querido poner las manos en los bíceps del señor Vuoso y que me levantara por los aires simplemente con alzar los brazos. Se lo había visto hacer con Zack un par de veces, como si su hijo fuera una especie de pesa. Pero no le toqué los brazos. No le toqué en ninguna parte ni él me tocó a mí. Se pasó un buen rato repasando mi cuerpo de arriba abajo con la mirada.

–¿Quieres beber algo? –dijo por fin–. ¿O comer algo? ¿Tienes hambre?

–No, gracias.

–¿Qué está haciendo tu padre? –me preguntó.

–Viendo la guerra.

–¿Sabe que estás aquí?

Asentí.

–Está celoso. Cree que debería entrevistarlo a él en lugar de a usted.

El señor Vuoso se rió un poco.

–¿Ah, sí? ¿Y eso por qué?

–Para mostrar la perspectiva árabe.

–¿La perspectiva árabe? –dijo el señor Vuoso, y sacudió la cabeza–. Ese es todo el puto problema.

–¿Por qué? –le pregunté.

–No me tires de la lengua.

–¿Por qué no?

–Pensé que querías que te hablara de cómo es pertenecer a la reserva.

–Y quiero.

–Entonces vamos a hablar de eso.

–Vale –dije, y fui a sentarme a un extremo del sofá.

–¿Qué llevas ahí dentro? –preguntó el señor Vuoso señalando mi mochila.

Saqué la grabadora, el micrófono y la cámara, y lo coloqué todo en la larga mesa rectangular de café.

–¡Ah!, las herramientas del oficio.

–Después tengo que hacerle una foto con el uniforme.

–Claro.

–¿Tiene un enchufe para la grabadora?

–Ajá.

Se acercó, me cogió el transformador, se puso a cuatro patas y agachó la cabeza por debajo de la mesa que estaba a mi lado. Al hacerlo me rozó la pierna con un costado. Antes de que yo pudiera decidir si me movía o no, ya estaba sacando la cabeza.

–Mira si funciona –dijo incorporándose de rodillas.

Le di al *play* y al *record* al mismo tiempo.

–Probando... uno, dos, tres... –dije, imitando lo que había hecho Charles en el colegio. Después rebobiné la cinta y oí mi propia voz.

–Suena bien –dijo el señor Vuoso levantándose.

Asentí.

–¿Dónde debo sentarme? –me preguntó.

–El cable del micrófono no es muy largo.

Asintió y se sentó a mi lado en el sofá.

–Es más largo que eso.

Se apartó un poco.

Saqué la lista de preguntas y las estudié por última vez. El señor Vuoso intentó leerlas por encima de mi hombro.

–No mire, por favor –le dije.

–Lo siento –se excusó echándose hacia atrás.

–¿Está preparado? –le pregunté.

–Preparado.

Me incliné hacia delante y encendí la grabadora.

–¿Le da miedo ir a la guerra? –le pregunté, vocalizando muy claro hacia el micrófono. Luego lo sujeté ante la cara del señor Vuoso, esperando su respuesta.

–No, no me da miedo –dijo al cabo de un momento.

–¿Por qué no? –le pregunté tras recuperar el micrófono, luego se lo volví a poner delante.

–Bueno. No estoy en una unidad de combate.

–Entonces, ¿qué es lo que hace usted?

–Ya sabes, cosas de tipo humanitario. Repartir comida o lo que sea.

–¿Y el gas? –le pregunté.

–¿Qué pasa con él?

–Saddam dice que va a gasear a todos los soldados.

El señor Vuoso se encogió de hombros.

–Usaré la máscara antigás.

–¿Y si no funciona?

–Funcionará.

–Papá dice que no funcionará –le expliqué–. Dice que el gas es demasiado potente.

–Bueno –respondió el señor Vuoso–. Supongo que eso es lo que puedes esperar de alguien a quien le encanta Saddam.

—A papá no le encanta Saddam.

—Lo que tú digas.

—Si dice que a papá le encanta Saddam, está haciendo una suposición basada en su nacionalidad. Eso es racismo, como cuando nos llamaba moracos.

El señor Vuoso se inclinó hacia delante y apretó el botón de *stop* en la grabadora.

—Mira, no sabía que ibas a preguntarme estas cosas. Me dejas en mal lugar.

—No puede hacer eso —le dije, me incliné hacia delante y apreté el *play* y el *record* otra vez.

El señor Vuoso se quedó allí sentado.

—A papá no le gusta Saddam —dije al micrófono.

Lo puse delante de la cara del señor Vuoso.

—Perfecto. No le gusta Saddam —dijo él.

—Probablemente desea ver a Saddam muerto mucho más que usted.

—Perfecto —volvió a decir el señor Vuoso.

No estaba segura de por qué estaba defendiendo tanto a papá. Lo que más me gustaba era dominar al señor Vuoso porque no podía defenderse.

—¿Está preparado para la siguiente pregunta?

El señor Vuoso asintió.

—Sí, por favor.

—Vale —dije—. ¿Por qué lleva un paquete de condones en el petate, si está casado?

El señor Vuoso me quitó el micrófono. Se inclinó y apretó el *stop* de la grabadora.

–¿Cómo coño sabes eso?

–Miré en su petate.

–¿Quién te dio permiso? ¿Husmeaste entre mis objetos personales?

No le respondí.

–Joder –dijo. Se reclinó en el sofá y se frotó la cara con las manos.

–¿Por qué los cogió? –le pregunté, aunque la grabadora estaba aún apagada.

–¿Por qué crees que los cogí?

Lo miré, él aún sostenía el micrófono en la mano.

–Mira, o me haces preguntas decentes o nos olvidamos de esto.

–Vale.

Cogí el micrófono y volví a encender la grabadora. A partir de entonces solo le hice preguntas decentes, como por ejemplo qué se sentía al vivir cada día preguntándose si lo iban a llamar a filas; quién llevaría su copistería si lo llamaban; quién izaría y arriaría la bandera. Cuando no tuve más preguntas, apagué la grabadora.

–¿Voy a ponerme el uniforme? –preguntó el señor Vuoso.

–Sí.

Se detuvo un segundo.

–¿Quieres venir? –preguntó entonces.

–¿Por qué?

–No lo sé. Déjalo.

Se levantó del sofá y subió la escalera.

Cuando se marchó, pensé que en aquel mismo segundo él

estaba quitándose la ropa en su habitación. Me pregunté qué habríamos hecho si yo hubiera subido con él; si habría usado sus condones incluso antes de irse a Irak. Por las películas sabía que, supuestamente, antes de que los hombres se fueran a la guerra, las mujeres que les gustaban se lo montaban con ellos. Se suponía que tenían que hacerlo porque tal vez los hombres nunca volvieran, y les resultaría agradable pensar en eso antes de morir. Por otro lado, el propio señor Vuoso había dicho que no estaba en una unidad de combate.

Desenchufé la grabadora, la guardé y luego saqué la cámara. Era una treinta y cinco milímetros que no había usado nunca. Tenía fotómetro incorporado y si veías parpadear un punto rojo se suponía que tenías que usar el flash.

Mientras yo cargaba el carrete, el señor Vuoso bajó vestido con su uniforme verde. El mismo que había visto colgado del armario en la habitación de invitados, justo encima de los *Playboy*.

–¿Cómo estoy? –preguntó.

–Bien –dije, volviendo a cerrar la cámara.

–Bien. ¡Uau! –Se rió un poco.

–¿Preparado para salir?

Asintió.

–Vamos.

Cuando salimos a los escalones de la entrada, Melina estaba sentada en el césped del señor Vuoso, con las piernas estiradas y cruzadas a la altura de los tobillos. Era evidente que se había movido poco desde la última vez que la vimos en la acera.

–Hey –dijo–. ¿Cómo ha ido la entrevista?

–¡Ah! –dije, porque me sorprendió un poco que estuviera allí–. Bien.

El señor Vuoso no dijo nada, solo la miró un segundo y luego fue hacia la bandera. Estaba en el extremo opuesto a donde se sentaba Melina.

–Ahora tengo que sacarle una foto al señor Vuoso.

–Ah, vale –dijo Melina.

–¿Aquí, Jasira? –me preguntó el señor Vuoso, que se había colocado espontáneamente justo ante el mástil de la bandera.

–Sí. Ahí está bien.

–Bonita cámara –dijo Melina.

–Me la han prestado en el colegio.

Asintió.

–¡Qué bien!

Entonces fui hasta la acera y bajé el bordillo para estar lo bastante lejos y encuadrar la bandera y al señor Vuoso.

–Cuando cuente hasta tres –le anuncié, y empecé a contar.

El señor Vuoso tenía exactamente el mismo aspecto en el uno que en el tres: los brazos rectos a los lados, la boca cerrada, las piernas juntas. Saqué unas fotos más y volví al césped.

–Vale, ya he acabado –dije.

Entonces el señor Vuoso se relajó un poco, y en ese momento hubiera querido hacerle otra foto.

–Gracias –dijo dándose la vuelta para volver a su casa.

–Hasta luego, Travis –dijo Melina. Aún estaba sentada en el césped.

El señor Vuoso se detuvo y la miró.

—¿Puedo ayudarte en algo?

—Estoy esperando a Jasira.

—Ahora salgo —le dije—. Necesito coger la grabadora.

—Tómate tu tiempo —contestó Melina—. No puedo levantarme sin ayuda.

El señor Vuoso fue hacia la puerta principal y yo le seguí. Cuando entramos, se volvió furioso hacia mí.

—¿Cuál es su puto problema? ¿Es que le has contado algo?

—No.

—Entonces, ¿por qué coño me está acosando?

—No lo sé.

—Más te vale no haberle contado nada.

—Deje de gritarme.

Se quedó callado.

—No le he contado nada. No se lo he contado a nadie. Podía haberlo contado, pero no lo he hecho. No me grite.

Suspiró y se frotó la frente.

—Vale. Lo siento.

—Me voy a casa —dije mientras guardaba la cámara en la mochila.

—Esa puta lo ha estropeado todo.

—No es una puta.

—Sí que lo es.

—Me cae bien. Es mi amiga.

—Apenas puedo estar a solas contigo. Y ahora que tenía esta oportunidad, va ella y tiene que estropearla.

Lo miré.

—¿Por qué quería estar a solas conmigo?

—¡Joder! —dijo—. No lo sé.

—¿Para volver a hacerme daño?

—No, claro que no.

Entonces tuve esa buena sensación. La sensación de que él sabía lo mal que se había portado. Eso hizo que quisiera ser buena con él.

—Papá se va a Cabo Cañaveral en marzo —le dije.

—¿Ah, sí?

Asentí.

—¿Y te vas a hacer de canguro a ti misma? —me preguntó.

—Supongo que sí.

—Bueno, para entonces ya serás mayor.

—Ya soy mayor.

No dijo nada.

—¿No lo recuerda? —le pregunté.

—Sí —dijo en voz baja—. Mil veces sí.

—Tengo que irme —dije cogiendo la mochila—. Gracias por la entrevista.

Nos miramos durante un buen rato. Era como una competición para ver quién apartaba la mirada antes. Al final se quitó la gorra y la sostuvo en la mano.

—Espero que no me llamen antes de marzo.

—Yo también lo espero —dije, me di media vuelta y me marché.

Melina estaba aguardándome en el césped, como yo había deseado.

—¿Lo ves? Te dije que solo tardaría un minuto.

—Ayúdame a levantarme —me pidió, y solté la mochila para tenderle las manos.

Al levantarla hubo un momento en que pensé que iba a caerme, pero en lugar de eso nos quedamos allí en tensión, como un balancín en equilibrio. Hice un poco más de fuerza, o tal vez fue ella quien la hizo, y se puso en pie.

—Gracias —dijo sacudiéndose el trasero.

—De nada.

—Llevo ahí sentada un buen rato.

—No ha sido tanto rato.

—A mí sí me lo ha parecido.

—Bueno. Tengo que irme. Estoy esperando a alguien.

—¿A Thomas? —me preguntó.

—No. A Denise.

—Qué bien. Una chica.

—Bueno, adiós.

Y di media vuelta para marcharme a casa.

—¿Qué chorradas te ha dicho? —exigió saber papá en cuanto llegué. Estaba sentado en su sillón con unas nueces sobre la bandeja de la tele.

—No lo sé. Le hice preguntas y él me contestó.

—Dame la cinta —dijo papá—. Quiero escucharla.

—¿Qué?

—Quiero oír qué clase de basura te ha dicho.

—No, no puedes.

—¿Qué significa que no puedo?

—No puedes —protesté—, es privado.

—¿Privado? Tú no tienes nada privado.

–Es confidencial. Eso es lo que quiero decir. Porque soy periodista.

Papá se rió.

–No eres periodista, eres una niña. Ahora dámela.

Miré mi mochila. Ni en sueños podía dejarle escuchar la cinta. No eran solo las palabras que temía que oyera, era el modo en que yo le hablaba al señor Vuoso, como si fuera la jefa.

–Dámela –dijo papá, apartando las nueces a un lado de la bandeja–. Hay un enchufe aquí mismo.

Como no me movía, apartó la bandeja a un lado y empezó a levantarse. Retrocedí y, justo entonces, sonó el timbre.

–Yo abro –dije llevándome conmigo la mochila hasta la puerta.

Era Denise.

–Hola –dijo–. Espero que no te importe que llegue temprano. Mi madre tenía que hacer unos recados, así que me ha acercado.

–No, está bien.

Estaba de pie en los escalones principales con una pequeña bolsa de loneta.

Me gustaba que siempre se maquillara: colorete, carmín y sombra de ojos de color crema. Cuando se ponía el perfilador, siempre dejaba una fina franja sin pintar entre el lápiz azul y el auténtico borde de su párpado. Era algo que hacía a propósito, aunque yo no tenía ni idea de por qué.

–Entra –dije, haciéndome a un lado.

–Gracias.

–Papá –dije, cerrando la puerta principal–, esta es Denise.

–¡Hola! –dijo Denise saludando con la mano.

Papá aún estaba de pie en medio de la salita, esperando para coger mi mochila.

–Me alegro mucho de conocerte. –Y sonrió de un modo que nunca le había visto antes, como si intentara parecer tan alegre como Denise.

–¿Puedo beber un vaso de agua? –me preguntó Denise–. He hecho footing antes de venir, y aún tengo mucha sed.

Estaba a punto de decir que sí cuando papá se me adelantó.

–Claro –dijo, y se metió en la cocina.

Cuando volvió con el agua, Denise se la bebió de un trago. Llevaba las uñas pintadas de color crema.

–Gracias –dijo devolviéndole el vaso a papá.

–¿Estás en el equipo de atletismo? –le preguntó papá.

–¡No! –respondió Denise como si fuera la pregunta más disparatada que hubiera oído en su vida.

Me preocupó que papá se enfadara porque no le gustaba que la gente lo tratara como si estuviera loco, pero en lugar de enfadarse la miró un poco azorado.

–Lo siento –dijo papá.

–Estoy intentando perder peso –explicó Denise–, ¿sabe?

–¡Ah! –dijo papá asintiendo–. A mí me pareces muy guapa.

Ella soltó una risita.

–Gracias. –Luego miró alrededor de la casa y dijo–: ¡Qué casa más bonita!

–Enséñasela a Denise, Jasira.

Mientras recorríamos la casa y Denise asomaba la cabeza

a las distintas habitaciones, yo no solté la mochila en ningún momento. Acabamos en mi dormitorio, que a Denise le pareció realmente aburrido.

—Tienes que decorar esta habitación. Colgar algunos pósters.

—Vale —dije, aunque sabía perfectamente que no lo haría.

—Tu padre parece majo —dijo, dejando caer su bolsa en el suelo y sentándose en el borde de la cama.

Dejé mi mochila junto a su bolsa y luego me senté en el suelo a su lado.

—No es tan majo.

—¿Por qué no?

Me encogí de hombros.

—No lo sé. A veces se pone furioso.

—¿Y? —dijo Denise—. Mi padre también.

No sabía qué contestarle. No sabía si el padre de Denise se ponía furioso de la misma manera que el mío.

—Pero luego se les pasa.

—Supongo —dije, aunque yo sabía muy bien que a papá nunca se le pasaban los enfados.

—Fíjate lo que hace mi padre cada vez que vamos a un restaurante. Se planta delante del camarero y dice: «Hola, me llamo Porter y esta es mi hija Denise. ¿Cómo se llama usted?». Lo odio. ¡Me da tanta vergüenza!

Asentí. Intentaba pensar en algo que papá hiciera y que me diera vergüenza, pero no se me ocurría nada. En realidad me parecería divertido si él hiciera algo que me diera vergüenza.

—Además, habla muy alto —explicó Denise—. Dice: «HOLA,

ME LLAMO PORTER Y ESTA ES MI HIJA DENISE. ¿CÓMO SE LLAMA USTED?». Lleva un audífono en el oído derecho.

—¡Vaya!

—Al menos tu padre no está sordo.

—No.

De repente me sentí desilusionada. Como si deseara que Denise no estuviese allí. No parecía entender lo que intentaba decirle sobre papá. Ni siquiera estaba segura de lo que intentaba decirle. Sobre todo no quería que le cayera tan bien cuando ni siquiera lo conocía.

—¿Tu padre es racista? —le pregunté.

—¿Qué?

—Racista —repetí.

—No. ¿Por qué?

—Mi padre sí.

Frunció un poco el ceño.

—¿En serio?

Asentí.

—Dijo que no podía salir más con Thomas porque arruinaría mi reputación.

—¿Bromeas?

—En absoluto.

—Pero si tu padre es árabe.

—Lo sé.

—Viene de muy lejos.

—A mi madre le arruinó la reputación salir con mi padre, y ahora no quiere que arruine la mía por salir con Thomas.

—¡Jo! —dijo Denise.

–Le echo mucho de menos –le confesé.

–Ya me parecía haber notado que no se os veía tanto juntos.

–Está enfadado conmigo porque cumplo las normas de mi padre.

–Yo también estaría enfadada contigo.

–¿Sí?

–Seguro. Tu padre se equivoca, así que si haces lo que te pide tú también estarás equivocada. Tú también serás una racista.

–No, yo no soy racista.

–Sí lo eres.

–Tú no lo entiendes. Si no hago lo que él dice, me enviará otra vez a vivir con mi madre.

–¿Y qué?

–No quiero vivir con mi madre.

–¿No prefieres vivir con ella antes que ser racista?

–No.

–Yo sí lo preferiría –dijo Denise.

–No puedo irme de Houston. Eso nunca.

–¿Por qué no?

Lo pensé un segundo y le conté la verdad:

–Estoy enamorada de alguien.

–¿De Thomas? –me preguntó.

–No, del señor Vuoso.

–¿Quién es?

–El reservista al que he entrevistado.

–¡Ah!

–¿Cómo te sentirías si tuvieras que separarte del señor Joffrey?

–Supongo que no me gustaría.

–¿Lo ves?

–¿Y tú le gustas a él? –me preguntó Denise–. ¿Al señor Vuoso?

–Sí.

–¿Cómo lo sabes?

No estaba segura de cómo responder a esa pregunta.

–Porque me llevó a cenar –dije por fin.

–¿En serio? ¿Como si tuvierais una cita?

–Asentí.

–¡Uau! –exclamó–. ¿Dónde estaba tu padre?

–En casa de su novia.

Denise suspiró.

–¡Qué suerte tienes! Me gustaría que el señor Joffrey me invitara a salir.

–No puedes contarle a nadie lo que te acabo de decir.

–Claro que no.

–El señor Vuoso podría tener problemas.

Denise asintió.

–Podría meterse en un buen lío.

–Y yo tendría que irme a vivir con mi madre, segurísimo.

–No te preocupes –dijo Denise–. No quiero que te vayas a vivir con tu madre. ¡Entonces no tendría ninguna amiga!

Me sonrió y me quedé pensando si decía en serio que yo era su única amiga.

Papá llamó a la puerta y nos preguntó si queríamos ir al

cine. La película se titulaba *Vincent y Theo*. Nosotras nos sentamos al otro lado del pasillo, separadas de papá, para que pareciera que íbamos solas. La película iba sobre el pintor Vincent van Gogh y su hermano Theo, que lo cuidaba. Supongo que papá creyó que sería educativa, pero resultó que había un montón de escenas en las que salían señoras desnudas posando para Vincent. Cada vez que salía un desnudo, Denise empezaba a reírse.

–¡Chist! –le decía, preocupada por que pudiera oírla y pensara que era yo.

En el coche, de vuelta a casa, papá dijo:

–No tenía ni idea de que saldrían desnudos en esta película. Te pido disculpas, Denise.

–¡Oh!, no me importa.

–Pero a tus padres quizá sí les importe.

–No, tampoco. Solo les molesta la violencia, no el sexo.

–Bueno –dijo papá–, tal vez debería llamarlos y explicárselo.

–¡Le digo que no se preocupe! –insistió Denise, y se echó a reír.

Pensé que a papá le sacaría de quicio que una niña de mi edad le hablara de aquel modo, pero no.

–Vale. Lo que tú digas.

Me mosqueaba un poco que papá le permitiera portarse así y a mí no. Si yo hubiera empezado a comportarme como ella en aquel mismo instante, papá se habría enfadado conmigo y me habría dicho que cortara el rollo. Sabía que era demasiado tarde para intentar nada nuevo con él.

Cuando volvimos a casa, el señor Vuoso estaba en el jardín arriando la bandera.

–¿Es él? –me preguntó Denise.

–¿Quién? –dijo papá.

No sabía qué decir. No me podía creer que ya estuviera revelando mi secreto. Entonces Denise se dio cuenta de lo que había dicho y lo arregló.

–El reservista –dijo–. Al que Jasira ha entrevistado.

Papá asintió.

–Jasira, quiero escuchar la cinta cuando entremos en casa –dijo mirándome por el retrovisor.

–¿Qué cinta? –preguntó Denise.

–La cinta de la entrevista.

–¡No puede escuchar la cinta de Jasira!

–¿No? –dijo papá. La miró como si hubiera dicho alguna monería–. ¿Por qué no?

–Porque es una periodista. Sus fuentes son confidenciales. Si usted escucha esa cinta, Jasira estará faltando a la confidencialidad.

–¡Ah! –dijo papá–. Ya veo.

No me podía creer que a Denise le hiciera caso con lo de la confidencialidad y a mí no.

–Tendrá que esperar a que salga el artículo –le dijo Denise.

–Pero para eso falta mucho –protestó papá.

–Bueno –dijo Denise–, pues es lo que hay.

–Tu amiga es dura –dijo papá mirándome otra vez por el retrovisor, y yo asentí.

Aquella noche, después de cenar comida basura, Denise y

yo trabajamos en sus horóscopos. Sobre el signo de papá, Capricornio, escribió: «¡Algo terrible va a ocurrirle si no se corrige! Trate mejor a los demás y no sea racista. Su vida florecerá si cambia sus modales». Sobre el signo del señor Joffrey, Cáncer, apuntó: «Se enamorará de una hermosa mujer tan inteligente como usted, pero mucho más joven. Intente darle una oportunidad. ¡Se sorprenderá!».

—¿Y si es una mujer la que lee el horóscopo? —le pregunté a Denise.

—¿Qué?

—Entonces sería una mujer que se enamora de otra mujer.

—¡Ah! —dijo—. Vale.

Y cambió «mujer» por «persona». Le preocupaba que resultara demasiado vago en términos del mensaje que quería transmitirle al señor Joffrey, aunque coincidió conmigo en que lo otro era muy raro.

Aquella noche me acosté en el suelo en un saco de dormir y Denise en mi cama. Pensé en enseñarle mi *Playboy* antes de apagar la luz, pero luego cambié de opinión. Me preocupaba que pensara que era una porquería, al igual que Melina.

Por la mañana, papá nos hizo tortitas. Denise estaba tardando demasiado en decirle lo buenas que estaban, así que por fin le pregunté:

—¿Te gustan las tortitas?

—¡Oh, sí! Son fantásticas.

—Son las mejores que he probado nunca —dije.

Ella asintió y luego tomó otro bocado. Miré a papá, que

estaba junto a la cocina con el delantal puesto, pero no sabía si nos había oído.

La madre de Denise vino a buscarla a las once. Llamó al timbre, se presentó y nos hizo cumplidos sobre el ciclamen que habíamos plantado delante. Papá cogió las tijeras y le cortó un ramillete. Después de que Denise y su madre se alejaran en el coche, entramos en la casa.

—Vale, dame la cinta —me dijo papá en cuanto cerró la puerta.

—¿Qué? —dije.

—Quiero escuchar esa cinta.

—¡Pero si le dijiste a Denise que esperarías a que saliera el artículo!

—No. Ella me dijo que tendría que esperar y yo le contesté que era demasiado tiempo.

Me quedé mirándolo.

—Dámela.

Fui a mi cuarto y la cogí. No podía hacer otra cosa. Cuando volví, papá esperaba de pie en la salita, al lado del equipo de música. Le di el casete y lo metió en el aparato. Se quedó de pie junto al equipo mientras sonaba, como si estuviera de guardia o algo así.

Cuando llegó la primera parte, lo de las máscaras de gas, se rió mucho.

—¡Bravo por ti! ¡Ahí le has dado!

Pero cuando llegó la parte de los condones, no dijo nada. Luego se oyó el ruido del señor Vuoso apagando la grabadora y, después, el ruido de la grabadora encendiéndose de nuevo y a mí haciéndole solo preguntas decentes. En ese momento papá apretó el *stop*.

—¿Qué acabo de perderme? —me preguntó.

—Nada.

—¿Por qué paró la grabadora?

—El señor Vuoso se enfadó porque yo le hice esa pregunta y apretó el *stop*.

—¿Y qué pasó entonces?

—Me preguntó cómo sabía lo de los condones.

—¿Y cómo lo sabías?

—Los encontré en su petate.

—¿Me tomas el pelo?

Sacudí la cabeza.

—¿Qué clase de persona husmea en las cosas de un hombre?

No respondí.

—¿También husmeas entre mis cosas cuando no estoy?

—No.

—Condones —dijo papá sacudiendo la cabeza—. Tienes una boca sucia y una mente sucia.

Se acercó y me pegó en la boca como si intentara arreglar esa parte de mí. Al apartarme, me agarró del brazo y apretó fuerte. Eso me dolió más que la bofetada. Fue como cuando en el médico te toman la presión: cuando te parece que el brazo te va a estallar, la enfermera abre un poco la válvula y entonces te preguntas cómo ha sabido hacerlo en el momento exacto. Solo que papá no me soltó.

Por la mañana tenía marcas moradas en el brazo, del mismo tamaño que los dedos de papá. Me puse una blusa de manga larga y fui a sentarme a la mesa del desayuno. Papá ya había empezado a comerse los cereales.

–¿Me devuelves mi cinta, por favor? –le pedí–. Necesito transcribirla para mi artículo.

–No. Ahora es mía.

–¿Y qué pasa con mi entrevista?

Se encogió de hombros.

–Puedes entrevistarme a mí.

–No quiero entrevistarte a ti.

Dejó de comer y me miró.

–Perfecto. No lo hagas.

Acabamos los cereales y observé a papá beberse la leche del fondo del cuenco. Cuando terminó, se levantó y llevó los platos al fregadero, los enjuagó solo con agua y los puso en el escurridor. Papá no sabía que yo cada día, cuando llegaba a casa después del colegio, volvía a lavarlos con jabón.

8

Escribí como pude la entrevista con el señor Vuoso. Aún guardaba las preguntas por escrito y releerlas me ayudó a recordar sus respuestas. A veces, cuando no me acordaba, inventaba algo que me parecía que podía haber contestado. Como, por ejemplo, a la pregunta «¿Puede recibir paquetes en Irak?» le hice responder: «Sí. Cuando mi familia, mis amigos o mis vecinos me envían paquetes, me alegra saber que la gente de casa se acuerda de mí». Al final, como la entrevista se me quedaba un poco corta, añadí una pregunta: «¿Qué le diría a la gente a la que le encanta Saddam?». «Bueno –le hice decir al señor Vuoso–, yo les diría que tengan cuidado, porque los estoy vigilando.»

–Buen final –me dijo Charles cuando le enseñé la entrevista el lunes, y luego me dio las gracias.

Aquel día, durante el almuerzo, le conté a Thomas lo que había hecho.

–¿Estás intentando impresionarme o qué? –me preguntó.

Ese día tocaban espaguetis y tenía salsa roja en la comisura de los labios.

–Sí.

–Bueno, pues no me impresionas.

–¿Qué te impresionaría?

–Nada –dijo–. Es demasiado tarde. Nunca podrás volver a impresionarme.

Se metió en la boca un montón de espaguetis enrollados en el tenedor.

Más tarde, entre clase y clase, me paré en la taquilla de Denise para contarle mi conversación con Thomas.

–No quiere ni darme una segunda oportunidad.

–¿Y puedes reprochárselo? –me preguntó.

–Supongo que no.

En la parte interior de la puerta de su taquilla Denise tenía un espejito redondo en el que se miró, y luego sacó de su bolso un pequeño cuadrado de papel de aspecto ceroso. Se lo presionó contra la frente y, al apartarlo, había cambiado de color por la grasa del maquillaje.

–¡Puaj! –exclamó enseñándomelo.

–No soy racista. No me importa lo que tú y Thomas digáis. Tengo que hacer lo que me dice mi padre.

–¿Por qué? –preguntó Denise.

–Porque sí.

–¿Y qué pasa si no lo haces?

–Se enfada.

–¿Y?

–Es realmente malo cuando se enfada.

–Ya te lo he dicho –dijo Denise–, se le pasará.

–No se le pasará. Tú no lo conoces.

–Haz como si no le tuvieras tanto miedo.

–No puedo evitarlo.

–Piensa que es un perro. ¿Sabes que delante de ellos tienes que fingir que no te asustan porque huelen el miedo?

Asentí.

–Bueno, pues lo mismo con tu padre. Si no le haces caso, te dejará en paz.

Me sentí muy mal el resto del día, como si fuera culpa mía que papá se enfadara conmigo. Como si nunca se hubiera enfadado si yo me hubiera comportado de cierta manera. Tal vez Denise tenía razón, pero el problema era que yo no sabía comportarme del modo que ella describía.

Aun así, aquella noche intenté practicar para ser un poco más valiente cuando nos sentamos con las bandejas de la televisión a ver la guerra. Colin Powell daba una conferencia de prensa en la CNN y cada vez sacaba más de quicio a papá. No dejaba de insistir en la incompetencia de Colin Powell para el cargo de jefe de la Junta de Comandantes del Estado Mayor.

–¿Por qué no es competente? –le pregunté. Se me estaba empezando a ocurrir que a papá no le gustaba simplemente porque era negro.

–¿Qué quieres decir con «por qué no es competente»? ¡Míralo! ¡Pretende llevarse a Saddam a casa con él y meterlo en la camita, sano y salvo!

–Pero ¿por qué es incompetente para el puesto?

–Te lo acabo de explicar.

–Pero es muy inteligente.

–¿Cómo lo sabes? ¿Lo conoces?

–No.

–Entonces cierra el pico.

Intenté pensar en qué más podía decir para que no pareciera que me asustaba hablar cuando papá me decía que me callara, pero no pude. Además, ya no me importaba ser valiente. Cuando papá me decía que me callara era como una especie de regalo. La promesa de que no pegaría si dejabas de hablar en aquel mismo instante. No tenía sentido no hacerle caso.

Al día siguiente, durante el almuerzo, Thomas me dijo:

–He pensado en algo que podrías hacer para impresionarme.

–¿Qué? –pregunté. Ese día tocaba hamburguesa, y yo estaba abriendo una bolsita de mostaza.

–Hacerlo conmigo.

–Vale.

–¿En serio? –dijo. Por primera vez en mucho tiempo parecía más o menos simpático.

–Sí.

–Genial. ¿Cuándo?

–Cuando quieras.

–Bueno, supongo que primero necesitamos buscar algún sitio.

–No podemos hacerlo en mi casa –dije. No podía arriesgarme a que el señor Vuoso y Zack se volvieran a chivar.

Thomas asintió.

–Podemos hacerlo en la mía.

–¿Y tus padres? –le pregunté.

–Estarán en el trabajo.

–¿Y si vuelven a casa?

—No lo harán. Nunca vuelven pronto.

—Tendré que volver a casa andando —le dije.

—Puedes ir en taxi —sugirió Thomas—. Yo lo pagaré.

—De acuerdo —dije después de pensarlo.

—¿Podemos hacerlo hoy? —preguntó.

—¿Tienes un condón?

—No.

—Entonces tendremos que esperar hasta mañana. Tengo uno en casa, yo lo llevaré.

—¿De dónde lo has sacado?

—Del petate del señor Vuoso.

—No quiero usar el condón de ese racista.

—Tendrás que hacerlo; es el único que tenemos.

Dijo que vale, aunque parecía un poco mosqueado.

Más tarde, cuando me encontré con Denise en su taquilla y le expliqué mi trato con Thomas, dijo:

—¡Ni se te ocurra! ¡Te está utilizando!

—No.

—Te está utilizando del todo. No puedes hacerlo con él a cambio de no ser racista. Es ridículo.

—Pero yo quiero hacerlo con él.

Me miró.

—Eso nunca me lo has contado. Me has contado que estabas enamorada del vecino.

—Y lo estoy, pero también quiero hacerlo con Thomas.

—Entonces ya no serás virgen.

—¿Y?

—¿Y? —repitió—. Es importante que la primera vez que lo

hagas sea con alguien especial. No con alguien que te utilice.

–Bueno, lo más seguro es que aun así lo haga.

–No puedo creérmelo –dijo, cerró su taquilla y se alejó.

Pensé en ir tras ella y decirle que no se preocupase, que ya no era virgen, que la persona con quien lo había hecho por primera vez era muy especial, aunque solo se hubiera vuelto especial después. Pero, por supuesto, no lo hice. Además del hecho de que no quería meter al señor Vuoso en un lío, no creí que Denise fuera a entenderlo. Si no le podía explicar por qué papá era malo, seguramente tampoco podría explicarle por qué el señor Vuoso era bueno.

Durante todo el camino a casa fui pensando en hacerlo con Thomas. No estaba de acuerdo con Denise. No creía que me estuviera utilizando. Me parecía un acuerdo justo. Además, lo echaba de menos. Quería volver a ser su novia.

Al bajar del autobús, fui directa a casa de Melina.

–¿Puedo leer mi libro un rato? –le pregunté.

–Claro.

La seguí y me fijé en lo delgada que parecía siempre que la veías por detrás. Fue agradable porque durante un par de segundos pude imaginar que no estaba embarazada.

En el salón, Melina se sentó en el sofá junto a una pelota de lana amarilla y un minúsculo jersey que colgaba de unas agujas de hacer punto.

–Parece ropa de muñeca –dije.

–Pues sí –contestó.

–Quizá cuando tu bebé se haga mayor puedas darle toda esa ropa para sus muñecas.

Melina se encogió de hombros.

–Si juega con ellas…

Mi libro estaba en la mesita de café, exactamente donde lo había dejado la última vez. Me preguntaba si Melina y Gil tendrían alguna vez visitas y si les habrían preguntado qué hacía aquel libro allí.

–¿No deberías guardarlo en otro sitio? –le pregunté, extendiendo el brazo para alcanzarlo.

Melina levantó la vista de la labor.

–¿Por qué?

–No lo sé.

–No hay nada malo en ese libro –dijo–. Me alegra que cualquiera que venga a mi casa lo vea.

Volvió a su labor y yo miré a mi alrededor buscando un lugar donde sentarme. Había una silla, pero decidí sentarme en el suelo. Quería estar lo bastante lejos de Melina para que no viera lo que leía. Además, me gustaba estar más baja que ella. Me hacía sentir mejor.

El libro decía que si decidías hacerlo podías pillar un montón de enfermedades, y que debías usar condón. Decía que esa parte de mí de la que procedían los orgasmos sentiría una vibración cuando el pene de Thomas estuviera dentro de mí. Había una sección en la que decía que la virginidad se consideraba algo que demostraba que una chica era pura, pero que en realidad una chica podía hacer lo que quisiera porque no era propiedad de nadie. En cierto modo me gustó, pero por otro lado me pareció muy triste. La mayor parte del tiempo lo que de verdad quería era pertenecer a alguien.

–Jasira –dijo Melina.

Alcé la mirada.

–¿Sí?

–Tengo algo para ti.

–¿El qué?

–Espera un segundo.

Dejó la labor encima del sofá y se metió en la cocina. Cuando salió me dio una llave.

–Toma.

–¿De dónde es? –le pregunté.

–De mi casa. Así, si necesitas venir aquí en cualquier momento, por cualquier razón, podrás entrar.

–¿En serio?

–Sí. Y ni siquiera tienes que decirme por qué. Puedes venir a ver la tele, a leer tu libro... lo que quieras.

–¿Y si tú no estás y está Gil? –pregunté.

–No importa. Sabe que te he dado una llave y puedes usarla.

Pensé que si iba a casa de Melina y solo estaba Gil, no sabría qué decirle. Sería incómodo.

–Bueno –dije–. Gracias.

–De nada –respondió recostándose otra vez en el sofá.

–Lo más seguro es que no la necesite.

Cogió su labor.

–Nunca se sabe –respondió.

Intenté empezar a leer otra vez, pero no conseguía concentrarme. Seguía pensando en entrar en casa de Melina y no tener que marcharme nunca.

Esa noche, antes de irme a dormir, le dije a papá que me

iba a dar una ducha, pero en realidad me afeité el vello púbi-co. Usé una de las maquinillas que Thomas me había dado y me lo dejé como a él le gustaba, con la fina franja en el medio. Cuando acabé, recogí todos los pelos negros del desagüe, los envolví en un trozo de papel higiénico y los tiré.

Por la mañana, al despertarme, me puse mi sujetador y mis bragas más bonitos. Por primera vez me di cuenta de que no combinaban. El sujetador era uno de los grises que papá me había comprado y las bragas eran de algodón blanco. Me puse los tejanos y un jersey, me llevé la mochila al baño y metí el condón del señor Vuoso en el bolsillo pequeño de los tejanos.

Cuando llegué al colegio, Denise me estaba esperando en mi taquilla.

—No irás a hacerlo, ¿verdad?

—Sí —le dije—. Voy a hacerlo.

—Pero ¿por qué?

—La virginidad no me hace pura.

—¿Qué?

—Yo no soy propiedad de nadie.

—Nunca dije que lo fueras. Solo que no creo que esté bien que Thomas cambie tu virginidad por su perdón.

—No es así.

—Entonces, ¿cómo es la cosa?

—Ya te lo he dicho. Quiero hacerlo con Thomas. Si eso también le ayuda a perdonarme, entonces es bueno, no es malo.

—¡Qué estupidez! —dijo Denise—. Odio haberme enterado de todo esto.

Se alejó con pasos tan enérgicos que vi cómo su cabello se balanceaba.

Durante el almuerzo, Thomas quiso saber si me había acordado del condón y le dije que sí.

—¿Solo uno? —me preguntó, y asentí.

Al salir del colegio pasé de largo ante mi autobús y me encontré con Thomas frente al suyo. Subimos juntos y nos sentamos al fondo. Me cogió de la mano durante todo el trayecto, como antes hacía en los pasillos del colegio.

—Voy a hacerlo contigo —me susurraba a veces al oído.

Yo no sabía qué responderle, así que solo asentía.

Cuando llegamos a casa de Thomas, se sacó de debajo de la camisa una llave que llevaba colgada de una cadena alrededor del cuello. No se quitó la cadena, sino que bajó el cuello hasta el nivel del picaporte y se inclinó un poco hacia delante hasta que la llave entró en la cerradura.

Lo primero que noté al entrar fue lo grande que parecía la sala de estar sin el árbol de Navidad. Aún olía a pino. Thomas dejó en una mesa junto a la puerta el correo que había cogido fuera del buzón.

—¿Quieres comer algo antes? —me preguntó.

—Vale —dije. Estaba un poco nerviosa.

Lo seguí hasta la cocina, con sus pulcras encimeras y los platos sucios del desayuno en el fregadero. Papá decía que nunca podíamos dejar los platos en el fregadero porque saldrían cucarachas, pero no veía ningún insecto en casa de Thomas.

—¿Qué quieres? —dijo abriendo la nevera y metiendo un poco la cabeza dentro.

Aparté una silla de la mesa y me senté.

–¿Qué vas a tomar tú? –le pregunté.

Se encogió de hombros.

–En realidad no tengo hambre. –Entonces se arrodilló y abrió el cajón de la fruta–. ¿Qué tal una manzana?

–Vale.

Sacó dos y mordió la suya sin lavarla. Yo hice lo mismo, aunque papá siempre me advertía sobre los pesticidas de la fruta y la verdura.

–Me estoy poniendo muy cachondo –dijo Thomas después de unos mordiscos.

–¿En serio?

Se levantó de la silla y se plantó frente a mí. Me cogió la mano y me la puso sobre sus pantalones.

–¿Lo ves?

Asentí al notar su erección.

–¿Estás preparada?

–¿No puedo terminarme la manzana?

–Claro que sí –dijo, y volvió a su asiento.

Thomas se acabó la manzana y se comió el corazón y las semillas también. Era como papá con los huesos de pollo.

–¿Por qué te comes el corazón? –le pregunté.

–Es solo fibra.

–¿Quieres el mío? –le dije ofreciéndoselo.

A papá le gustaba que le diera mis huesos de pollo cuando acababa, para masticar el cartílago.

–No, muchas gracias –dijo Thomas, quien cogió el corazón de mi manzana y lo tiró a la basura que estaba debajo del fregadero. Luego volvió y añadió–: Vamos a mi habitación. Subimos la escalera. Yo iba delante y Thomas me tocó el culo mientras subía. De camino a su habitación se detuvo en el armario del pasillo, lo abrió y sacó una toalla.

–Seguramente necesitaremos esto –dijo–. Por la sangre.

Cuando entramos en su habitación, anunció:

–Me voy a quitar la ropa. –Y en unos segundos estaba desnudo.

Tenía unas bonitas y anchas espaldas, de nadar, supongo, y un par de pliegues en el estómago. La tenía tiesa, casi le tocaba la barriga. Desplegó la toalla y la extendió sobre la cama. Luego se tumbó encima de ella.

–Ahora desnúdate tú.

Yo tardé más que Thomas. Nunca había jugado al *strip* póquer, pero me desnudé como si estuviéramos jugando a eso, el juego de cartas en que solo al final te quedas en bragas y sujetador.

–Te has afeitado –dijo Thomas cuando por fin me desnudé.

Asentí.

–Te queda muy bien –dijo–. Ven aquí.

Me acerqué al lado de la cama donde él se había tumbado. Extendió la mano y me tocó el poco pelo que me había dejado.

–Túmbate –me dijo, dejándome sitio.

Me tumbé sobre la toalla. Me preocupaba que no me saldría nada de sangre y cómo se lo tomaría Thomas.

Se puso de costado y me acarició la barriga.

–Tienes la piel suave.

–Gracias.

Subió la mano hasta mis pechos y me pellizcó un pezón.

–¡Ay! –protesté.

–¿En serio? ¿No te gusta?

–No.

Parecía confuso.

–Se supone que te tiene que gustar.

–Pues no me gusta –le dije.

Me acarició el pezón con más delicadeza.

–¿Qué tal así? –preguntó.

–Mejor.

Yo no sabía qué hacer con las piernas, si debía abrirlas o cerrarlas. Pero Thomas se puso enseguida enfrente de mí y me las abrió él mismo. Pensé que íbamos a hacerlo entonces pero, en cambio, me flexionó las piernas y me las separó tanto como pudo. Después de eso, se quedó mirando fijamente. No hacía más que mirar y mirar y mirar. No dejaba de hacerlo. Aunque no me tocara, era excitante. Era como las chicas de *Playboy*, a quienes los fotógrafos sacan instantáneas sin hacerles daño.

Enseguida hundió la cabeza entre mis piernas. Empezó a lamerme, o a besarme… no sabría decirlo. Pero era agradable. Cálido. Lo hizo durante un buen rato hasta que por fin levantó la cabeza y dijo:

–Me parece que ya estás preparada.

–Vale.

–¿Dónde está el condón?

–En el bolsillo.

Fue a buscar mis tejanos, que colgaban de la silla del escritorio, y lo sacó. Lo miré rasgar la bolsita y ponerse el condón. Parecía que le quedaba un poco estrecho.

—Estos son para tíos con pollas pequeñas —dijo Thomas.

Me pregunté si el señor Vuoso tendría la polla pequeña.

—¿Te duele? —le pregunté a Thomas.

—Está bien —dijo—. No te preocupes.

Yo había cerrado las piernas mientras él se ponía el condón, y entonces me las volvió a abrir. Se tumbó entre ellas, esta vez con la cara junto a la mía. Me olía a mí misma en su boca, el olor que se me quedaba en las manos cada vez que tenía un orgasmo sola.

—Escucha —dijo Thomas—, te prometo tener cuidado. No voy a hacerte daño.

—Lo sé.

—Si quieres que pare dímelo y pararé.

—Pero entonces seguirás pensando que soy una racista.

—¿Cómo?

—Dijiste que si lo hacía contigo te impresionaría y dejarías de pensar que soy racista.

Aquello pareció molestarle.

—Olvídalo, ¿quieres?

—Vale.

Se la cogió y me la empezó a meter.

—Intenta relajarte —dijo.

—Vale.

Entonces empujó un poco más fuerte.

—Solo te dolerá unos segundos.

Asentí. Era cierto. Me dolió. No como un desgarro, como con el señor Vuoso, sino por la sensación de que no me cabía. Pero Thomas siguió empujando.

–¡Oh, Dios mío! –susurró.

–¿Qué? –le susurré yo.

–Nada. Me gusta tanto...

–¡Ah!

–Lo siento si te duele –me dijo.

–Está bien.

–A las chicas siempre les duele la primera vez.

–Sí.

Después de eso enseguida tuvo un orgasmo. Yo no estaba segura de lo que se suponía que debía hacer para tener uno, así que me quedé allí tumbada. Cuando acabó, rodó hacia su lado de la cama. Nos quedamos allí tumbados un buen rato, sin hablar. Por fin me miró.

–¿Hay mucha sangre? –preguntó.

Me moví hacia un lado de la toalla para que pudiera mirar. No había sangre.

–¿Dónde está? –preguntó.

–No lo sé –dije–. Tal vez algunas chicas no sangramos.

Se quedó callado un minuto.

–Te ha dolido, ¿verdad?

–Sí.

–No parecía que te molestase tanto.

–Pues sí que me dolía.

–Me refiero a que no es que yo tenga la polla pequeña, o algo así.

–No –dije–. No la tienes pequeña.

–Ajá.

–Tal vez sea porque ibas con mucho cuidado.

–Supongo.

–Da lo mismo –le dije–. Me alegro de que no haya estado tan mal.

–Sí –dijo Thomas–, eso es bueno.

–Entonces, ¿ahora ya no piensas que soy una racista? –le pregunté.

–Deja de decir eso. Ya te he dicho que lo olvides.

–Lo siento.

–Oye, esto tendría que haberte dolido más –insistió.

No dije nada.

–¿Por qué no te ha dolido tanto? –preguntó. Se puso de costado y me miró–. ¿Quién te lo había hecho antes que yo?

–Nadie.

–¿No lo habías hecho con nadie?

–No.

–Pero ¿y qué pasa con la sangre?

–No lo sé, Thomas. –Me levanté de la cama y empecé a vestirme.

–No voy a enfadarme si lo has hecho con otro –dijo–, es solo que tengo curiosidad.

–No me he acostado con otro –dije poniéndome las bragas.

–¿Fue en Syracuse?

–No fue en ningún sitio.

–No se ha roto nada. Se suponía que tenía que romperse.

–¿Puedes llamar un taxi, por favor?

Suspiró y se metió en el baño, con el condón colgando flojo de la punta del pene. Cuando volvió, ya no lo tenía. Después de vestirse salió de la habitación y bajó estrepitosamente la escalera. Lo seguí poco después. Estaba de pie junto a la encimera de la cocina abriendo un tarro de mantequilla de cacahuete.

—El taxi llegará en quince minutos —me dijo.

—Gracias.

—¿Te sientes como una mujer?

—Ajá.

—Yo me siento como un hombre —dijo metiéndose una cucharada de mantequilla de cacahuete en la boca.

Cuando el taxi tocó la bocina, Thomas me acompañó fuera y me abrió la puerta del coche. Le dio al taxista diez dólares y mi dirección. Después de que cerrara la puerta, el conductor estuvo mirándome por el retrovisor. Siguió haciéndolo durante todo el viaje hasta casa. Tenía los ojos marrón oscuro y el pelo castaño. Pensé que probablemente era mexicano.

Al principio intenté mantenerle la mirada, pero luego empecé a encontrarme mal y la aparté. Parecía furioso conmigo, aunque ni siquiera me conociera. Cuando llegamos a mi casa y abrí la puerta para salir, dijo algo en español. No sabía lo que significaba, salvo una palabra: «negro».

Aquella noche, mientras papá y yo cenábamos con las bandejas, pensé en que yo era una mujer y él no lo sabía. Simplemente estaba allí sentado viendo la guerra. Papá pensaba que yo no tenía nada privado, pero lo tenía; tenía un montón de privacidad. Y cuanta más privacidad tenía yo, más estúpido me parecía él.

Después de la cena, sonó el teléfono. Era mi abuela, que llamaba desde Líbano. Desde que había empezado la guerra llamaba mucho. Papá no lo soportaba. Le oía gritar en árabe. En una ocasión, mezclado con el árabe, distinguí la palabra Scud. Eso era porque la abuela creía que Saddam iba a bombardearla. Llamaba cada vez que atacaban Israel. Después de colgar, papá dijo que era muy estúpida, que ya le había explicado cincuenta veces que Saddam no tenía ningún motivo para bombardear Beirut y que ni por casualidad la rozaría ningún Scud. Pero ella no le hacía caso, empezaba a llorar y le decía que no la quería.

Al día siguiente, Denise quiso saber si me había dolido.

–No demasiado –le conté.

Se había acercado a mi taquilla antes de clase.

–¿En serio? ¿No fue tan malo?

–No.

–¿Y la sangre? ¿Hubo mucha?

Sacudí la cabeza.

–¡Uau! ¡Qué suerte tienes!

–Supongo que sí.

Me mosqueaba un poco que de repente quisiera saber todo aquello, cuando solo un día antes decía que odiaba haberse enterado.

–¿Tomasteis precauciones? –preguntó.

Asentí.

–¿De qué tipo?

–Un condón.

–¿Se rompió?

–No.

–Se supone que el hombre tiene que sujetárselo al sacarla para que no se salga y se derrame nada dentro de ti. ¿Lo hizo?

–No me acuerdo. Creo que sí.

–Te podrías quedar embarazada si no lo hizo.

–Creo que lo hizo –dije, sobre todo porque quería que se callara.

–¿Así que ya está? –preguntó al cabo de un momento–. ¿Ya no piensa que seas una racista?

–No.

–Bueno, supongo que es lo que tú querías.

–Sí –contesté–. Lo es.

En el almuerzo lo primero que me dijo Thomas cuando me senté fue:

–¿Te duele?

–En realidad no –le dije.

–¡Oh! –Parecía contrariado.

–Fuiste muy cuidadoso –le recordé.

–No fui tan cuidadoso.

–El taxista me estuvo mirando como un guarro durante todo el camino a casa. Creo que era un racista.

–Gilipollas –dijo Thomas; luego empezamos a hablar de cómo podíamos encontrar un modo de denunciarlo.

Cuando llegué a casa aquel día llamé a mi madre. De algún modo, ser una mujer hacía que la echara de menos.

–Hola –dije cuando descolgó el auricular. Me pregunté si

me notaría diferente por el tono de mi voz. Llevaba todo el día imaginándome que tendría más calma y más paciencia con la gente.

—Hola —contestó—. ¿Cómo estás?

—Bien.

—¿Cómo fue la entrevista?

—Guay.

—Bien —volvió a decir. Se calló un segundo y luego añadió—: ¿No vas a preguntarme cómo estoy?

—¿Cómo estás?

—Estoy genial. Tengo un nuevo novio.

—¿Richard?

—¿Ya te lo había contado?

—Sí —dije—. La última vez que hablamos.

—Bueno. Es muy majo. Mucho más majo que Barry, eso seguro.

Me quedé callada. Nunca sabía qué decir cuando hablábamos de Barry.

—Creo que te gustaría —dijo mi madre.

—Estoy segura de que sí.

—Richard y yo fuimos a una feria de encurtidos el fin de semana pasado.

—¡Ah!

—Adivina a quién le encantan los encurtidos —dijo.

—¿A quién?

—A los japoneses —respondió—. ¿A que no lo sabías?

Las dos nos reímos un rato.

—¿Todo va bien por allí?

–Ajá.

–¿Tu padre se porta bien?

–Sí.

–¿Y Thomas? ¿Ves alguna vez a tu amigo Thomas?

–No –mentí.

Suspiró.

–Es una lástima –dijo.

–Tú y papá me dijisteis que no podía verlo.

–Lo sé –dijo un poco tensa.

–A veces lo veo en el colegio, pero eso no puedo evitarlo.

–La cuestión es, Jasira, que podría haberme equivocado con él.

Me apoyé en la encimera de la cocina. Me había mareado un poco al oírla decir que estaba equivocada en algo.

–¿Qué quieres decir? –le pregunté.

–Estoy diciendo que tal vez fuera injusto prohibirte que volvieras a verlo solo porque yo lo pasara mal cuando salía con tu padre.

–¡Ah!

–Me siento mal por eso.

–¿Significa que ahora puedo verlo?

–Bueno. No lo sé. Déjame hablar con tu padre del asunto.

–Muy bien.

–Aunque no puedes salir con él porque no puedes salir con nadie. Eres demasiado pequeña. Pero creo que tal vez estaba equivocada en no querer que fueras a su casa.

–Vale.

Después de colgar me sentí mejor de lo que me había sentido en mucho tiempo, como si hubiera hecho bien en hacer lo que me parecía correcto. Me metí en mi cuarto y me tumbé en la cama. Me metí las manos en los pantalones y empecé a tocarme. No podía dejar de pensar en la cara que ponía Thomas mientras miraba entre mis piernas. Me traía sin cuidado la parte del sexo. Lo que me gustaba era que me mirase. Quería regresar a su casa para que volviera a hacerlo.

Aquella noche, cuando mi madre volvió a llamar, papá se puso a gritar.

–¿Qué quieres decir con que has cambiado de opinión?

–Cuando ella le contestó, papá dijo–: ¡Bueno, está viviendo conmigo, así que soy yo el que pone las reglas!

Colgó el auricular y volvió a la sala de estar.

–No me importa lo que tu madre diga –me dijo–. No vas a ver a ese chico negro. ¿Lo entiendes?

–Sí –contesté, aunque no lo entendía, en absoluto.

–Si alguna vez descubro que lo has estado viendo, te castigaré severamente. Lo digo en serio.

–¡Pero si tú eres del continente africano!

–Escúchame: no soy del continente africano. Los que venimos de mi país, cuando rellenamos los formularios en los que nos preguntan nuestra raza, marcamos: blanca, y eso es lo que somos. Luego está la categoría negra para tu amigo. ¿Ves la diferencia? Deberías alegrarte de no tener que marcar esa casilla.

Volvió a su sillón, desde el que había estado viendo la guerra por la tele. La CNN estaba mostrando unas secuencias de soldados iraquíes huyendo de un búnker antes de que un avión estadounidense los bombardease.

–Mira eso –dijo papá cascando una nuez–. Es asqueroso. Lo único que han de hacer es matar a un hombre y no van a hacerlo. ¿De qué sirve acabar con la guardia republicana? Esa gente hará lo que Saddam les ordene. Así que si Saddam no está, no harán nada. Olvidémonos de esa gente.

Pensé que tal vez estuviera tratando de ser amable conmigo al hablar de la guerra, pero a mí no me apetecía hablar. Me ponía enferma que papá fuera un racista y que intentara obligarme a que yo también lo fuera. Me habría gustado decirle la verdad, que había estado todo lo cerca que se puede estar de una persona negra y que no me había sucedido nada terrible.

Al día siguiente, durante el almuerzo, Thomas aún seguía mosqueado porque no hubiera sangrado cuando lo hicimos.

–¿Te violaron? –preguntó después de que yo dejara la bandeja en la mesa y agujereara el cartón de leche con la pajita.

Lo miré.

–¿Qué?

–¿Por eso no me cuentas lo que te pasó?

No sabía qué decir. No sabía si me habían violado. Claro que sabía lo que era una violación, pero estaba más o menos segura de que solo era cuando alguien lo hacía contigo, no si únicamente usaba los dedos.

–Jasira.

–No. No me violaron.

–¿En qué estabas pensando ahora mismo?

–En nada.

–¿Estabas pensando en cuando te violaron?

–No. Ya te lo he dicho. No me violaron.

–Entonces, ¿por qué no salió nada de sangre cuando lo hicimos?

–No lo sé.

–Se suponía que tenía que salir sangre. Pues si no lo habías hecho con nadie antes que conmigo y no te han violado, ¿qué pasó?

–No pasó ninguna de esas cosas.

Me miró.

–Algo pasó, seguro –dijo.

–Tal vez sea que de usar tampones se ha estirado.

–Lo dudo.

Durante todo el camino a casa pensé en lo que Thomas había dicho sobre la violación. Sabía que la violación estaba mal, por supuesto. Sabía que cuando alguien te hacía eso, daba miedo y dolía, igual que con el señor Vuoso. Pero tampoco podía pensar que me hubieran violado, porque al fin y al cabo el señor Vuoso me gustaba. En la tele, las mujeres a las que habían violado iban a los tribunales y se alegraban cuando al violador lo declaraban culpable y lo metían en la cárcel. Querían que le pasaran cosas malas al violador. Pero yo no me sentía así con el señor Vuoso. Ni mucho menos. No quería que lo gasearan, ni que lo mataran, ni que lo llamaran a filas ni nada. Estaba enamorada de él, tal como le había dicho a Denise. Fuera lo que fuese lo que me había hecho, no podía ser una violación.

Cuando llegué a casa, hice los deberes y fui a ver a Melina. Abrió la puerta con un delantal encima de la camiseta y los pantalones negros ajustados.

–Hey –dijo–. ¿Por qué llamas?

–¿Cómo?

–¿Por qué no usas tu llave?

–¡Ah! No lo sé. No la llevaba encima.

–¿Por qué no?

–Está en mi mochila.

–Bueno, la próxima vez quiero que la uses.

–¿Aunque estés en casa?

–Da lo mismo que esté en casa o no.

–Vale.

–Por algo te la di.

Asentí.

–¿Puedo leer mi libro?

–Claro.

La seguí dentro. Noté que las cintas del delantal estaban atadas detrás con un nudo pequeño porque no llegaban para hacer un lazo.

–Tú misma –dijo haciendo un gesto hacia la mesita de café donde estaba el libro.

–¿Estás haciendo algo? –pregunté. No olía a comida.

–Más o menos. Preparo un sustituto de la sal. Si mezclas todas estas hierbas y las pasas por el molinillo del café, cuando las echas en la comida parecen sal.

–¿No puedes tomar sal?

–No, con mi presión sanguínea no.

–¡Vaya!

–¿Por qué no coges el libro y lo traes a la cocina? –dijo–. Puedes leer mientras yo muelo las hierbas.

–Vale –dije dirigiéndome hacia la mesita de café.

Me gustaba la cocina de Melina porque no era como la nuestra ni como la de los Vuoso. Estaba convencida de que ella y Gil no habían elegido ninguno de los diseños de cocina que la gente de la constructora les habían ofrecido, sino que habían hecho las cosas a su modo. Me entusiasmaban especialmente los enormes fogones y la nevera plateada. Parecía el tipo de cosas que encontrarías en un restaurante.

Me senté a la mesa de la cocina, que también me recordaba la de un restaurante, uno en particular al que solíamos ir mi madre y yo. Los asientos estaban tapizados de un escay rojo brillante.

Melina volvió a su tarea en la encimera y yo abrí el libro por la sección de la violación. Decía que violación era siempre que alguien te obligaba a hacer un acto sexual que no querías. Decía que lo que había pasado no era culpa mía, no importaba el tipo de ropa que vistiera. Decía que el señor Vuoso era un hombre enojado con valores confusos. Si yo quería, decía el libro, podía tomarme hasta tres años en denunciarlo.

Mientras leía, Melina encendía y apagaba el molinillo. También lo sacudió un par de veces mientras estaba moliendo, como si fuera una maraca. Cuando acabó, lo destapó, se chupó el dedo y lo metió en la mezcla.

–¿Sabe a sal? –le pregunté.

–Ven y pruébalo.

Me levanté y me acerqué a la encimera. Melina se volvió a chupar el dedo y lo hundió en las hierbas.

–Abre la boca –me dijo.

La abrí, ella me metió el dedo en la boca y cerré los labios a su alrededor de modo que cuando lo retiró salió limpio. Lo hice como si fuera algo que hubiese hecho con mi madre un montón de veces, solo que no era así. Mi madre y yo nunca habíamos hecho nada parecido.

–¿Qué te parece? –preguntó Melina.

–Sabe a ajo –dije–. Y a perejil.

–Pero no a sal.

–No mucho.

–¡Pues vaya! –Destapó un tarrito de cristal y empezó a meter los polvos dentro con una cuchara–. Quizá a Gil le guste.

–¿Qué pasaría si tomaras sal normal?

–Podría tener el bebé demasiado pronto.

–¡Oh!

–Para salvarme, me harían tener el bebé aunque no estuviera preparado para salir.

Asentí.

–Siempre salvan antes a la madre.

Me alegró oír eso, pues lo cierto era que Dorrie me importaba un bledo.

–Pero la madre siempre quiere salvar al bebé –dijo Melina.

–¿Es eso lo que tú querrías?

–Claro.

Me deprimió que dijera eso, aunque sabía que no pasaría.

–Tengo que hacer pis –dijo Melina pasándome la cuchara–. ¿Puedes acabar de hacer esto?

–Sí, claro.

Se desató el nudo del delantal y se lo quitó; empecé a meter el polvo en el tarro.

–¿Violación? –le oí decir al cabo de un segundo.

Levanté la vista de lo que estaba haciendo. Melina se había detenido junto a la mesa y ahora estaba mirando mi libro.

–¿Tienes alguna pregunta sobre la violación, Jasira? –me dijo. Hablaba más rápido de lo que era habitual en ella.

–¿Qué?

–¿Por qué estabas leyendo sobre la violación?

–No estaba leyendo sobre eso.

–Sí estabas. Quiero saber por qué.

–Estoy leyendo el libro entero –respondí–. Justo iba por ahí cuando me pediste que probara las especias.

–No es posible que hayas llegado hasta ahí con las pocas veces que vienes a casa. Sencillamente no es posible.

–Lo sé. Algunos trozos me los salto.

Melina me miró. No supo qué decir durante un buen rato. Luego respiró hondo.

–Vale, es tu libro. Puedes leer los fragmentos que te apetezcan.

–Gracias.

–Pero si tienes alguna pregunta sobre algo de lo que estés leyendo, ven y házmela.

–Vale.

–Yo sé todo lo que hay en ese libro.

Asentí.

–¿Hay alguna pregunta que quieras hacerme ahora?

Negué con la cabeza.

–No.

–¿Estás segura?

Asentí.

Melina suspiró.

–Muy bien, entonces.

Cuando salió de la cocina, fui a cerrar el libro y lo volví a dejar en la sala. Luego acabé de poner la falsa sal en el tarro y lo cerré.

–¿Dónde está el libro? –preguntó Melina al regresar.

–Ya he terminado de leerlo. Lo he guardado.

–¡Oh! –dijo Melina, y se puso la mano en la barriga.

–¿Qué pasa? –pregunté, aunque me lo imaginaba.

–Dorrie acaba de darme una patada.

–¿Te encuentras bien?

Asintió.

–Tal vez vuelva a hacerlo. ¿Quieres tocar?

–Será mejor que me vaya a casa.

Melina pareció contrariada.

–¡Vaya!

–Tienes las especias en el tarro –dije levantándolo para enseñárselo.

–Vale –respondió–. Gracias.

Entonces me marché a casa y lloré en la cama. Primero lloré porque odiaba al bebé, y después lloré porque me sentía fatal por odiar al bebé. Luego lloré más cuando me di cuenta de que odiar al bebé hacía que yo fuera como mi madre, y no quería ser como ella ni por asomo. Si yo estaba enfadada con mi madre por ser siempre tan celosa conmigo, seguramente Melina se enfadaría conmigo por tener tantos celos de su bebé. No quería que eso ocurriera, así que me obligué a dejar de llorar. Me dije a mí misma que sentirse fatal y sola era mejor que odiar a un bebé, y eso es lo que intenté.

Esa noche papá llegó a casa de muy mal humor. En la radio había oído que el presidente Bush acababa de anunciar un alto el fuego con los iraquíes a pesar de que Saddam no estaba muerto y ni siquiera lo habían capturado. Decía que deberían despedir a Colin Powell por no hacer su trabajo, y someter a un *impeachment* al presidente Bush por hacerle caso.

También lo sacaba de quicio que no hubieran llamado a filas al señor Vuoso a tiempo para que lo gasearan. Ahora que los iraquíes se habían rendido, papá estaba seguro de que no intentarían ninguna jugarreta contra los estadounidenses.

—Así que el tipo este se ha librado así de fácil —dijo—, una vez más.

No estaba segura de cuáles eran las otras veces.

—¿Llamarán a filas al señor Vuoso? —pregunté.

—Lo más seguro es que no —dijo papá, y se fue a buscar una cerveza.

Fingí estar tan deprimida como papá por la noticia, pero por dentro me alegraba. Ahora no importaba si perdía a Thomas porque era negro ni si Dorrie me robaba a Melina, porque el señor Vuoso estaba a salvo. Iba a seguir viviendo en la casa de al lado, y mientras él estuviera allí yo nunca estaría sola.

9

Una semana después de que la guerra terminara, se canceló el lanzamiento del transbordador en Cabo Cañaveral. Papá dijo que era porque había fisuras en algunas abrazaderas y porque la NASA había contratado a unos tarados. Estaba muy enfadado por tener que aplazar el fin de semana con Thena hasta abril, mes en el que habían vuelto a fijar la fecha del lanzamiento. Decía que necesitaba recuperarse de la desgracia de que Colin Powell hubiera echado a perder la guerra.

A mí también me fastidió que se cancelara el viaje de papá. Tenía ganas de hacer lo que me diera la gana durante un par de días, sobre todo con el señor Vuoso. Imaginaba que me volvería a llevar a cenar a Ninfa's para celebrar que no le iban a llamar a filas, y que luego volveríamos a casa de papá y usaríamos uno de sus condones para hacer el amor. Pensaba que si me lo hacía de una manera agradable, eso demostraría de una vez por todas que el señor Vuoso no me había violado. Que el día en que usó los dedos era solo porque estaba furioso conmigo.

Mi madre le envió una carta a mi padre para decirle que había leído que se había cancelado el lanzamiento y que él y Thena debían de estar muy decepcionados. Incluía una foto de ella con su nuevo novio, Richard, en la feria de encurtidos, y Richard era negro. Supuse que por eso había cambiado de opinión en cuanto a que me viera con Thomas.

—Esta mujer es la mayor hipócrita del mundo —dijo enseñándome la foto.

Luego la rompió en pedazos y la tiró a la basura. Cuando salió de la cocina, fui a recuperarla. Lo que mi madre había dicho de que a los japoneses les gustaban los encurtidos era cierto. Se veía a un montón de japoneses paseando al fondo.

Al día siguiente llevé la foto al colegio para enseñársela a Thomas.

—¿No es el colmo? —dijo después de reírse.

Le dije que sí, y cada vez que nos encontrábamos ese día se ponía a negar con la cabeza y a sonreír. Aunque Richard fuera negro como Thomas, daba la impresión de que Thomas pensaba que a mi familia le había ocurrido algo malo porque mi madre saliese con Richard, y que se alegraba de ello.

Muy pronto papá empezó a llamar Colin Powell al nuevo novio de mi madre. Decía cosas como: «Tal vez tu madre se case con Colin Powell», o «Supongo que a tu madre y a Colin Powell les gustan mucho los encurtidos». Yo suponía que también llamaría Colin Powell a Thomas, pero no hablábamos de él tanto como para eso.

Thomas y yo no lo habíamos vuelto a hacer desde aquella

primera vez en su casa. Decía que no volvería a hacerlo conmigo hasta que le contara la verdad de por qué yo no era virgen. Cuando le contestaba que le estaba contando la verdad, decía que no me creía.

—¡Qué gilipollas! —exclamó Denise cuando se lo conté.

—Sí —dije, aunque él tenía razón y yo mentía.

—Además, ¿quién necesita a ese tío? —me preguntó.

Me encogí de hombros. Quería volver a hacerlo con Thomas, y me gustaba que él estuviera tan seguro de saberlo para pensar que podía chantajearme con eso. Al principio yo podía tomarlo o dejarlo, pero ahora que se comportaba como si me estuviera privando de algo, le seguía el juego. Me hacía sentir como una de las chicas de *Playboy* a las que les encantaba el sexo. A veces incluso se lo pedía por favor, pero Thomas decía que no, no hasta que fuera sincera con él. Luego fui a casa y tuve un orgasmo pensando en que me encantaba el sexo pero no podía hacerlo.

El periódico del colegio con mi artículo sobre el señor Vuoso no salió hasta después de que terminara la guerra, por lo que algunas de las preguntas parecían desfasadas. Sin embargo, era emocionante ver mi nombre impreso.

—¿Quién coño es este? —preguntó Thomas al abrir el periódico durante el almuerzo.

—Mi vecino —le expliqué.

—¿Quieres decir que es el padre de aquel niño? ¿Entrevistaste al padre de ese niño?

—Es reservista. De eso trata el artículo.

—Podías haber escrito sobre otra cosa —dijo Thomas.

–Es que soy la corresponsal de guerra del periódico.

–No, no lo eres. Los corresponsales de guerra están en la guerra. Tú estás en Texas.

–Estaba entrevistando a alguien que probablemente iba a ir pronto a la guerra.

Thomas contempló la foto del señor Vuoso con su uniforme del ejército.

–Se parece a ese estúpido niño.

–Lo sé.

–Odio a ese niño.

Denise pensaba que mi artículo estaba bien. Decía que si finalmente llamaban a filas al señor Vuoso, me quedaría la entrevista como un recuerdo del tiempo que habíamos pasado juntos. Denise estaba decepcionada por la respuesta del señor Joffrey a sus horóscopos. Le había enseñado el periódico y le había pedido que lo leyera, pero él le contestó que no creía en la astrología.

No le di ningún periódico al señor Vuoso, pero Zack tenía un amigo cuyo hermano iba a secundaria y le dio a Zack una copia. Se lo enseñó a su padre y el señor Vuoso vino una tarde a casa a hablarme del artículo.

–Yo nunca he dicho esto –se quejó de pie en el vestíbulo señalando con el dedo la última línea del artículo que tanto le había gustado a Charles, el redactor jefe–. Nunca he dicho nada parecido.

No sabía qué responderle. Había pensado que le gustaría aparecer como un tipo duro y fuerte.

–Nada de todo esto parece auténtico –dijo golpeando el

periódico con el dorso de la mano–. Ve a buscar la cinta. Quiero oírla.

–No puedo.

–¿Cómo que no puedes?

–Papá me la quitó.

–¿Qué?

–Se enfadó porque le hice la entrevista y se quedó la cinta. Por eso tuve que inventármelo todo.

Pensé que le daría pena que papá fuera tan malo conmigo, pero no fue así.

–Esto me cabrea de verdad. Soy un representante del ejército de Estados Unidos. Estas no son las cosas que diría alguien que está en el ejército.

–Lo siento.

–¿Lo sientes? –dijo–. ¿Y de qué me sirve que lo sientas?

–No lo sé.

–De nada. No me sirve de nada.

–Estoy segura de que nadie del ejército lo verá.

–No puedes decir eso. Muchos niños de ese colegio podrían tener padres en las Fuerzas Armadas. ¡Joder! Quedo como un jodido idiota.

–Intenté recordarlo todo lo mejor que pude.

Me miró.

–Pues tienes una memoria de mierda, ¿vale? No vuelvas a dirigirme la palabra. No te acerques a mí, no hagas nada. Déjame en paz.

–¿Por qué? –pregunté, y me di cuenta de que estaba empezando a ponerme a llorar.

–Porque eres una niña muy estúpida –dijo, y se marchó.

Cuando se fue no supe qué hacer. Me quedé allí plantada durante un buen rato y luego me fui al sofá. El señor Vuoso ya no iba a ser agradable conmigo. Ya no iba a lamentar lo que me había hecho. Al revés, pretendía que yo sintiera lástima por lo que le había hecho a él. Pero lo suyo había sido mucho peor. No me parecía justo. Suponía que aún podía chivarme de lo que me había hecho, puesto que el libro de Melina decía que disponía de tres años para denunciarlo, pero eso tampoco tenía sentido. Lo único que conseguiría es que se enfadara más.

Aún tenía tiempo antes de que papá llegara a casa. Era consciente de que el señor Vuoso me había dicho que lo dejara en paz, pero no pude evitarlo y fui a llamar a su puerta. Abrió Zack.

–¿Está tu padre por aquí? –le pregunté.

–¡Ese artículo es una mamonada! –dijo.

–Ve a buscar a tu padre.

–Mi padre nunca dijo esas cosas. Te lo has inventado todo.

–Sé que está aquí –le dije–. Acaba de estar en mi casa.

–No quiere hablar contigo.

–Es solo un segundo.

–Vete a casa, moraca.

–No me llames así.

–Montacamellos. –Miró por encima del hombro para asegurarse de que su padre no andaba por ahí.

De repente, la gatita se escapó. Salió corriendo por la puerta abierta y cruzó el jardín delantero de los Vuoso en dirección a la casa de Melina.

–¡Snowball! –llamó a voces Zack. Ya casi había oscurecido e iba en calcetines–. ¡Apártate!

Al decir eso me echó fuera de un empujón para salir al jardín.

–¡Snowball! –volvió a gritar agachándose casi hasta el suelo y extendiendo la mano como si tuviera comida en ella. Hizo ruido de besos y luego, con una voz aún más aguda de lo habitual en él, gritó–: ¡Snowball! ¡Snowball!

Me quedé en el porche, mirando. Cuando Zack ya había cruzado el jardín de Melina y casi estaba en el siguiente, entré en su casa y cerré la puerta. Luego eché la llave. Casi era la hora en que la señora Vuoso regresaba, pero sabía que disponía de unos minutos. Atravesé tranquilamente el salón y entré en la cocina, pero el señor Vuoso no estaba allí. Subí la escalera. Lo encontré en su dormitorio, tumbado con un brazo sobre la frente. Había una luz muy tenue en su mesita de noche. Me recordaba a las viejas lámparas de aceite que usaban en *La casa de la pradera*, con la llave de metal a un lado para encenderla y apagarla.

–¿Señor Vuoso? –dije.

Se apartó el brazo de la frente y levantó un poco la cabeza para mirarme.

–¿Qué estás haciendo aquí?

–Solo quería decirle que lo siento.

–Fuera de aquí –dijo sentándose–. Te dije que no quería que volvieras nunca.

–¡Pero ya le he dicho que lo siento!

El señor Vuoso se sentó en el borde de la cama y me miró fijamente.

—¿No puede perdonarme? —le pregunté.

—Has ido demasiado lejos. Esto ha sido el colmo... Poner palabras en mi boca...

—No lo haré más.

Se rió de modo perverso.

—¡Bueno, pues claro que no! Nunca te concederé otra entrevista, eso seguro.

Eso me hizo llorar un poco, aunque yo no quisiera hacerle otra entrevista. Era como si lo único que estuviera diciendo fuese «nunca». Sonaba tan definitivo...

—Deja de llorar. No te va a servir de nada.

—No puedo evitarlo.

—Ya —dijo como si no me creyera.

—No puedo.

El señor Vuoso me miró durante un buen rato.

—¿Sabes lo que haces? —me preguntó luego.

Negué con la cabeza. Me daba miedo escuchar lo que estaba a punto de decir, pero a la vez me alegraba que al menos me hablase.

—Te comportas como si fueras una niña pequeña y no supieras lo que haces, pero sí que lo sabes. Sabes perfectamente lo que haces.

—No, no lo sé —respondí, porque lo que el señor Vuoso estaba diciendo parecía malo.

—Sí, lo sabes. Sabes perfectamente lo que haces con los hombres.

No contesté. Una parte de mí quería defenderse, pero otra parte se sentía como si le estuvieran haciendo un cumplido.

—Bueno —dijo el señor Vuoso—, pues ya no vas a enredarme nunca más. Ya me tienes harto.

—Yo no quiero enredarlo. Es solo que usted me gusta.

—No quiero gustarte. Hay algo malo en ti.

—Deje de decir esas cosas —le pedí mientras intentaba no ponerme a llorar otra vez.

—Digo lo que me da la gana.

Justo entonces sonó el timbre.

—¿Quién coño es? —preguntó el señor Vuoso.

—Debe de ser Zack.

—¿Zack?

—Se me ha cerrado la puerta y lo he dejado fuera sin querer.

—¡Por todos los demonios! —dijo el señor Vuoso, que se levantó, pasó por delante de mí y salió de la habitación.

Le seguí escalera abajo hasta la sala de estar. Cuando abrió la puerta, Zack estaba allí sin la gata.

—¡Snowball se ha escapado! —gritó—. ¡Esa moraca ha conseguido que se escapara y luego me ha cerrado la puerta!

Esperaba que el señor Vuoso le dijera a Zack que no me llamara así, pero no lo hizo. Se volvió a mirarme y me ordenó:

—Es hora de que te vayas a casa.

—¿No la has encontrado? —le pregunté a Zack.

—¿Has oído lo que he dicho? —insistió el señor Vuoso cogiéndome fuerte del brazo y empujándome fuera.

Cuando me cerró la puerta, me quedé allí plantada en los escalones de la entrada, un poco mareada. Al cabo de un momento, la puerta volvió a abrirse y salieron Zack y su padre.

–¡Vete a tu casa! –me chilló el señor Vuoso al ver que aún estaba allí–. ¡Lárgate de mi jardín!

Me aparté de los escalones de la entrada y los dos pasaron rápidamente por delante de mí y bajaron hasta el césped. Ahora Zack tenía puestos los zapatos y llevaba una caja con pienso, que agitaba mientras llamaba a gritos:

–¡Snowball! ¡Snowball!

El señor Vuoso también gritaba el nombre de la gata. Me fui a casa caminando despacio, deseando ver a la gata en algún sitio, pero no vi nada, solo la calle vacía.

En mi habitación me tumbé en la cama mientras el corazón se me aceleraba. No sabía qué iba a hacer sin el señor Vuoso. Era la persona de quien más cerca me sentía... incluso más que de Thomas. Era quien me había hecho cosas que se suponía que no debía hacer, pues era un adulto. Cuando alguien te hacía cosas que se suponía que no debía hacer –cosas que te hacían sentir bien–, sabías que eras especial. Por eso no podías perderlo. Si lo perdías, dejabas de ser especial. No valías un pimiento. Tenías que esperar a que otra persona te hiciera esas cosas, pero como no estaban bien, lo más probable era que no encontraras a nadie. Seguramente tendrías que asumir que ibas a quedarte sola.

–Acabo de atropellar un gato –me dijo esa noche papá al llegar a casa.

Lo miré. Me había levantado de la cama y estaba sentada en el rincón del desayuno haciendo los deberes.

–¿Qué?

—Apareció corriendo delante del coche. Estaba oscuro. No lo vi.

—¿Dónde está? —pregunté.

—¿Qué quieres decir con dónde está? Está en la cuneta. Está muerto.

—¿No lo recogiste?

—¿Y qué iba a hacer con él?

—No lo sé.

—Voy a llamar al servicio de recogida de animales. Ellos vendrán a recogerlo.

—¿Cómo era? —le pregunté.

Sacó el listín de teléfonos y empezó a buscar por las páginas amarillas.

—Era pequeño y blanco.

Respiré hondo.

—Era la gata de los Vuoso.

—¿Qué? —dijo papá levantando la vista del listín.

—Has atropellado la gata de los Vuoso.

—¿Cómo lo sabes?

—Porque esta tarde fui a su casa a ver a Zack y se le escapó mientras hablábamos.

—Me tomas el pelo —dijo papá dejando el listín sobre la encimera de la cocina.

Sacudí la cabeza.

—¿Qué coño hacías allí? Ni siquiera te gusta ese idiota de niño.

—No lo sé.

—¡No! —gritó papá—. ¡Eso no es verdad! Uno no llama a las

puertas de los demás sin saber por qué. Dime ahora mismo para qué fuiste.

–Tenía que preguntarle algo al señor Vuoso.

–¿A Vuoso? –dijo papá–. ¿De qué coño hablas?

–Tenía que decirle que sentía lo del artículo.

–¿Qué artículo?

–El de los reservistas para el periódico del colegio.

–No lo escribiste. Yo tengo la cinta.

–Lo escribí intentando recordar lo que me había dicho.

–¿Escribiste un falso artículo sobre Vuoso?

–No. Me acordaba de un montón de cosas. Pero unas pocas estaban mal y al señor Vuoso le ha sentado como un tiro.

Papá se quedó callado un segundo.

–¿Tienes ese periódico? –preguntó luego.

Asentí.

–Ve a buscarlo.

Fui a sacar el periódico de mi mochila y se lo di.

–Mira ese idiota –dijo papá golpeando la foto del señor Vuoso con el dedo.

Luego empezó a leer. Casi de inmediato se puso a reír.

–¿Esto es lo que recordabas? –dijo–. ¡Tienes una memoria terrible!

Leyó en alto sus respuestas favoritas, como: «No, no tengo miedo de ir a la guerra. No me da miedo, pues solo tengo que repartir comida» o «Todos necesitamos petróleo para la gasolina de nuestros coches». Cuando terminó, dijo que era el mejor artículo que había leído en su vida y que había hecho bien en quitarme la cinta.

—Ahora ve a coger el abrigo —me dijo luego.

Cuando volví del armario, papá estaba hurgando debajo del fregadero y sacando las viejas camisetas blancas con manchas de sudor amarillas en los sobacos que usaba para limpiarse los zapatos.

—Toma —dijo dándome una.

Después cogió los guantes amarillos de fregar que colgaban del grifo y también me los dio.

—Vamos —dijo cogiendo su abrigo de la silla donde lo había dejado.

Nos metimos en el coche, recorrimos la calle hasta el final y luego giramos a la izquierda. Vi la gata en cuanto apareció ante los faros del coche. Tenía el mismo aspecto que algunos insectos muertos, enroscada en un ovillo apretado, como si estar vivos fuera lo único que les mantuviera el lomo recto.

—Ve a buscarla —dijo papá parándose y abriendo la puerta del coche.

Me ponía nerviosa verla de cerca porque nunca antes había visto nada muerto. Quería cogerla lo antes posible. Sabía que pronto se pondría tiesa y me aterraba la idea de tocarla así.

La gata tenía los ojos abiertos, cosa que por un segundo me hizo pensar que podía seguir viva; pero cuando vi lo quieta que estaba y que los ojos no se movían para mirarme, comprendí que realmente había muerto. Había visto en la televisión que cuando una persona muere con los ojos abiertos alguien le pasa la mano por los párpados para cerrárselos. Es malo tener los ojos abiertos si no estás vivo. Pero no creí que eso pudiera funcionar en aquel momento, pues los gatos no tienen verdaderos párpados.

–Lo siento, Snowball –dije en lugar de cerrárselos.

Al darme los guantes, papá me había hecho creer que iba a estar cubierta de sangre, pero solo tenía un hilillo que le salía de la oreja izquierda. Aun así, me los puse antes de levantarla y colocarla en el centro de la camiseta de papá que antes había extendido sobre el asfalto. Aún no estaba tiesa, pero tampoco tenía un tacto normal; estaba más bien tensa, como un músculo contraído. Mientras la movía, me di cuenta de que estaba cerrando un poco los ojos, como cuando ves una película de miedo a través de la mano entreabierta.

Una vez en la camiseta, la alcé por los extremos y la cargué como un saco hasta el coche. Papa me abrió la puerta desde dentro.

–Llévala en el regazo –me ordenó.

Nos quedamos en silencio el par de minutos que duró el trayecto hasta casa. Al llegar al camino de entrada, papá apagó el motor.

–Llévala dentro.

–¿No quieres que se la devuelva a los Vuoso? –le pregunté.

–Lo dices en broma, ¿no? ¿Para que ese gilipollas pueda llamarme asesino? Ni pensarlo.

Una vez dentro, se puso a mi lado junto a la encimera de la cocina para darme instrucciones de cómo envolver la gata, primero en papel film y luego en varias capas de bolsas de plástico. Me dijo que la metiera en el congelador y que la tiraríamos a la basura un par de días más tarde.

–Entonces nunca sabrán lo que le ha pasado –dije.

–Bueno –contestó papá–, debiste pensar en eso antes de hacer que la mataran.

Aquella noche, en la cama, no podía dejar de pensar en lo que papá había dicho. Que yo había provocado la muerte de Snowball. Pensé que seguramente tenía razón pero, al mismo tiempo, me preguntaba cómo había llegado a provocarla. Hice que la mataran por intentar disculparme con el señor Vuoso, pero nunca habría tenido que disculparme si papá no me hubiera quitado la cinta y yo no hubiera tenido que escribir un artículo falso. ¿Cómo sabía papá cuál era el origen de todos los problemas? ¿Cómo podía estar tan seguro? Supuse que estaba seguro porque papá nunca creía que él hiciera nada mal. Pero sí que hacía cosas mal. Era un racista y era malo y me pareció que, algún día, alguien más acabaría por descubrirlo.

Al día siguiente, durante el almuerzo, le conté a Thomas lo de Snowball.

–Quiero verla –dijo.

–No puedes –le contesté–. Está completamente envuelta.

–Pues la desenvolveremos.

–No sé…

–Yo lo haré, tú no tendrás que tocarla.

No dije nada. Me preocupaba que los Vuoso se chivaran si veían que Thomas me visitaba. Podían estar fuera buscando a Snowball.

–Vamos –dijo. Luego bajó la voz y añadió–: Nos acostaremos.

—¿De verdad?

Asintió.

—Ya sé que lo echas de menos.

Cuando Thomas empezaba a hablar así y a dar por hecho que a mí me encantaba hacerlo con él, me daba buen rollo. A papá le sacaba de quicio que la gente hiciera suposiciones sobre él, pero a mí me gustaba que las hicieran sobre mí. Me hacía sentir como si alguien quisiera conocerme. Aunque se equivocaran, no importaba. Solo importaba que lo intentasen.

—No tengo ningún condón.

—¿Y? —dijo—. La sacaré.

—¿Eso funcionará?

—Sí.

—Vale.

—Vale —dijo, y me dio un golpecito en la pierna con la suya por debajo de la mesa.

Esa tarde, cuando Thomas y yo bajamos del autobús, Zack estaba fuera, llamando a Snowball.

—¡Hola, Zack! —dijo Thomas como si fueran viejos amigos.

Zack no le hizo caso.

—He oído que has perdido tu gata —dijo Thomas.

—Que te jodan —murmuró Zack.

—¿Qué has dicho? —preguntó Thomas.

Zack no lo repitió. En lugar de eso, gritó, un poco más fuerte de lo habitual:

—¡Snowball!

—¡Snowball! —gritó también Thomas.

–¡No lo hagas! –gimoteó Zack–. Le das miedo. No va a volver si sabe que andas por aquí.

–¿Y si no vuelve nunca? –preguntó Thomas.

–Venga –le dije–, vámonos.

–¿Y si está muerta? –insistió Thomas.

–Que te jodan –dijo Zack–. ¿Tú qué sabrás? –Dio media vuelta y caminó en dirección contraria.

Una vez dentro de mi casa, Thomas fue directamente a la nevera.

–¿Es ella? –preguntó señalando el paquete de forma extraña envuelto en bolsas de plástico de supermercado, y yo asentí.

La sacó y la colocó sobre la encimera. La gata hizo el mismo ruido que hubiera hecho un bloque de hielo. Supongo que en realidad era un bloque de hielo.

–No me puedo creer que te obligara a envolverla –dijo Thomas deshaciendo uno de los muchos nudos que yo había hecho con las asas de las bolsas.

–Fue mi castigo –dije–. Yo la maté.

–¡Y una mierda! –soltó Thomas–. Tú no conducías.

Me acerqué a él, apoyando la cabeza en su hombro.

–Lo que sí has hecho es poner muchas bolsas –dijo, pues cada vez que quitaba una aparecía otra más.

–Papá quería ser higiénico.

–Tres es higiénico. Cinco es locura.

Al final llegó hasta el papel film. Se la veía claramente a través de él.

–¡Jo, tío! –exclamó Thomas–. ¡Qué pena!

–Era una buena gata.

Thomas asintió.

–¿Tiene los ojos abiertos?

–Ajá.

–¿Por qué no se los cerraste?

Me encogí de hombros.

–Se los podemos cerrar ahora.

–No podemos. Está congelada.

–Bueno, apuesto a que si la descongelamos un poco, podremos cerrárselos.

–No nos da tiempo.

–Claro que sí. –Me abrazó y me dio unos cuantos besitos en la mejilla–. Podemos ir a tu habitación, y cuando salgamos la gata ya se habrá ablandado.

–¿Y si huele?

–No olerá.

–¿Estás seguro? –pregunté, y me susurró al oído que sí.

Subimos a mi habitación y Thomas me dijo que me desnudara.

–¿Tú no vas a desnudarte? –pregunté al ver que se quedaba allí mirándome.

Negó con la cabeza.

–Quiero hacerlo estando tú desnuda y yo no. Solamente me desabrocharé los tejanos.

–¿Por qué?

–Porque es excitante. Demuestra lo mucho que quieres hacerlo.

Pensé que tenía sentido.

–Vale –dije. Cuando me hube quitado toda la ropa, me

dijo que me pusiera a cuatro patas en la cama–. ¿Por qué?
–volví a preguntar.

–Porque quiero hacerlo así.

–Pero así no podré verte.

–Me sentirás.

Hice lo que me decía, aunque estaba algo cortada. Temía que al estar así, él pudiera verme el agujero del culo. Intenté girarme un poco para mirarlo, pero me ordenó que no me girase. Me dijo que mirara hacia delante y no me preocupara. Oí su cremallera, luego noté que su pene me daba golpes. Intentaba meterlo por un lugar donde no había agujero.

–No es ahí –le dije.

–Espera.

Después de otro intento, encontró el lugar correcto. Yo ya estaba excitada desde que me había besado en la cocina, así que entró con mucha facilidad.

–¡Oh, tío! –le oí decir. Luego me preguntó–: ¿Te gusta?

–Sí –dije, aunque no estaba muy segura de si me gustaba. Tampoco es que fuera malo. Era exactamente lo que era: Thomas sujetándome por las caderas mientras me la metía y me la sacaba.

–¿Vas a correrte? –me preguntó al cabo de un minuto.

–No creo.

–La chica tiene que correrse primero.

–No creo que vaya a correrme.

–¿Por qué no?

–No lo sé. No sé cómo correrme si no estoy sola.

Justo entonces, Thomas me rodeó con el brazo la cadera

y me metió mano en la entrepierna. Yo hice un ruido sin querer, como un largo ¡oooh!

–¿Puedes correrte así? –me preguntó Thomas.

–Sí.

Y entonces, al poco rato de que Thomas empezara a frotarme, me corrí. Hice otro ruido, como si me temblara la voz. Parecía mucho mejor así, tener un orgasmo con otra persona. Era increíble pensar que yo no era la única que sabía cómo hacerme sentir bien.

–Vale, ahora voy a correrme yo –dijo Thomas.

–Vale.

Noté que la sacaba de dentro de mí.

–Túmbate boca arriba –me dijo.

Lo hice, pero en lugar de metérmela otra vez se arrodilló delante de mí mirándome la entrepierna y meneándosela. Cuando llegó el momento de correrse, apuntó el pene hacia mi barriga y allí es donde aquella cosa fue a parar. Me entró un poco en el ombligo. Cuando acabó, se tumbó a mi lado en la cama.

–¿Me das un trozo de papel higiénico? –le dije.

–Espera un segundo.

–Necesito un papel –dije al notar que el líquido me resbalaba por la piel–. Se va a derramar en la cama.

–Vale –dijo, se levantó y fue al baño. Cuando volvió con el papel, él mismo me limpió–. ¿Te ha gustado?

–Sí –contesté. En realidad no estaba segura de si me había gustado o no, pero cuando la voz de Thomas sonaba como si pensara que debía de haberme gustado, me daban ganas de decirle que sí.

–La próxima vez voy a correrme en tus tetas.

–Vale –dije.

Intenté no demostrar lo mucho que me emocionaba que hablara de volver a hacerlo sin tener que explicarle por qué no era virgen.

Hizo una bola con el papel higiénico.

–Vamos a ver si ya se ha descongelado –dijo.

No se había descongelado. Además, empezaba a oler un poco mal. Thomas dijo que no olía a nada, pero imaginé que seguramente lo decía para no tener que admitir que se había equivocado.

–Tenemos que envolverla otra vez –le dije.

–O podríamos meterla en el microondas –dijo Thomas–. Solo durante, digamos, treinta segundos.

–No.

Empezaba a recordarme a los niños del colegio que contaban chistes desagradables sobre animales metidos en hornos, secadoras y lavaplatos.

–Es una falta de respeto no cerrarle los ojos –opinó Thomas.

–Más falta de respeto es meterla en el microondas.

–No si lo haces para cerrarle los ojos.

Lo pensé; no estaba segura de que tuviera razón.

–¿Y si empieza a apestar aún más?

–No apestará. No con solo treinta segundos.

Pero empezó a apestar. No era un olor demasiado malo, pero tampoco era muy bueno que digamos. Incluso Thomas admitió que olía mal. Además, pasados los treinta segundos, siguió sin poder cerrarle los ojos.

—Tendremos que volver a meterla en el congelador —dije, y esta vez me hizo caso.

Observé cómo Thomas envolvía a Snowball igual que papá me había observado a mí la noche anterior. Cuando él no hacía algo bien, yo se lo decía, pero no de una manera hostil como papá. A Thomas no le gustó tener que volver a meterla en tantas bolsas de plástico, pero le advertí que si no lo hacía me metería en un buen lío.

—¿Cómo vas a meterte en un lío? —me preguntó—. Quiero decir que, ¿en serio tu padre va a comprobar en cuántas bolsas está envuelta la gata antes de tirarla a la basura?

—No lo sé. Es capaz.

—Me resulta difícil de creer —dijo Thomas, que hirió un poco mis sentimientos, aunque probablemente era verdad que papá no comprobaría las bolsas.

No sabía cómo explicarle a Thomas que no se trataba de eso. De lo que se trataba era de que yo, en todo momento, necesitaba mantener el mayor número de cosas posible en las condiciones que papá quería.

Nos dimos un beso de despedida en el salón y luego abrió la puerta principal. Al salir, el señor Vuoso estaba en su jardín arriando la bandera.

—Está el tipo de tu artículo —dijo Thomas, y se rió un poco.

Le chisté para que se callara.

—¿Qué pasa? —preguntó Thomas.

—No le ha gustado cómo quedó el artículo.

Thomas se encogió de hombros.

–A mí me pareció bien, es decir, para ser sobre un gilipollas...

Justo entonces el señor Vuoso empezó a caminar hacia nosotros.

–¡Oh, no! –exclamé.

–Yo lo manejaré –se ofreció Thomas.

–Jasira –dijo el señor Vuoso entrando en nuestro jardín. Tenía la bandera doblada en un triángulo bajo el brazo.

–¿Sí?

–¿Qué pasa aquí?

–Nada –respondí.

–¿A qué se refiere con «qué pasa aquí»? –preguntó Thomas.

–No estoy hablando contigo, hijo –dijo el señor Vuoso.

–No soy su hijo –replicó Thomas.

–¿Sabe tu padre que él está aquí? –me preguntó el señor Vuoso.

Yo me quedé callada.

–Déjela en paz –dijo Thomas, y cambió de postura de manera que de repente parecía más alto.

El señor Vuoso no le hizo caso.

–Ven a hablar conmigo cuando se haya marchado –dijo, y dio media vuelta para volver a su casa.

–¿Quién coño se cree que es? –preguntó Thomas en voz alta para que el señor Vuoso pudiera oírlo.

Me encogí de hombros.

–Ni se te ocurra ir a hablar con él.

–No lo haré –dije, y realmente lo pensaba.

Algo en el modo en que se comportaba el señor Vuoso me recordaba el día que me había hecho daño.

–Vete a casa y enciérrate con llave ahora mismo –dijo Thomas.

Asentí y entré en casa. Después de cerrar la puerta con llave, descorrí la cortina del salón y saludé a Thomas con la mano mientras se alejaba por la calle. Cuando lo perdí de vista, dejé caer la cortina y entré en la cocina para repasar las cosas. Todo parecía en orden, salvo que aún olía un poco. Saqué un ambientador del armario del lavadero y lo esparcí por toda la cocina, pero eso no hizo más que añadir un aroma de gardenias al asqueroso olor a gato muerto. Recorrí la casa abriendo las ventanas y, mientras abría las de la sala, sonó el timbre. Me quedé helada.

–Jasira –oí que me llamaba el señor Vuoso. No me moví–. Sé que estás ahí dentro –añadió al cabo de un segundo.

–¿Sí? –dije intentando parecer lo más amable posible.

–¡Abre la puerta!

No la abrí.

–¡Abre ahora mismo! –gritó.

Al final, corrí la cortina del salón y lo miré.

–¿Qué ocurre? –pregunté.

–Abre la puerta –dijo asomando un poco el cuello desde los escalones.

–Dígame desde ahí lo que quiera decirme.

–¡Me cago en…! Te dije que vinieras a verme cuando ese chico se marchara.

–No quiero ir.

–¿Ah, no?

Sacudí la cabeza.

Se quedó allí quieto en los escalones durante un segundo. Luego bajó y se acercó al ventanal. No tuvo ningún cuidado con las pequeñas caléndulas que papá había plantado debajo del alféizar, simplemente las pisó.

–¿Qué estabas haciendo con ese negro? –exigió saber.

–Nada.

–Dime lo que has hecho con él o le cuento a tu padre que ha estado aquí, y no me importa lo fuerte que te pegue.

Me hizo respirar hondo escuchar a alguien decir que mi padre me pegaba.

–Por favor, no le diga a papá que Thomas ha venido.

–Dime lo que has hecho con él.

No dije nada.

–¿Has dejado que te follara?

Seguí sin decir nada.

–¡Joder!

–Dijo que no se chivaría.

–¡Joder! –repitió.

–¿A qué huele? –dijo papá cuando llegó a casa.

–¿Eh? –dije respirando hondo para demostrarle que no tenía ni idea de lo que me estaba hablando.

–Aquí huele mal –dijo apuntando con la nariz en todas direcciones.

–Yo no huelo nada.

–¿Es la basura? –Abrió la puerta de debajo del fregadero. La bolsa estaba llena y añadió–: Saca la basura, Jasira.

Asentí y fui a atar la bolsa de plástico blanca.

–Si no haces tus tareas van a salir bichos. Y si nos salen bichos, serás tú la que pague el exterminador con tus ahorros.

–Vale.

–Son muy caros –me advirtió.

Esperaba que papá me dijera que sacara también a Snowball, pero no lo hizo. No estaba segura de si se le habría olvidado, aunque no se lo recordé. Sabía que estaba muerta, pero aun así no podía soportar la idea de que la triturara el camión de la basura.

Al día siguiente, en el colegio, Thomas quiso saber qué había pasado con el señor Vuoso.

–Nada –le dije–. Vino a intentar hablar conmigo, pero no le abrí la puerta.

–¿De qué quería hablar?

–No lo sé –mentí.

Thomas se quedó en silencio un segundo.

–¿Está enamorado de ti? –preguntó luego.

–¿Qué?

–¿Te quiere?

–No –dije, aunque la idea de que Thomas pensara que el señor Vuoso podía quererme me hizo desear que insistiera en el tema.

–Te habla como si estuviera enamorado de ti –dijo Thomas–. Eso es lo que haces cuando quieres a alguien. Lo controlas, solo que la persona no se da cuenta. Los que se dan cuenta son los demás.

—No creo que me quiera —dije.

—Tal vez sí.

—No lo creo.

Sin embargo, durante el resto del día no pude dejar de darle vueltas a aquello. Siempre había pensado que el señor Vuoso no me quería, sino que simplemente tenía ganas de liarse conmigo; no se me había ocurrido que pudiera tratarse de algo más.

En la sala de estudio, Denise y yo estuvimos todo el rato pasándonos notas. La suya decía: «El señor Joffrey tiene novia. No puedo creerlo». Entonces me hizo un gesto para simular que tenía una lágrima en la mejilla.

Yo le escribí: «¿Cómo lo sabes?».

Y ella respondió: «Porque por fin leyó mis horóscopos y dijo que el de su novia había sido muy acertado».

«¿Qué decía?», le pregunté.

«Que si eres Géminis, este mes tendrás éxito en tu trabajo y encontrarás a una radiante belleza.»

«¡Ah!»

«Es como si me lo restregara por las narices», escribió Denise.

«Quizá solo quería suavizarte el golpe.»

«No —escribió—, ¡quería restregármelo por las narices!»

«Lo siento», escribí.

Me preguntó cómo me iba con el señor Vuoso y le dije que bien. No le conté que se había enfadado por lo del artículo ni que el día anterior me había asustado ni que tal vez estaba enamorado de mí.

Me escribió que estaba celosa, que yo tenía mucha suerte y que si averiguaba cuándo era el cumpleaños del señor Vuoso, le escribiría un buen horóscopo para el mes siguiente.

Aquella tarde, al volver del colegio, hice los deberes. Luego encendí el televisor y saqué la tabla de planchar. Como había perdido mi trabajo en casa de los Vuoso, papá se ofreció a pagarme por plancharle las camisas en lugar de llevarlas a la tintorería. Me daba un dólar y medio por cada una, y me advirtió que si no lo hacía bien volvería a enviarlas raudo y veloz a la tintorería.

Tardaba unos quince minutos con cada camisa, y ya había acabado casi cinco cuando sonó el timbre a eso de las seis. Fui a la puerta principal, pero miré por la ventana para comprobar quién era antes de abrir.

–Hola –dije cuando vi al señor Vuoso por la ventana abierta.

–Hola –respondió. Parecía mucho más tranquilo que el día anterior–. ¿Puedo entrar?

–No lo sé. Papá volverá pronto.

El señor Vuoso miró el reloj.

–¿Estás segura? Aún es un poco pronto.

–¿No podemos hablar así?

–Claro –dijo el señor Vuoso, aunque parecía un poco decepcionado.

–¿Va todo bien? –le pregunté.

–Bueno… Sobre todo quería disculparme por lo de ayer, por la forma de comportarme. Lo siento.

–No importa.

–Sí –dijo–. Sí que importa. Esa no es manera de hablarte.

No respondí. Nada me hacía sentir tan bien como ver al señor Vuoso con remordimientos.

Entonces respiró hondo.

–También quería despedirme.

–¿Despedirse?

El señor Vuoso asintió.

–Me han llamado a filas.

Le miré a través de la mosquitera. Se había quedado en los escalones y se inclinaba un poco hacia mí mientras hablábamos.

–Pero si la guerra ha terminado –dije.

Se rió un poco.

–Ha terminado la parte del combate. Aún necesitan mucha ayuda.

No lo entendí, porque papá había dicho que seguramente no llamarían a filas al señor Vuoso. Como casi siempre, papá no tenía ni idea de lo que hablaba.

–¿Podrían matarlo? –pregunté.

–No creo –dijo el señor Vuoso–. Bueno, eso espero.

–Pensaba que no tendría que marcharse ahora que la guerra ha terminado.

–Bueno, ya somos dos.

–No quiero que se vaya.

–Volveré.

Entonces no supe qué decir.

–En fin –dijo–, adiós.

Lo miré mientras daba media vuelta y bajaba los escalones.

–Espere –le dije cuando ya había bajado hasta la mitad, y fui a abrirle la puerta principal.

Se detuvo y se giró.

–Puede entrar –lo invité.

Se quedó quieto un momento, luego asintió y caminó hacia mí. Al acercarse me llegó el aroma de su colonia. Después de recorrer la sala con la mirada, se sentó en el sillón de papá.

–Ven aquí. Ven a sentarte conmigo.

Me quedé inmóvil. Me costaba acostumbrarme a su amabilidad.

–Gracias por no chivarse de lo de Thomas –le dije.

–¿Thomas?

–Mi amigo de ayer.

–¡Ah! No quiero hablar de eso.

–Lo siento.

–¿No puedes acercarte?

Caminé lentamente hacia él.

–Siéntate conmigo –dijo dándose unas palmaditas en el regazo.

En cuanto me senté noté su pene contra mi trasero. Era consciente de que quería hacer cosas conmigo y de que yo tendría que hacerlas porque le habían llamado a filas. Sobre todo pensé que debía hacerlas porque las había hecho con Thomas y el señor Vuoso lo sabía. Sentí que si decía que no, me preguntaría por qué hacía cosas con Thomas y no con él, y yo no sabría qué responderle.

Cuando llevaba un rato sentada en su regazo, empezó a sobarme los pechos. Me quitó la blusa y luego el sujetador, y después se inclinó un poco y me mordió un pezón.

—¡Ay! —me quejé, y me puse la mano en el pecho que había mordido—. No haga eso.

No lo volvió a hacer, pero puso una cara rara. Una cara como si pensara que yo había dicho algo divertido.

—Vale —asintió—, haremos otra cosa.

Entonces me dijo que me arrodillara en el suelo y me arrodillé. Se desabrochó los pantalones y me metió el pene en la boca. Al principio me movía la cabeza para enseñarme cómo quería que lo hiciera, luego quitó las manos para que lo hiciese yo sola. Cuando dejaba de hacerlo bien, volvía a ponerme las manos en las orejas y empezaba a guiarme otra vez.

Al cabo de un rato me dijo que parara y me levantara. Lo hice y él me desabrochó los tejanos y me los hizo quitar junto con las bragas. Luego me dijo que me pusiera boca abajo al lado de la mesita de café y me la metió. Era igual que el día anterior con Thomas, cuando él se dejó la ropa puesta y yo me desnudé, y él también estaba detrás de mí. Pero no me abrazó para frotarme como Thomas había hecho. Solo me empujó la cabeza contra la alfombra.

Después de moverse dentro y fuera de mí durante un rato, la sacó y me dijo que me levantara. Volvió a sentarse en el sillón de papá y me la metió otra vez en la boca. Intenté portarme como una valiente porque tendría que tragarme aquello, pero, en el último momento, la sacó de mi boca y apuntó hacia mi cara. Una parte salió disparada hacia mis labios y otra fue a parar a mi mejilla.

—Bien —me dijo mientras se la guardaba—. Ha estado bien. Luego se subió la cremallera de los pantalones y dijo que pensaría en mí cuando estuviera en Irak.

Cuando se hubo marchado, me llevé las manos a la cara para evitar que goteara en la alfombra. Notaba que empezaba a resbalarme por la piel. Desnuda, me fui al baño, con la mano en la cara para que no goteara, y me metí en la bañera sin mirarme al espejo. No quería verme así.

En la ducha, deseé que Thomas estuviera allí. Quería decirle que definitivamente estaba equivocado en lo de que el señor Vuoso estaba enamorado de mí. Quería decirle que ojalá le hubiera hecho caso en lo de no abrirle la puerta.

Salí y me sequé con la toalla. Me puse ropa limpia y metí la otra en la lavadora con alguna de papá, que no quería que desperdiciara agua con media carga. Luego volví a la plancha. Acabé dos camisas más antes de que papá llegara a casa. Cuando las vio, dijo que las había dejado mejor que en la tintorería. Sacó la cartera para pagarme e intenté no ponerme a llorar por el hecho de que fuera tan bueno conmigo.

10

El señor Vuoso no fue llamado a filas. Estuve esperando a que se marchara, pero no se marchó. Se quedó. Cada día lo veía sacando la basura, recogiendo el correo, arriando la bandera, entrando y saliendo por el camino. Se me hacía duro pensar en todo eso, en que me había mentido, en que le había creído y él ahora parecía sentirse bien mientras yo estaba avergonzada. Avergonzada por ser tan estúpida, por haber hecho algo que no quería hacer y luego tener que ver cada día a la persona que me lo había hecho.

Lo peor de todo era que cuando me veía no me evitaba. Sonreía, me saludaba con la mano o me llamaba.

–¡Hola, Jasira! ¿Cómo estás?

Y encima tenía que devolverle la sonrisa o decirle:

–Bien, gracias.

Al principio, como se comportaba de manera tan natural, pensé que lo habrían llamado a filas pero que aún no se había marchado. Luego, una tarde, se lo pregunté a Zack.

–¡A mi padre no le van a llamar a filas! ¿No te has enterado, retrasada? La guerra ha terminado. Hemos echado a Saddam de una patada en el culo –me dijo.

Me sentía especialmente avergonzada delante de Melina. Cuando veía que ella estaba fuera, yo no salía. Si ella salía mientras yo estaba fuera, me inventaba una razón para volver a entrar. Ya no iba a su casa a leer mi libro ni abría la puerta cuando creía que era ella quien llamaba. Se me acabaron los tampones y, en lugar de pedirle que me comprara más, empecé a usar compresas. Llevar compresas era una de las pocas cosas que me hacían sentir mejor. Era como un castigo que podía ponerme a mí misma.

Pensaba que merecía ser castigada porque aquella vez, con el señor Vuoso, mi cuerpo estaba excitado. Mi mente no, pero cuando el señor Vuoso me la metió, había entrado con mucha facilidad. Me había dicho cosas como: «Esto es lo que quieres, ¿verdad?», «Esto es lo que te gusta, ¿eh?». Me sentía traicionada por mi cuerpo. Sentía que mi cabeza pensaba una cosa, pero aquella otra parte de mí era muy diferente: la parte de mí que controlaba mi entrepierna quería que le sucedieran cosas malas porque lo que hacía facilitaba que las cosas malas sucedieran.

Me mareaba cuando pensaba en todo esto. A veces, si lo pensaba mucho, sentía un hormigueo en los dedos y notaba que las tripas se me encogían y se hacían una bola, como Snowball en la carretera.

En clase de francés, madame Madigan tuvo que preguntarme tres veces cómo estaba antes de que levantara la mirada y le respondiera:

—*Je vais très bien.*

Thomas tenía que repetirme las cosas tan a menudo que empezó a llamarme sorda. Solo Denise parecía comprender por qué yo no prestaba atención a nada. «¿Ese tipo ya no te quiere?», escribió en una nota mientras estábamos en la sala de estudio. «No», escribí, y me hizo el mismo gesto de simular secarse una lágrima que había hecho en el caso del señor Joffrey.

Denise me invitó a quedarme en su casa el sábado y le dije que se lo preguntaría a papá.

—Sí —dijo papá—, siempre que hagas todas tus tareas antes.

Así que me pasé la mañana del sábado limpiando mi baño y pasando el aspirador. Papá también quiso que le ayudara a quitar las malas hierbas de las flores que habíamos plantado delante de la casa, pues no las cuidábamos desde de que mi madre regresara a Syracuse. Estábamos fuera, arrodillados en la tierra con los guantes de trabajo puestos, cuando el marido de Melina, Gil, se acercó. Le dijo algo a papá en árabe y papá le contestó. A veces mantenían breves conversaciones en árabe cuando se encontraban en la calle. Al volver a casa papá siempre repetía que Gil tenía buen acento pero una ideas políticas predecibles.

—Buen día para ocuparse de la jardinería —dijo entonces Gil en nuestro idioma.

Llevaba tejanos y pantuflas, y el correo bajo el brazo. Una cosa que había notado era que solo llevaba gafas los fines de semana, lo mismo que otros se ponen un chándal o zapatillas deportivas viejas.

–Sí –dijo papá, levantando la vista hacia el sol–. Jasira y yo pensamos que teníamos que aprovecharlo.

Odiaba que fingiera que algo era idea de los dos cuando en realidad era solo cosa suya. Aunque solo se tratara de algo como cuidar el jardín.

–Bueno, chicos, no quiero interrumpiros. Solo venía a invitaros a cenar. Melina cree que podríamos celebrar el fin de la guerra.

–¿Celebrar? –preguntó papá–. ¿Cómo que celebrar?

Creí que aquella manera de hablar de papá asustaría a Gil, pero no pareció notarlo. Se limito a sonreír.

–¿No te alegras?

–No –dijo–. No me alegro.

Gil se encogió de hombros.

–No tenemos por qué celebrarlo. Podemos cenar, simplemente.

Esperaba que papá dijera que no, que no podíamos ir. Esperaba que le saliera su verdadera forma de ser y nos mantuviera alejados de los demás, pero no fue así.

–Sois muy amables al invitarnos. Nos encantará ir.

–Fantástico –dijo Gil y nos invitó a que fuéramos el viernes a las siete y media.

Cuando se marchó, papá dijo:

–Este tipo es tan idiota como Vuoso al hacer suposiciones sobre mí.

–Entonces, ¿por qué vamos a cenar? –le pregunté.

Me miró.

–Pensaba que Melinda era tu mejor amiga.

—Melina —dije.

—No se llama a los adultos por el nombre de pila.

—Lo siento.

Después de almorzar me llevó a casa de Denise. Esperó en el coche hasta que ella abrió la puerta y luego se marchó. Denise lo saludó con la mano, pero creo que no la vio.

—Vamos —dijo—. Justo íbamos a comer.

Le dije que ya había almorzado, pero ella insistió en que tendría que volver a comer porque su madre había preparado una *quiche*.

La señora Stasney era más alta que Denise, con cabello corto y pelirrojo. Cuando entré en la cocina me estrechó la mano, luego nos dijo a Denise y a mí que nos sentáramos.

—Jasira está deprimida —anunció Denise.

—¿En serio? —preguntó la señora Stasney. Sacó la *quiche* del horno y la puso encima de la mesa—. ¿Y eso por qué?

—Porque su novio ya no la quiere. Lo mismo que me pasó a mí.

—Chicas, sois demasiado jóvenes para estar deprimidas por los novios.

—No lo somos —dijo Denise—. Estamos en la pubertad.

Después de enjuagar los platos y meterlos en el lavavajillas, la señora Stasney nos dejó en el centro comercial. Denise quería unos pantalones, pero ninguno le sentaba bien. O le quedaban demasiado estrechos de trasero y le venían bien de cintura o le venían bien de trasero y demasiado grandes de cintura.

—Vaya mierda —dijo, y resopló por la comisura de la boca de manera que sus rizos rubios volaron en el aire.

Como Denise no encontraba ropa que le sentara bien, fuimos a una tienda llamada Glamour Shots y nos sacaron unas fotos. Era un lugar en el que te maquillaban mucho, te daban un vestido elegante para que te lo pusieras y luego te hacían posar como una modelo. A mí me daba corte, pero Denise dijo que era lo único que podía alegrarla. Al cabo de un rato, el fotógrafo nos enseñó pruebas de todas las fotos que había sacado y elegimos las que más nos gustaron. Solo tenía dinero para pedir una copia, pero Denise me compró dos más.

–Una para tu madre y otra para tu padre –me dijo.

–Gracias –respondí, aunque estaba casi segura de que lo último que mis padres querrían era una foto sexy mía.

El padre de Denise nos recogió a las seis en punto. Era alto y regordete, y cuando me senté detrás de él me fijé en el audífono de color carne que Denise me había contado que llevaba. El señor Stasney estaba en el gimnasio cuando llegué a casa de Denise, y ahora nos dio todo tipo de explicaciones sobre sus ejercicios: los kilómetros que había corrido, los abdominales que había hecho y las pesas que había levantado. Dijo que había perdido casi un kilo y medio en una semana, y Denise le contestó que estaba muy bien pero que quería hablar de otra cosa.

–Pregúntale a Jasira algo sobre ella –le dijo–. Intenta averiguar algo sobre mis amigos.

–Cuéntame algo de ti, Jasira –dijo el señor Stasney mirándome por el retrovisor.

–¡Así no! –protestó Denise–. Hazle preguntas concretas.

El señor Stasney me hizo un montón de preguntas concretas sobre el colegio, sobre mi padre y sobre mi madre. Me recordó la cena con los padres de Thomas, aunque al señor Stasney no parecían interesarle demasiado mis respuestas. No es que fuera malo ni maleducado ni nada de eso. Solo daba la impresión de que no había terminado de explicar su visita al gimnasio.

Fuimos a cenar al Olive Garden, donde el señor Stasney avergonzó a Denise hablando en voz demasiado alta, presentándose a sí mismo y presentándonos a nosotras a la camarera. Luego volvimos a casa de Denise y vimos una película que había alquilado, titulada *Un retazo en azul*. Era una vieja película de los años sesenta sobre una chica ciega que amaba a un hombre negro.

—Pensé que te recordaría tu historia con Thomas —dijo Denise.

—Yo no soy ciega.

Me pegó en el brazo.

—¡Esa parte no!

A mitad de la película, Denise recostó su cabeza en mis piernas, que tenía plegadas sobre el sofá. A veces, cuando intentaba morderme las uñas, me apartaba la mano.

—¡No te las muerdas! —decía, y me la retenía un poco antes de soltarla.

El señor y la señora Stasney habían salido a visitar a unos amigos y cuando llegaron a casa me preocupó que vieran a Denise encima de mí. Pero la señora Stasney se quedó en la puerta y comentó desde allí:

—¡Qué romántico!

Denise le dijo que cerrara el pico y ella se rió y nos dio las buenas noches. No podía imaginarme diciéndole alguna vez «cierra el pico» a mi madre. Ni tampoco que a ella le pareciera bien que yo fuera romántica.

Deseaba que Denise se acostara cerca de mí en su cama de matrimonio, tal como había hecho en el sofá, pero se quedó en el otro lado. Por un momento me pregunté si yo sería gay, pero decidí que lo más seguro era que no. Lo que me pasaba era que me gustaba que alguien me tocara del modo que le diera la gana, pero sin hacerme daño o hacerme sentir mal.

A la mañana siguiente, cuando papá vino a recogerme, el *Playboy* que el señor Vuoso me había dado unos meses antes estaba en el asiento delantero. Lo vi a través de la ventanilla del copiloto, antes incluso de abrir la puerta, y durante un segundo pensé en salir corriendo a casa de Denise y pedirle a su familia que me protegiera. Pero no lo hice. Me quedé allí quieta mirando a través de la ventanilla.

—¡Entra! —dijo papá sofocando un grito, y al fin tiré de la manecilla de la puerta.

Tuve que coger la revista antes de sentarme y, por algún motivo, esto fue más incómodo que cualquier otra cosa que pudiera imaginar: tocar la revista delante de papá.

Al principio no dijo nada. Se quedó allí sentado, mirando cómo me abrochaba el cinturón de seguridad. Yo no sabía qué hacer con el *Playboy*, así que simplemente lo dejé en mi regazo. Hubiera preferido dejarlo en el suelo con mi mochila, pero sabía que estaba allí para crearme problemas y que papá esperaba que los dos lo mirásemos mientras él gritaba.

En cuanto perdimos de vista la casa de Denise, papá me dio un puñetazo muy fuerte en el muslo, y volvió a hacerlo una y otra vez exactamente en el mismo sitio. Quise protegerme el muslo, pero pensé que entonces me pegaría en la mano.

—¿Qué coño es esto? —dijo por fin señalando el *Playboy*.

No quería decir que era una revista porque sabía que no era eso lo que me estaba preguntando. Lo que quería saber era de dónde lo había sacado, por qué lo tenía y qué hacía con él. Yo sabía que no podría contestar a ninguna de esas preguntas. Nunca. Sabía que seguiría dándome puñetazos en la pierna hasta que le contestara, pero como no podía responder tendría que esperar a que se cansara de pegarme.

En lugar de contestarle, le pregunté dónde había encontrado la revista.

—¿Cómo que dónde la he encontrado? Sabes exactamente dónde la he encontrado.

—¿Has estado registrando mi habitación?

—No, no he estado registrando tu habitación. No había bastante ropa para llenar una lavadora, así que iba a lavar tus sábanas para hacerte un favor.

—¡Ah!

—Cuando alguien nos hace un favor, le damos las gracias.

—Gracias.

Pasamos por delante de una gasolinera donde un grupo de chavales de secundaria recaudaban fondos lavando coches. Llevaban pancartas, daban saltos y gritaban cosas a la gente que pasaba, como que sus coches estaban sucios y que apoyaran a la United Way. Sabía que papá los odiaba, que se enfadaría si alguna vez me veía comportándome de ese modo, aunque seguramente era así como uno debía comportarse para conseguir lavar algún coche.

–¿De dónde sacaste la revista? –exigió saber.

No podía contestarle. No podía. No era que quisiera proteger al señor Vuoso, porque no era así. Era solo que no quería meterme en más líos con él.

–¡Contéstame! –gritó papá.

Como seguía sin hablar, me volvió a pegar en la pierna y me dijo que recibiría más cuando llegáramos a casa.

–Tú no sabes qué es la moralidad. Haces cosas muy distintas a las que hace la gente normal. No eres normal. Esto es una revista para hombres, no para mujeres. Miras fotos de putas y te gustan tanto que guardas la revista. No me obedeces, no obedeces a tu madre. Un día, Jasira, no vas a tener dónde ir a vivir.

Entramos en nuestra urbanización, y un minuto más tarde pasamos por el sitio donde papá atropelló a Snowball. «Lo siento, Snowball», dije para mí. Lo decía cada vez que pasábamos por aquel lugar. Intentaba imaginármela chocando con el coche de papá sin que él pudiera frenar. Pero siempre acababa pensando que él no había querido frenar, que tal vez pudo hacerlo pero decidió atropellarla.

Giramos para meternos en nuestra calle y luego continuamos por el camino de entrada a casa. Aún sostenía la revista en el regazo y me incliné para coger la mochila. Era la misma que llevaba al colegio, salvo que había sacado los libros y metido un pijama y un cepillo de dientes.

–Cuando entremos en casa te vas a enterar –dijo papá abriendo la puerta del coche.

Yo también abrí mi puerta. Me sentía lenta y rígida. En parte porque me dolía la pierna y no quería moverla más de lo necesario, y en parte porque no tenía muy claro lo de entrar en casa con papá cuando ya sabía lo que iba a ocurrir. No entendía por qué tenía que hacerlo, realmente no lo entendía.

–Date prisa –dijo papá.

Ya estaba en la puerta de atrás, girando la llave. Luego empujó la puerta, la abrió y la sujetó para que yo lo siguiera. No tenía sentido. Se suponía que tenía que entrar y dejar que me pegara.

Cerré la puerta del coche, caminé por el sendero de entrada hasta el límite del jardín delantero de los Vuoso, y lo crucé. Caminé más rápido, sosteniendo la revista en la mano y con la mochila moviéndose de un lado a otro en mi espalda. Cada vez que pisaba con el pie izquierdo me dolía el muslo.

Atravesé el camino de entrada a la casa de Melina y acorté por el césped. Llegué a la entrada principal y subí corriendo los escalones. Su coche no estaba en el camino, así que abrí el bolsillo exterior de mi mochila y saqué la llave de su casa.

Mientras abría la mosquitera de la entrada y metía la llave en la cerradura, oí que papá me llamaba. Eché un vistazo rápido hacia nuestra casa y lo vi de pie ante la puerta. Me di la vuelta para girar la llave y ya no volví a mirarlo, ni siquiera cuando oí cómo se aproximaba cada vez más el rumor de sus pasos sobre la hierba y su voz que me llamaba a gritos. No importaba porque la puerta ya se abría, yo entraba y la cerraba rápidamente a mis espaldas mientras Gil me miraba desde el sofá.

Al principio pareció un poco sorprendido, pero luego se comportó como si no sucediera nada.

—¡Ah, hola! —dijo—. Vamos, entra.

No me moví. Sabía que papá llegaría enseguida y no sabía qué hacer.

—¿Está Melina? —pregunté.

Gil negó con la cabeza.

—Está en clase de yoga prenatal, pero volverá pronto. Si quieres, puedes esperarla.

Llevaba un gorro negro de lana que le daba un aspecto de ladronzuelo simpático. Delante de él, en la mesita de café, había distintos montones de papeles. Supuse que estaba revisando las facturas.

Justo entonces llamaron a la puerta con golpes fuertes y rápidos.

—¡Hola! —gritó papá—. ¡Abrid la puerta, por favor!

Miré a Gil. Me daba demasiada vergüenza pedirle que me ayudara. Yo sostenía el *Playboy* y, después de haberlo mirado una vez, me di cuenta de que él hacía esfuerzos por no volver a mirarlo. Si Melina hubiera estado allí, le habría pedido que hiciera algo, pero no estaba. Si hubiera estado sola me habría encerrado con llave y oído chillar a papá. Pero solo estaba Gil, así que me moví para abrir la puerta.

—Quédate donde estás —dijo Gil levantándose del sofá de repente—. Ya voy yo. —Luego, acercándose a mí, añadió—: Me parece que necesitas un pañuelo. ¿Por qué no subes y vas al lavabo de arriba?

Me toqué la cara. Supuse que había llorado. No estaba segura de si por la pierna o por escaparme.

—Es la segunda puerta a la derecha —dijo Gil.

Asentí, di media vuelta y empecé a subir la escalera. No había ninguna alfombra como en casa de los Vuoso, así que cada escalón hacía ruido. Notaba los ojos de Gil fijos en mí mientras subía. Deseé que esperara para abrir la puerta hasta que yo dejara de hacer tanto ruido, y eso hizo. Los golpes de papá no se detuvieron hasta que hube girado en el recodo del pasillo de arriba.

A cada paso me daba cuenta del lío en que me había metido al no volver a casa con papá. Ya habría sido bastante malo si hubiera vuelto la primera vez que me llamó cuando estábamos fuera, y, definitivamente, mucho peor si hubiera respondido cuando llamó a la puerta de Melina y regresado con él entonces. Pero ahora que Gil estaba hablando con él en mi lugar y que yo me había encerrado en una habitación en lo más profundo de la casa de Melina, no podía ni imaginar volver a casa y que papá no me matara.

No usé ningún pañuelo de papel como Gil me había dicho. Solo cerré la puerta del baño y me apoyé contra ella por si papá o Gil intentaban entrar. Porque estaba casi segura de que papá convencería a Gil para que me entregara. Papá sabía cómo comportarse con los demás para no parecer un chalado.

Los oí hablar durante un buen rato, aunque no entendía lo

que decían. Me empezó a doler el hombro de tanto apretarlo contra la puerta, pero no lo moví. No me importaba el dolor que me pudiera causar a mí misma.

Al cabo de un rato –¿media hora?, ¿cuarenta y cinco minutos?–, la charla acabó y oí cerrarse la puerta. Apreté el hombro aún más fuerte al oír que alguien subía la escalera y avanzaba por el pasillo.

–¿Jasira? –dijo Gil llamando a la puerta.

–¿Sí?

–¿Cogiste un pañuelo?

–Sí. –Creía que papá estaba con él, escondido, y que Gil intentaba engatusarme para que saliera y así poder entregarme.

–Bueno. Solo quería que supieras que tu padre se ha ido a casa, ¿vale?

–Vale –dije, aunque no le creí.

–Vale –me contestó.

Entonces no supe qué hacer. La puerta crujió ligeramente cuando la apreté un poco más con el hombro.

–¿Jasira? –dijo Gil.

–¿Sí?

–Melina llegará pronto.

–Vale.

–¿Quieres que te traiga algo?

–No, gracias.

–Muy bien entonces –dijo, y al cabo de un segundo oí cómo se alejaba por el pasillo.

Pensaba que sería un truco, que se daría la vuelta y volvería a buscarme, pero no era ningún truco. Bajó ruidosamente la escalera. Entonces decidí que era posible que solo estuviéramos nosotros dos en la casa.

Al final me aparté de la puerta. Me senté en el váter y me froté el hombro. Al cabo de unos minutos, me levanté y me lavé la cara. Cogí la mochila, saqué el cepillo de dientes y también me lavé los dientes.

Enseguida oí abrirse la puerta de la entrada y a Melina anunciando que ya estaba en casa. No oí nada durante unos minutos, y luego alguien subió la escalera y se acercó por el pasillo.

—¿Jasira? —dijo Melina llamando a la puerta.

—¿Sí?

—¿Puedes abrir, por favor?

Quité el cerrojo y abrí la puerta.

—Hey —dijo.

Llevaba unos pantalones de chándal y una camisa azul de hombre. Los botones de en medio no le abrochaban, así que la llevaba abierta.

—¿Tengo que irme a casa? —le pregunté.

—¿Quieres irte a casa?

—No.

Empecé a llorar otra vez porque nunca había dicho una verdad como aquella. Melina me dijo que me acercara y le obedecí, y ni siquiera me importó que Dorrie se interpusiera en nuestro abrazo.

Cuando salí del baño, en realidad no hablamos de nada de lo sucedido. Melina solo me dijo que dejara mis cosas en el estudio de Gil, menos el *Playboy*, sobre el que no me preguntó nada, pero que me quitó y que guardó en su habitación. Cuando mencionó que el sofá del estudio de Gil se desplegaba y se convertía en cama, intenté no emocionarme demasiado con la posibilidad de quedarme a dormir.

Luego bajamos y nos sentamos en la sala. Melina se puso a hacer punto, yo a leer mi libro y Gil volvió a sus papeles. Resultó que no eran facturas, sino acciones que intentaba cambiar para ver si podía ganar más dinero. Ahora que no estaba en el Cuerpo de Paz, Gil trabajaba en Merrill Lynch.

Ya no sabía qué leer en mi libro, no se me ocurría qué más me quedaba por saber. Entonces descubrí una parte sobre niños que habían hecho cosas sexuales que no querían hacer, pero cuyos cuerpos se habían excitado igualmente, como el mío con el señor Vuoso. El libro decía que no era culpa mía y que yo era humana, no una planta, y que por eso era lógico que mi cuerpo se comportara de ese modo.

Melina dijo que aquella noche estaba demasiado cansada para cocinar, así que Gil preparó comida yemení. A mí no me hizo mucha gracia porque era la clase de comida que cocinaba mi padre, pero cuando la probé sabía mucho mejor.

—Esta carne está buena —dije—. A papá siempre le queda muy seca.

Gil asintió.

—Los árabes lo cocinan todo muy pasado.

Nos sentamos alrededor de una mesa de formica, Gil más cerca de la cocina por si tenía que levantarse a buscar algo. Melina tuvo que sentarse con la silla muy apartada de la mesa debido a su barriga. El tenedor tenía que hacer un largo viaje desde el plato hasta su boca, y a veces la comida se le caía sobre la camisa azul. Era divertido porque desde hacía algún tiempo yo había notado que toda su ropa estaba manchada exactamente en el mismo sitio, y ahora sabía por qué.

Resultaba raro que no hubiéramos hablado de lo que había sucedido antes, así que al final le pregunté a Gil qué le había dicho papá.

—Bueno —me explicó Gil—, que quería llevarte a casa y esa clase de cosas.

—¿Y qué le dijiste? —le pregunté.

—Que estabas en el lavabo.

Melina se rió. Gil también se rió un poco.

—¿Y entonces qué te dijo?

—Siguió repitiendo lo mismo una y otra vez: que tú eras su hija y había venido a buscarte.

—¿Y tú seguiste diciéndole que no? —le pregunté.

—Pues sí.

—¿Y no va a volver?

Gil se encogió de hombros.

—Tal vez.

—Entonces, ¿tendré que marcharme con él?

—Creí que habías dicho que no querías hacerlo —dijo Melina.

—Y no quiero.

—En ese caso, no te preocupes.

—No le digas que no se preocupe —intervino Gil—. Ya está preocupada.

–Quería decir que nadie va a obligarla a hacer nada que ella no quiera hacer –le aclaró Melina a Gil. Luego me miró a mí y añadió–: Nadie va a obligarte a hacer nada que tú no quieras, ¿vale?

–Vale –contesté.

Más tarde, mientras estábamos viendo la televisión en el salón, llamaron a la puerta.

–Ese es papá –dije.

–¿Cómo lo sabes? –me preguntó Melina.

–Porque lo sé.

–Bueno, ¿quieres ir arriba?

Asentí.

–Muy bien. Esperaremos para abrir la puerta.

Me levanté del sofá y subí la escalera, pero en lugar de encerrarme en el baño me quedé en una esquina del pasillo para poder oírlo todo. Esta vez debió de ser Melina quien abrió la puerta, porque la oí decir:

–¡Ah, hola!

Papá dijo algo que no pude oír.

–Claro, entra –dijo Melina.

–¿Qué podemos hacer por ti? –preguntó Gil.

Papá se echó a reír.

–¿Qué crees que podéis hacer por mí? He venido a llevarme a mi hija a casa.

–Bueno –dijo Melina–. Ella no quiere ir a casa contigo.

–¿Y? –dijo papá–. ¡Basta de juegos! –Entonces gritó–: ¡Jasira! ¡Vámonos! ¡Venga!

Yo no me moví. Una parte de mí sentía lástima de que él

no supiera en qué lugar de la casa estaba, pero a otra parte le gustaba.

—Disculpa —dijo Melina—, pero te acabo de decir que ella no quiere ir a casa contigo.

—Esto no es asunto vuestro —dijo papá—. ¡Si no me la devolvéis, esto constituirá secuestro!

—Lo dudo —dijo Melina.

Entonces oí que papá le decía a Gil algo en árabe, algo alto y fuerte, y Gil le contestó también en árabe.

—Hablad en nuestro idioma, por favor —intervino Melina, contra lo cual yo podría haberla prevenido, pues sabía que ahora papá no dejaría de hablar en árabe.

Yo tenía razón. Aunque Gil le hizo caso, papá siguió hablando en árabe.

—¿Qué dice? —le preguntó Melina a Gil.

—Quiere llamar a la policía —tradujo Gil—. Estoy intentando disuadirlo.

—¿Y qué les vas a contar? —le preguntó Melina a papá.

Papá no le hizo caso y le dijo a Gil algo en árabe.

—Bueno —le contestó Gil—, supongo que no veo qué daño puede hacerle quedarse con nosotros un par de días. Volverá cuando esté preparada.

Aunque aún hablaba en árabe, tuve la impresión de poder entender lo que papá decía. Cuando Gil le dijo que volvería cuando estuviera preparada, probablemente papá le contestara: «¿A quién le importa cuándo esté preparada? Soy su padre y vendrá cuando yo lo diga». Y cuando Gil le dijo a papá que podría lamentar que viniera la policía porque saldría a relucir información que no le beneficiaría en nada, papá seguramente dijera: «¿Qué información? No hay ninguna información». Y cuando Gil le dijo: «Bueno, saldrá cierta información, porque Jasira cojea un poco de la pierna izquierda», papá seguramente dijera: «Está fingiendo».

Al final, oí la puerta abrirse y cerrarse.

—Ya puedes bajar —dijo Melina. Salí del rincón y bajé la escalera—. Nos hemos librado de él.

—Gracias.

—Lo más seguro es que vuelva —nos advirtió Gil.

—¿Y? —dijo Melina—. Nos volveremos a librar de él.

Volvimos a ver la televisión.

—Ve al baño de arriba y tráeme el cepillo que está en el cajón izquierdo del armario del lavabo —me dijo Melina durante los anuncios.

Asentí, subí la escalera y fui a buscar el cepillo. Cuando volví, Melina lo cogió y dio unas palmaditas a su lado en el sofá. Primero empezó a cepillarme el pelo por detrás, y siguió por los lados.

—¡Señor, cuánto pelo tienes! —exclamó.

—Gracias —dije, pues me pareció un cumplido.

—¿No te parece que tiene mucho pelo, Gil?

Me dio corte que lo obligara a decir algo sobre mi aspecto, pero a él no pareció importarle. Se limitó a decir que sí, sin levantar la vista de las acciones.

Después de eso, empezó a gustarme mucho más que me cepillara el pelo. Sentía tal cosquilleo en el cuero cabelludo y se me erizaba tanto que estaba segura de que Melina notaba la carne de gallina bajo el cepillo pero no lo mencionaba por buena educación. Me recordó lo agradable que era cuando Barry me rasuraba, pero esto era aún mejor porque no tenía que mantenerlo en secreto.

A eso de las diez, Melina dijo que era su hora de irse a la cama y que probablemente yo también tenía que irme a dormir. Le dimos las buenas noches a Gil y subimos la escalera. Me llevé la mochila al lavabo para cambiarme y lavarme y, cuando bajé la vista, me di cuenta de que la camiseta grande de color naranja que mi madre me había traído de Syracuse por Navidad no me tapaba del todo el moratón de la pierna. No sabía si debía estirar la camiseta o dejar que Melina lo viera.

—¿Estás bien? —preguntó, llamando flojo a la puerta.

—Sí.

—Bueno, sal y prueba esta cama. A ver si la soportas.

—Vale —dije bajándome un poco la camiseta. Abrí la puerta y salí.

—¡Dios mío! —exclamó Melina con los ojos clavados en el lugar donde mis manos tiraban de la camiseta. Me cogió de la muñeca para que la soltara, y la camiseta volvió a subir.

—Papá se enfadó por lo de la revista.

—Ajá —dijo. Me gustó verla enfadada, pero no conmigo—. ¿Puedo sacar una foto de esto?

—¿De mi pierna?

—Creo que sería buena idea.

—Vale —asentí, aunque eso me ponía nerviosa.

—Vuelvo enseguida —dijo, y la miré recorrer el pasillo con sus andares algo patosos.

Entré en el estudio de Gil y me metí en la cama. Entonces comprendí a qué se refería Melina al preocuparse porque no estuviera cómoda. Había una barra en medio, justo debajo de mi espalda. Aunque tampoco estaba tan mal, porque yo no dormía boca arriba.

Melina regresó con la Polaroid.

—¿Qué tal la cama?

—Bien.

—¿No te molesta la barra?

Negué con la cabeza.

—Bueno, ya veremos cómo te encuentras por la mañana.

Asentí, aunque me sintiera como me sintiese por la mañana, pensaba decirle que había estado cómoda en la cama.

—Sal de la cama un momento para que pueda hacerte un par de fotos.

Retiré las mantas, me levanté y me quedé junto a la cama. La primera foto que me hizo Melina fue de cuerpo entero. Luego se acercó y sacó una solo del moratón. Cada vez que salía una foto de la cámara, Melina se la metía entre los dedos y luego la agitaba un poco en el aire.

—¿Hay algo más de lo que deba hacer fotos? —me preguntó.

—No —le dije.

—Bien.

Me metí otra vez en la cama y volví a taparme. Vi que las fotos empezaban a cobrar definición mientras Melina las agitaba.

—¿Puedo verlas? —pregunté.

—¿Por qué quieres verlas si tienes delante el original?

–Porque me gustaría verlas.

Me las dio y, mientras las sujetaba, me pareció que se iban enfocando más.

–Parece una medusa.

–Bueno –dijo Melina quitándome las fotos–, pues no es una medusa.

–Gracias por ayudarme.

–De nada.

Se inclinó y me besó, luego apagó la luz y cerró la puerta. Cuando se marchó me quedé pensando en las fotos. Imaginé que se las enseñaría a papá y que entonces él sabría que Melina estaba al corriente de cómo era nuestra vida en común. En cierto modo era bonito pensarlo, pero, por otro lado, comprendía que cuantas más cosas dejara de mantener en secreto más furioso se pondría papá cuando yo por fin tuviera que volver a casa.

Melina me llevó al colegio el lunes por la mañana, porque me daba miedo que papá intentara cogerme en la parada del autobús. Me dijo que también iría a recogerme para llevarme a casa. Luego me dio una bolsa con el almuerzo que me había preparado. Nunca nadie me había hecho el almuerzo antes. Con mi madre tenía que preparármelo yo, y con papá lo compraba.

En el aula de estudio, Denise me pasó una nota preguntándome por qué llevaba la misma ropa que el sábado. Le contesté que me gustaba mucho esa ropa. Durante el almuerzo, Thomas me preguntó de dónde había sacado aquel almuerzo tan raro.

–No es raro –le dije.

—¿Quién come bocadillos de cordero? —quiso saber.

Como yo había dicho que me había gustado tanto la cena de Gil, Melina me había puesto lo que había quedado. Mentí y le dije a Thomas que papá me había hecho comer el cordero para que no sobrase.

Después del colegio, Melina llegó en su pequeño Toyota con el asiento completamente corrido hacia atrás para que le cupiera la barriga.

—¿Qué tal el colegio? —me preguntó cuando entré en el coche.

—Bien.

Esperó a que me abrochara el cinturón de seguridad antes de arrancar, y pensé que era un gesto bonito. Papá siempre arrancaba en cuanto se ponía su cinturón, aunque yo todavía no me hubiera puesto el mío. Siempre me hacía pensar que quería que tuviéramos un accidente antes de que pudiera abrocharme el mío.

Melina canturreaba con la radio mientras conducía. Tenía una bonita voz, como una cantante profesional, y me gustaba que no le diera vergüenza que yo la escuchara. Cuando acabó la canción le pregunté qué había hecho mientras yo estaba en el colegio.

—Bueno, acabé durmiendo mucho. Estaba muy cansada.

—¡Ah!

—Ayer tuve más emociones de las habituales.

—Lo siento.

—¿Por qué? —Redujo la marcha cuando nos acercamos a un semáforo rojo—. ¿Por qué lo sientes?

–Por causarte tantas emociones.

Negó con la cabeza.

–No tiene nada que ver contigo. Tú no hiciste nada.

–Vale –respondí, aunque no entendía que no tuviera nada que ver conmigo.

Cuando entramos en nuestra urbanización, Melina me preguntó si tenía llave de la casa de mi padre. Le dije que sí y sugirió que fuéramos a buscar algunas cosas mías, ropa y demás.

–Vale –dije.

Aparcamos en su entrada y luego nos acercamos a mi casa. Melina nunca había estado dentro, así que se la enseñé a la carrera. Me sorprendió encontrar en el fregadero de la cocina los platos sucios de la cena que papá había dejado la noche anterior. En su habitación, la cama no estaba hecha.

–¿No podía haberse molestado en decorarte la habitación? –dijo Melina en mi dormitorio.

Ella había trabajado mucho en el cuarto de Dorrie, pintándolo de amarillo, colgando cuadros, cosiendo almohadoncitos con bordados de una jirafa, un elefante y un león.

Me encogí de hombros.

–Da lo mismo –dijo–, vamos a guardar tus cosas.

Cogimos una bolsa de basura de la cocina y empezamos a meter ropa de los cajones de mi tocador. Al principio solo metí unas pocas cosas.

–¿Cuál es el problema? –dijo Melina entonces–. ¿No te gusta quedarte conmigo y Gil? –Y a continuación metió la mano en el cajón para coger más ropa.

Luego fuimos a mi armario y saqué algunas cosas: jerséis, pantalones, blusas y zapatos. No había mucho más que llevarse, salvo un par de libros del colegio que estaban encima del tocador.

—¿Lo tienes todo? —preguntó Melina, y yo asentí.

Al pasar por la cocina, me detuve ante la nevera. Snowball aún estaba en el congelador. Papá no había dicho nada de ella desde la noche en que la envolvimos, y empezaba a pensar que tal vez tampoco soportase la idea de tirarla a la basura. A pesar de eso, no me parecía bien dejarla allí. Una parte de mí temía que se enfadara al ver que me había llevado toda mi ropa y que tirara a la gata a la basura solo por venganza.

—¿Qué ocurre? —preguntó Melina.

—Hay algo que necesito coger del congelador.

—Claro —dijo—. ¿Comida que te gusta?

Negué con la cabeza.

—No, es un poco asqueroso.

—¿Qué es?

—Snowball.

—¿Snowball?

—La gata que perdió Zack.

—¿Quieres decir que está muerta?

Asentí. Melina se me quedó mirando.

—¿Mataste a la gata de Zack?

—Más o menos —le dije, y le expliqué lo que había pasado.

—Ya veo.

—Se suponía que íbamos a tirarla a la basura, pero a papá se le ha ido olvidando. No quiero que la tire a la basura.

Melina lo pensó un momento.

—Tenemos un montón de comida en el congelador para cuando nazca el bebé, ¿sabes? No estoy segura de que quepa la gata.

—Está bien —dije.

Melina suspiró.

—Déjame ver cómo es de grande.

Abrí el congelador y saqué a Snowball.

—Bueno —dijo—, supongo que no es tan grande.

—Era solo una gatita.

—Entonces vale —dijo Melina, y yo cogí a Snowball y la metí en la bolsa de basura encima de mi ropa.

Cuando volvimos a casa de Melina, le hizo un hueco a Snowball en el congelador, y luego subimos a buscar un lugar donde dejar mi ropa. Melina acabó despejando un par de estantes para mí en el armario de la ropa blanca y apilamos allí mis cosas. Cuando terminamos dijo que necesitaba tumbarse unos minutos, pero que yo podía ver la tele, prepararme una merienda o lo que fuera.

—Vale —le contesté.

—Saldré en un momento —dijo, e intenté no ponerme triste cuando cerró del todo la puerta de su dormitorio.

Bajé a la sala de estar y no hice nada. Lo único que hice fue pensar en todas las cosas que podían pasar cuando papá descubriera que me había llevado mi ropa y a Snowball. Ninguna era buena.

En un momento dado sonó el teléfono pero, como no era mi casa, esperé a que se disparase el contestador automático.

La persona que empezó a hablar al otro lado de la línea era mi madre:

«¿Jasira? ¿Estás ahí? –Se quedó callada un momento y luego añadió–: Es un mensaje para Jasira. Tengo entendido que está viviendo ahí con vosotros. Soy su madre y me gustaría que, por favor, me llamara para averiguar qué está pasando. Su padre está muy disgustado. Gracias».

De repente, todo aquello me pareció una mala idea. Cuanto más tiempo estuviera alejada de mi vida real, peor sería cuando volviera. Y sabía que al final tendría que volver. Por muy majos y fuertes que fueran Gil y Melina, antes o después se cansarían de todo aquello. Sobre todo cuando llegara Dorrie. Cuando Dorrie llegara, yo no tendría la menor oportunidad.

Fui a la cocina y borré el mensaje de mi madre. Cogí la bolsa de basura que Melina había doblado y guardado, la subí y volví a meter mi ropa en ella, luego bajé y me acerqué al congelador para buscar a Snowball. Salí sin hacer ruido de la casa y bajé los escalones de la entrada. Justo entonces, Gil apareció en el camino.

–Hey –dijo saliendo del coche–. ¿Adónde vas?

–A casa.

–¿A casa? –preguntó–. ¿Ya? ¿Estás segura de que estás preparada?

Asentí.

–¿Lo sabe Melina?

–Está durmiendo la siesta. No quería molestarla.

Gil agitó un poco las llaves del coche en la mano. Llevaba lentillas y traje, sin el gorro de ladrón que le tapaba el pelo rubio.

–¿Te ha contado Melina lo de su presión sanguínea? –me preguntó.

–Sí, creo que sí.

–Bueno, lo cierto es que si no sabe que vuelves a tu casa, se despierta y descubre que te has marchado, podría ser muy malo para ella. Se supone que no debe tener disgustos.

–¡Ah!

–Te lo pido como un favor personal, ¿podrías volver y esperar al menos a que se despierte?

–Vale –dije–. Lo siento.

–No hay nada que sentir –respondió, me cogió la bolsa de basura de la mano y la metió en la casa.

–¿Qué huele tan mal? –preguntó Melina cuando se despertó y bajó la escalera.

–Yo no huelo a nada –dijo Gil. Se había aflojado la corbata y estaba sentado en la sala conmigo, leyendo el periódico.

–Es como algo podrido –explicó Melina haciendo una mueca. Tenía el pelo revuelto.

Entonces me di cuenta de que se me había olvidado volver a meter a Snowball en el congelador.

–Debe de ser la gata –dije.

–¿Qué gata? –preguntó Gil.

–Jasira tiene una gata muerta congelada –dijo Melina. Podría jurar que Gil pretendía hacer más preguntas sobre el asunto, pero Melina lo cortó y añadió–: No puedo creer que apeste desde el congelador.

–No –dije–. No es eso.

Melina se fijó en la bolsa de basura que estaba en el suelo, entre mis piernas.

—¿Qué es eso? —preguntó—. ¿Es la bolsa de tu casa?

Asentí.

Se puso las manos en los riñones para acomodarse.

—¿Qué haces con eso?

—Cuando llegué a casa, me encontré con que Jasira salía. Cree que ya está preparada para volver con su padre —explicó Gil antes de que me diera tiempo a contestar.

—No —dijo Melina mirándome—. ¿Qué dices? De ningún modo.

—Si quiere volver, puede volver, Mel —dijo Gil.

—¿En serio? —me preguntó Melina—. ¿De verdad quieres volver?

—No quiero causaros problemas.

—Dame la gata —me ordenó.

Abrí la bolsa, saqué a Snowball y se la di a Melina.

—Quiero que lleves esta ropa arriba y la guardes en el armario de la ropa blanca —dijo Melina mientras iba a la cocina.

—Vale.

—Tienes que dejarla que vuelva a casa si quiere —dijo Gil en voz alta para que Melina lo oyera.

—¡Es que ella no quiere! —le contestó Melina.

Gil miró, me vio coger la bolsa de basura y subir la escalera. Pensé que era muy amable por su parte intentar defender mis derechos, y por eso no quise herir sus sentimientos y decirle que Melina tenía razón, que en realidad no quería irme a casa.

Esa noche, Melina preparó una cena que se llamaba pollo

tetrazzini. Era pollo con una salsa que se vertía sobre el arroz. Estaba realmente bueno. Todos lo dijimos. Después de cenar, Gil lavó los platos y Melina me pidió que subiera con ella. Parecía seria, lo que me hizo pensar que quería volver a ver el moratón, pero no era eso. Me llevó a su habitación y me dijo que me sentara en su cama. Luego sacó mi *Playboy* del cajón de su mesita de noche y se sentó a mi lado.

–¿De dónde sacaste esto? –me preguntó.

No contesté. Sabía que no me pegaría como papá, pero me daba demasiada vergüenza.

Al cabo de un momento abrió la revista y hojeó un par de páginas.

–No me importaría esta mierda si no fuera por los retoques. Si fueran solo mujeres mayores sin retoques, seguramente podría soportarlo.

–¿Qué son retoques? –le pregunté.

Hojeó dos páginas más y luego giró la revista para enseñarme la foto de una señora que estaba en una cuadra de caballos inclinándose hacia delante con las manos en una silla de montar para poner el culo en pompa.

–¿Ves lo lisa que tiene la piel aquí? –dijo Melina señalando la parte trasera de sus muslos.

Asentí.

–Lo más seguro es que tenga celulitis, pero pintan encima para que su piel parezca perfecta. Después los hombres ven estas fotos y se creen que así es como deben estar las mujeres. Y las mujeres ven estas fotos y creen que así es como deben estar ellas.

–¿Las mujeres miran estas fotos? –le pregunté al recordar que papá había dicho que las mujeres no las miraban.

–Claro que sí. ¿Por qué no iban a mirarlas?

Me encogí de hombros.

–Miran estas fotos y se sienten mal consigo mismas.

–¡Ah! –Lo pensé un momento y luego añadí–: ¿Algunas mujeres miran las fotos y se sienten bien?

–Puede ser –dijo Melina–. ¿Así es como tú te sientes?

No respondí.

–Me refiero a que son fotos eróticas –dijo.

–Supongo.

–Lo cierto es –dijo cerrando la revista– que cómo se sienta cada uno cuando mira estas fotos... no importa. Es algo privado.

Asentí.

–Pero lo que no es privado es que una niña de tu edad tenga una revista como esta. ¿Entiendes lo que digo?

Asentí.

–Esta es una revista solo para adultos.

Ahora se parecía a papá.

–Si te encontraste la revista, es una cosa. Pero si te la dio un adulto, es bien diferente. –Hizo una pausa–. ¿Te la dio un adulto?

–Sí.

–¿Ese adulto era tu padre?

–No.

Suspiró.

–Lo siento –dije.

–¿El qué?

–Leer una revista para adultos.

–No te preocupes por eso –contestó, la cogió y la volvió a guardar en el cajón.

Más tarde, cuando estábamos viendo la tele en el salón, llamaron a la puerta. Gil se levantó de su sillón para ir a abrir. Después de cenar solía levantarse y hacerlo todo él, pues era cuando Melina estaba más cansada.

–¡Ah, hola! –dijo–. Entra.

Me preparé para ver a mi padre, pero no era él sino el señor Vuoso. Vestía una cazadora ligera y una gorra de béisbol, y llevaba varios sobres en la mano. Al entrar en el recibidor se quitó la gorra. En cuanto Melina lo vio, apretó el botón para silenciar la tele en el mando a distancia. El señor Vuoso reparó en el silencio y se volvió para mirarnos.

–Hola –dijo Melina.

El señor Vuoso abrió la boca para devolverle el saludo, pero entonces me vio y no dijo nada.

–¿Qué ocurre? –le preguntó Melina.

–¡Ah! –dijo el señor Vuoso–. Hoy he… hemos recibido correo vuestro. La señora Vuoso me pidió que os lo trajera.

–Gracias –dijo Gil cogiéndole los sobres.

–Ese cartero es un desastre –dijo Melina–. Quiero decir que somos muy pocos en esta maldita calle, ¿verdad?

El señor Vuoso parecía confuso, como si no supiera si Melina intentaba ser amable o no.

–Pse –dijo–. Es muy descuidado.

Melina asintió.

–Hola, Jasira –dijo por fin el señor Vuoso. No lo dijo de malos modos, sino como si quisiera que Melina y Gil pensaran que éramos amigos.

No contesté. No quería hablarle. Si papá hubiera estado allí, me habría obligado a decirle hola al señor Vuoso porque era un adulto, aunque él lo odiase. Pero a Melina y a Gil no pareció importarles. No me ordenaron que hiciera nada. El señor Vuoso no se marchaba. Se quedó allí plantado, con la gorra en la mano. Tal vez esperaba que Melina le explicase qué hacía yo allí. Pero no le explicó nada.

–En realidad, creo que nosotros también tenemos algo tuyo –dijo Melina, en cambio.

–¡Ah!, ¿en serio?

–¿Qué es? –preguntó Gil.

–Está en el cajón de mi mesilla de noche –le dijo Melina–. ¿Te importaría ir a buscarlo?

No se movió enseguida, sino solo cuando Melina le echó una mirada que había visto unas pocas veces desde que estaba con ellos. Era una mirada que significaba que hiciera lo que ella quería, sin rechistar.

–Claro –dijo Gil–. Espera.

Todos observamos cómo subía la escalera. Mientras Gil estaba arriba, yo miraba a Melina, Melina miraba al señor Vuoso y yo estaba casi segura de que el señor Vuoso me miraba a mí.

–Jasira –dijo el señor Vuoso–, no sabía que pasabas algún rato por aquí.

No dije nada y seguí mirando a Melina.

–Aquí viene Gil –anunció Melina al cabo de un momento. Nos volvimos para mirarlo. Traía el *Playboy*. Acabó de bajar la escalera y se lo dio al señor Vuoso, que esperó un momento antes de cogerlo. Parecía tan impresionado que me costó mucho no sentir lástima por él.

–Es tuyo, ¿no? –preguntó Melina.

Me pareció que asentía con la cabeza, pero no hubiera podido asegurarlo.

–Bien –dijo Melina.

El señor Vuoso me miró y yo instantáneamente bajé la vista. Quería que se marchara. Hubiera deseado que no me resultara tan difícil no sentirme culpable.

–Bueno –dijo Gil, y oí que abría la puerta de la calle–. Buenas noches.

La puerta se cerró enseguida. Levanté la vista. Gil echó la llave. Suspiró y dijo que se iba a la cama. Melina le contestó que ella subiría en un rato.

–¿Te hizo algo más? –me preguntó Melina cuando Gil ya había subido la escalera y girado en el recodo del pasillo.

Pensé en lo que Gil me había dicho antes, que se suponía que Melina no debía preocuparse, que yo no debía decirle cosas que la preocuparan porque podía perjudicar al bebé. Una parte de mí quería hacer un poco de daño al bebé, como siempre, pero otra no. Yo no quería al bebé, pero sabía que Melina sí, y también sabía que si quería que ella me quisiera tendría que querer al bebé, o al menos fingir que lo quería.

–No –contesté–. No me hizo nada.

—¿Estás segura? —me preguntó.

—Sí.

—No quiero que vuelvas a hablar nunca con él, ¿lo entiendes?

—Sí.

—Y no te atrevas a sentir lástima por él.

No le pregunté cómo sabía que me daba pena. Me limité a asentir. Entonces cogió el cepillo que ahora guardábamos abajo, en la mesita de café, y empezó a cepillarme el pelo.

—Deja que te peine el tuyo —le pedí al cabo de un momento.

Y dijo que sí. El cepillo se deslizaba por su cabello lacio con mucha facilidad, no se atascaba ni había nada que desenredar; no tenía que sacudirme de la mano cabellos desprendidos. No se quejó ni una sola vez. Dorrie también tendría ese pelo, pensé. Si alguna vez salíamos las tres juntas a la calle, todo el mundo sabría cuál era su verdadera hija.

Esperé durante toda la semana a que papá viniera a buscarme, pero no vino, y como Melina siempre me llevaba al colegio, nunca lo veía en la calle por las mañanas. A la hora en que él llegaba a casa por la noche, yo estaba cenando con Melina y Gil. No es que tuviera ganas de verlo, pero a veces me preguntaba qué estaría haciendo o comiendo, qué programa estaría viendo en la tele o si la abuela aún creería que Saddam iba a bombardearla. Mi madre llamó otra vez, pero a la misma hora en que Gil no estaba en casa y Melina dormía la siesta. Esta vez me quedé junto al contestador automático y estuve a punto de descolgar el auricular, pero no lo hice. Me daba demasiado miedo que me dijera que tenía que volver a casa con papá. Cuando colgó, borré el mensaje.

Durante toda aquella semana de espera tuve sueños extraños. No recordaba de qué iban, pero siempre me despertaba por algo que estaba haciendo en la vida real, como contener la respiración o gritar. Cada vez que gritaba, Melina iba a mi habitación y encendía la luz, aunque cuando contenía la respiración estaba sola. A veces se me ocurría fingir un grito para que ella viniera, pero no me parecía honesto.

Cuando gritaba y ella venía a mi habitación, me decía que era solo una pesadilla, se tumbaba a mi lado en la cama y se dormía. Por la mañana, al despertarse, me decía que no sabía cómo podía soportar la barra del colchón. Me pedía que le diera masajes en los puntos de la espalda donde se le había clavado la barra y entonces aseguraba que yo tenía dedos mágicos.

Empecé a pensar que con cada día que pasaba se acercaba el fin de mi vida. No el fin de mi vida real, sino el fin de mi buena vida. Sabía que cuando llegara Dorrie, Melina iría a su habitación en mitad de la noche y no a la mía. Lo más seguro era que yo ni siquiera tuviera habitación. Volvería a vivir con papá o en Syracuse con mi madre. Las noches en que Melina dormía conmigo me quedaba despierta y la miraba dormir. Intentaba mantenerme despierta tanto tiempo como pudiera porque me estaba sucediendo una de las cosas que más podían gustarme.

—Pareces cansada —me dijo Thomas el viernes en el colegio.

—¿Sí? —Acababa de sentarme a la mesa de la cafetería y estaba abriendo el almuerzo que Melina me había preparado.

—Tienes ojeras.

—¡Ah! —Quité el papel de aluminio que envolvía el bocadillo. Melina nunca me preguntaba qué quería comer. Me envolvía la comida y me daba una sorpresa. Lo prefería incluso a que me gustara la comida que me preparaba. Hoy parecía vegetal con huevo.

—¿No duermes suficiente?

—Sí.

—Entonces, ¿por qué tienes ojeras?

Me encogí de hombros y mordí el bocadillo.

—Hoy iré a casa contigo después del colegio —dijo Thomas—. Podemos dormir la siesta.

—No puedes —le dije.

—¿Por qué no?

Thomas miraba la ensalada de huevo salirse por los lados del bocadillo y caer en el papel de aluminio, y acercó el tenedor de plástico para recogerla.

—Porque ya no vivo en casa.

—¿Qué?

—Vivo con Melina.

—¿La señora que estaba embarazada?

Asentí.

—¿Por qué?

—Papá me estaba pegando demasiado.

Thomas no dijo nada. Se me cayó más ensalada de huevo, pero no la recogió.

—¿Por qué te pegó?

—Encontró el *Playboy*.

—¿Solo por eso?

—Dijo que era una revista para hombres y que yo no debía leerla.

Thomas lo pensó un momento. Luego dijo:

—Vamos a echar una siestecita.

—No puedo. En casa de Melina no.

–Entonces ven a mi casa.

Negué con la cabeza.

–A Melina le gusta que me quede con ella.

Thomas salió conmigo después del colegio y esperó a que llegara Melina. Cuando ella apareció, Thomas abrió la puerta del copiloto del Toyota y asomó la cabeza.

–Hola –dijo.

–Hola –contestó Melina–. Eres Thomas, ¿verdad?

Thomas asintió.

–¿Quieres que te acerquemos?

–¿Puedo ir a tu casa y quedarme un rato con Jasira? –preguntó Thomas.

–Claro –dijo Melina. Luego se inclinó hacia delante y me miró a mí, que esperaba en la acera–. ¿Quieres que venga?

Asentí.

–Vale. Entra.

Thomas empujó el asiento del copiloto hacia delante y se sentó detrás. Cuando me senté noté su rodilla clavándoseme en la columna vertebral.

–¿Quieres que eche el asiento adelante? –le pregunté, pero dijo que no, que estaba bien.

Melina se alejó del bordillo y se adentró en el camino circular que salía de los terrenos del colegio. Nos preguntó si queríamos alquilar una película o algo, y Thomas dijo que no.

–Oye, Melina, ¿no te parece que Jasira tiene cara de cansada?

Me echó una mirada rápida mientras conducía.

–No lo sé. Tal vez. ¿Estás cansada?

–En realidad no.

–Tiene ojeras –dijo Thomas.

–Bueno, está durmiendo en ese sofá cama tan cutre que tenemos. Seguramente sea por eso. Es demasiado educada para decir que es un asco.

–No es un asco –dije.

–Jasira es la persona más educada que conozco –dijo Thomas, lo cual me dio vergüenza porque no se rió después de decirlo como si fuera un chiste.

Nos paramos en el supermercado y Melina nos dio veinte dólares para comprar leche, pan y algo de merienda para nosotros. Cuando entramos en la tienda, Thomas fue directo a la sección de farmacia y cogió un pequeño paquete de condones.

–No puedo hacerle eso a Melina –dije.

–¿Por qué no? –me preguntó–. ¿Cuál es la diferencia entre dormir la siesta y hacerlo? Cerraremos la puerta de todos modos.

–Ya te lo he dicho. No puedo echar una siesta.

–A ella no le importará –dijo Thomas–. Es enrollada.

Thomas pagó los condones de su dinero. Temí que la señora de la caja dijera que éramos demasiado jóvenes para comprarlos, pero no dijo nada, aunque se quedó mirándonos como si lo pensara, sobre todo cuando Thomas sacó los condones de la bolsa de la comida y los metió en su mochila.

Melina se había quedado dormida cuando regresamos al aparcamiento. Tenía la cabeza apoyada en la ventana y la boca entreabierta.

–Perkins, a casa –dijo Thomas al subir al coche, lo cual la despertó.

Pasamos por delante de la copistería del señor Vuoso y no comenté nada. Tampoco Melina. Desde que le había devuelto el *Playboy* era como si no existiera. Pero yo sabía que no era así. El señor Vuoso existía, y también papá. El simple hecho de que no los viera no significaba que no estuvieran allí. De momento no se acercaban porque les tenían miedo a Melina y Gil. Me imaginaba que los dos estaban esperando a que Melina se fuera al hospital a tener el bebé para ir a cogerme.

–Tío, qué sitio tan guapo. Es moderno de verdad –dijo Thomas cuando entramos en casa de Melina.

–Gracias –dijo Melina dejando el bolso en una silla.

–¡Mira, Lawrence de Arabia! –dijo Thomas. Dejó la bolsa de la compra en la mesita de café y se acercó a la pared donde estaban colgadas todas las fotos de Gil en el desierto.

–Mi marido estuvo en el Cuerpo de Paz –dijo Melina.

–Cavaba váteres en Yemen –añadí.

–¿Es blanco? –preguntó Thomas.

–Sí –dijo Melina.

Thomas asintió.

–¡Qué guay!

–Oíd, chicos –dijo Melina–, tengo que dormir un rato la siesta. Podéis ver la televisión o lo que sea. Solo dadme una horita o así.

–Claro –contestó Thomas.

–Si salís, quedaos cerca de la casa, ¿vale, Jasira?

Asentí.

–Gracias por la merienda –dijo Thomas.

–De nada –contestó Melina, que se dio media vuelta y subió la escalera.

Cuando se hubo marchado, fuimos a la cocina para sacar la comida.

–Podemos comer más tarde –dijo Thomas dejando un par de bolsas de patatas fritas en la encimera–. Deberíamos hacer la siesta ahora, mientras ella duerme.

–Es que tengo hambre.

–Seguro que puedes esperar.

–Siempre como algo después del colegio.

–¿No quieres hacerlo conmigo? –me preguntó bajando la voz.

–Sí.

–Bueno, pues ahora es el mejor momento.

–Si Melina se enterara, me enviaría de vuelta a casa con papá.

–No, ni en broma –dijo Thomas–. No va a devolverte a alguien que te pega.

–Entonces me enviaría a casa de mi madre.

Thomas no dijo nada, solo dobló la bolsa de papel de la compra.

–No quiero vivir con mi madre.

–¿Dónde quieres vivir? –me preguntó.

Lo pensé un segundo.

–Aquí.

Se echó a reír.

–No puedes vivir aquí. No puedes mudarte a casa de los vecinos.

–¿Por qué no? –pregunté.

Se encogió de hombros.

–Porque no puedes. Esas cosas no pasan.

Oír aquello me hizo sentir realmente mal. Sobre todo porque Thomas parecía muy seguro de sí mismo.

–Venga –dijo–, vamos arriba.

No me levanté de la silla.

–Venga –volvió a decir, pasando por delante de mí. Me cogió la mano y me la puso en su paquete–. ¿Ves cómo me excitas?

Asentí.

–Nadie me excita tanto. Tú eres la única.

Dejé que me moviera un poco la mano por sus pantalones.

–¿No quieres ser la única? –preguntó.

–Sí –dije, porque lo sentía de verdad. Era lo que más había deseado siempre.

Thomas sacó un condón de la mochila, nos quitamos los zapatos y subimos la escalera. Por una vez me alegré de que Melina hubiera cerrado del todo la puerta del dormitorio.

–Esto es el baño –susurré al pasar por delante.

Cuando llegamos al estudio de Gil, le hice señas a Thomas para que entrara y cerrara la puerta.

–Hablemos bajito –dije, y él asintió. Se sentó en la cama para probarla.

–¡Ostras! –exclamó–. La verdad es que esto es una mierda.

–No está tan mal.

Se quitó la chaqueta y la colgó sobre un brazo del sofá. Luego se tumbó boca arriba en la cama plegable y deslizó las manos entre la cabeza y mi almohada.

—Chúpame la polla —susurró.

Me senté en el borde de la cama y le desabroché los pantalones. Me gustaba que le quedaran tan apretados con la erección. Cuando por fin se los desabroché y le bajé un poco los calzoncillos, su pene salió disparado. Me gustaba que estuviera allí tumbado con las manos debajo de la cabeza. Me decía lo que tenía que hacer, pero no me estaba obligando. Actuaba como si lo hiciera, y eso me excitaba más que ninguna otra cosa.

—Así está bien —susurró Thomas cuando me puse en cuclillas a su lado. Entonces me apoyó la mano en la cabeza, no para guiarla sino para acariciarme el pelo—. Así está bien —seguía diciendo. Al cabo de un rato dijo—: Quiero comerte el coño.

Dejé de chuparle el pene y esperé a que se moviera para poder tumbarme debajo de él. Cuando me puse debajo, Thomas se arrodilló delante de mí y me quitó los tejanos y las bragas, luego me abrió las piernas y las aguantó así, de ese modo, separadas como a él le gustaba. Se quedó mirando un rato, luego puso la boca ahí y yo le acaricié el pelo.

Me sentía realmente bien con lo que me hacía. No dije nada, pero intenté acariciarle el pelo muy suavemente para hacérselo saber. Pensé que tal vez tuviera un orgasmo así, pero entonces Thomas decidió parar y se puso un condón. Me dijo que me pusiera encima y lo hice, y fue muy distinto de cuando él se ponía encima. Lo sentía todo mucho más, incluso demasiado. Thomas extendió las manos para tocarme los pechos y fue como si tocara al mismo tiempo todas las partes de mí que sabían cómo hacerme sentir bien. Tuve un orgasmo enseguida, pero no de los que estaba acostumbrada. Fue como si viniera no de fuera de mí, sino de dentro, de donde estaba el pene de Thomas. Era como si empezara muy hondo y viajara hacia la superficie. Como si empezara antes que nunca y acabara mucho después de lo que se suponía que debía hacerlo. No pude evitarlo. Grité.

Instantáneamente Thomas y yo dejamos de movernos el uno hacia el otro y nos quedamos escuchando.

–No creo que haya oído nada –dijo.

–Sí –dije–. Lo ha oído.

–¿Cómo lo sabes? Venga, sigamos.

Empezó otra vez a moverse, pero yo me quité de encima.

–Lo oye todo –dije buscando mi ropa.

–¿Y qué pasa conmigo? –protestó Thomas. Bajó la vista hacia su pene, que aún estaba duro dentro del condón.

–Lo siento. Tendrás que vestirte.

Justo entonces oí abrirse la puerta de Melina.

–¿Jasira? –llamó desde el pasillo.

–¡Date prisa! –le susurré a Thomas.

–¡Oh, mierda! –dijo, dio un salto y empezó a ponerse los calzoncillos encima del condón.

–¿Jasira? –volvió a llamar Melina. Su voz se acercaba y cada vez sonaba más nerviosa. Al cabo de dos segundos, llamó a la puerta–. ¿Hola?

—¿Sí? —dije. Yo ya estaba vestida y me abrochaba el escote de la blusa, pero Thomas aún se estaba poniendo los tejanos.

—¿Qué estás haciendo? —preguntó Melina.

—Nada —dije yo.

—¿Por qué está cerrada la puerta?

Esperaba que la abriera, pero no lo hizo.

—Estaba echando una siesta —dije.

—¿Se ha ido Thomas a casa?

Me quedé en silencio un segundo.

—No.

Justo entonces abrió la puerta. Thomas se acababa de poner el jersey.

—Hola —dijo él.

—¿Qué está pasando aquí? —preguntó Melina.

—Estábamos durmiendo la siesta —dije.

Melina miró la cama, que estaba hecha pero revuelta, y luego miró al suelo. Me preocupaba que el envoltorio del condón de Thomas estuviera allí, pero, si estaba, ella no se dio cuenta.

—Eres demasiado joven para estar sola en tu habitación con un chico. Si estás cansada, Thomas debería irse a casa para dejarte descansar. —Entonces miró a Thomas—. ¿Te llevo a casa?

—¿Tengo que irme? —dijo él.

—¿Aún estás cansada, Jasira? —me preguntó Melina.

Negué con la cabeza.

—Muy bien —le dijo a Thomas—. Puedes quedarte, pero tenéis que ir abajo. Vamos. Todos abajo.

–¿Acabaste tu siesta? –le pregunté.

–En realidad no.

–Puedes acabarla, si quieres –le dije–. Te prometo que iremos abajo.

–Es igual –contestó–. Ya no estoy cansada.

–Tengo que ir al baño –dijo Thomas.

Melina se apartó para dejarlo pasar. Cuando él se marchó, me miró. Yo aún estaba al pie de la cama.

–Siento haber cerrado la puerta –me disculpé.

–¿Por qué gritaste?

–¿Qué?

–Te oí gritar.

–¡Ah! –Intenté pensar en algo que pudiera decirle y que no fuera embarazoso pero que tampoco fuera mentira. No pude.

–¿Tuviste una pesadilla? –me preguntó.

–No.

Justo entonces sonó la cadena del váter y se abrió la puerta del baño.

–Vale. Ya hablaremos más tarde.

–Lo siento –repetí.

Fuimos abajo a merendar. Thomas le contó a Melina que la noche antes de un campeonato de natación se había tenido que comer un enorme plato de espaguetis para recargar hidratos de carbono. Se rió y dijo que a todos los chicos rubios se les había quedado el pelo verde del cloro. Gil llegó a casa a eso de las seis y Thomas le preguntó por las fotos de la sala. Fueron a mirarlas mientras Melina y yo nos quedábamos acabando la merienda en la cocina.

–Es un chico muy majo.

Asentí.

–Un poco chulito, pero majo.

–Es muy buen guitarrista. Le gusta Jimi Hendrix.

–Bueno –dijo Melina–, tiene buen gusto.

Empezamos a hacer la cena, dos pizzas caseras. Melina había preparado la masa mientras yo estaba en el colegio y ahora sacó las bolas de la nevera y cada una estiramos una encima de un papel de cocina. Le echamos salsa encima, luego queso, y después *pepperoni* en una y jamón bajo en sal en la otra. Las dos llevaban pimientos, champiñones y cebolla. Una vez las metimos en el horno, fuimos a la sala a sentarnos.

–*Marhaba* –dijo Thomas cuando entramos.

–¿Qué? –le pregunté.

–Así es como se dice hola en árabe. Gil me ha enseñado.

–¡Ah!

–¿No lo sabías? –me preguntó Thomas.

–No hablo árabe.

–Es un idioma difícil de dominar –dijo Gil.

–La cena estará preparada en quince minutos –anunció Melina.

–Genial –dijo Gil.

–¿Tienes que llamar a tu madre? –le preguntó Melina a Thomas.

–¡Ah, sí! Supongo que será mejor que llame. ¿Dónde está el teléfono?

Melina señaló hacia la cocina.

–En la pared, junto a la despensa.

Thomas asintió. En cuanto se marchó, sonó el timbre. Melina ya se había sentado, así que Gil se levantó para abrir.

–¡Ah, hola!

–Buenas noches –oí decir a papá. Era la primera vez que oía su voz en varios días. Parecía tratar de sonar simpático.

–Hum... entrad –dijo Gil.

Papá, con un traje azul marino, entró seguido de Thena. No la había vuelto a ver desde la mañana en que me maquilló, aunque a veces hablábamos un poco por teléfono cuando llamaba para hablar con papá. Ahora que estaba allí me daba cuenta de que había olvidado lo guapa que era y cuánto me impresionaba que quisiera estar con papá. Aquella noche se había puesto un vestido de seda verde oscuro y una pulsera de perlas. Se había maquillado los ojos en tonos verdes y cobrizos, y llevaba las uñas pintadas de un color melocotón pálido. Parecía recién salida de la peluquería. Estaba segura de que debía de oler bien, aunque estábamos lejos. Llevaba una botella de vino que tenía cintas brillantes y rizadas alrededor del cuello, y papá una bandeja de horno de cristal rectangular. Sabía que había hecho *baklava* porque era su especialidad. Una vez intentó enseñarme a prepararlo diciendo que tal vez podría sorprenderlo con uno cuando llegara a casa del trabajo, pero nunca lo hice.

–Esta es mi amiga Thena –le dijo papá a Gil.

–Hola –dijo Gil estrechando la mano de Thena.

–Encantada de conocerte –contestó ella.

–Hemos venido a cenar –explicó papá–. Para celebrar el

final de la guerra. –Como nadie dijo nada, papá le dio a Gil el *baklava* y dijo–: Esto es para vosotros.

–Y esto –dijo Thena tendiéndole la botella a Gil–. Sidra espumosa –añadió mirando a Melina.

Gil también miró a Melina como si no supiera qué hacer. En el silencio, pude oír a Thomas, que hablaba en voz baja en la cocina.

–Buenas noches, Melina –saludó papá desde el otro extremo de la habitación–. Esta es Thena.

Melina asintió y contestó:

–Hola.

–Hola, Jasira –dijo papá al cabo de un momento.

–Hola –dije.

–Dile hola a Thena.

–Hola –le dije a Thena.

–Me alegro de volver a verte –respondió.

Asentí.

–Vale –dijo Thomas, entrando en la sala de estar–. Dice mi madre que puedo quedarme.

Papá se giró para mirar a Thomas. Todos nos giramos.

–Hola –dijo Thomas.

Estaba de pie en el amplio umbral que comunicaba la sala de estar con la cocina. Había estirado los brazos y tenía una mano a cada lado del marco de la puerta. Llevaba una camiseta, así que al hacer aquel gesto se le vieron los músculos de los bíceps. Los nadadores, me había contado una vez, no eran muy musculosos sino fibrosos.

Papá aún miraba a Thomas. Intenté no sentir lástima por

él porque yo transgrediera sus normas y él no pudiera hacer nada. Era duro, sobre todo ahora que estaba allí, bien vestido, intentando causar buena impresión.

–Este es Thomas –dije al fin, convencida de que, como era mi amigo, papá querría que como mínimo fuera yo quien se lo presentara a Thena.

–Hola, Thomas –dijo Thena, y dio un paso adelante para estrecharle la mano–. Soy Thena.

Thomas soltó el marco de la puerta y también dio un paso adelante.

–Encantado de conocerla. –Luego miró a papá y dijo–: Hola.

Papá no dijo nada.

–Soy Thomas –dijo Thomas, avanzando hacia él.

Papá asintió.

–Lo recuerdo.

Hubo un momento de silencio y luego Thomas se dirigió a Melina:

–Dice mi madre que puedo quedarme.

–Bien –asintió Melina.

–Bueno –dijo papá–. Supongo que os habíais olvidado de la cena de esta noche.

–No es eso –dijo Melina–. Quiero decir... sí, de acuerdo, lo hemos olvidado, pero las circunstancias han cambiado, ¿no crees?

Papá se encogió de hombros.

–La guerra ha terminado, de todos modos.

–Ya sabes a lo que me refiero –dijo Melina.

—¿Puedo decir algo? —intervino Thena.

—Claro —asintió Gil.

—Gracias —dijo, sonrió un poco y respiró hondo—. No queremos molestar, ¿verdad, Rifat? —Miró a papá. Como no contestó, añadió—: Es solo que creo que a Rifat le gustaría tener la oportunidad de visitar a Jasira y hacerle saber que la echa de menos.

Volvió a mirar a papá.

—Sí —dijo papá. Me miró y añadió—: Eso es lo que quería hacer.

—Así que si no nos quedamos hoy —dijo Thena—, ¿tal vez podríamos quedar para otra noche?

—Claro —dijo Melina.

—Solo hay dos pizzas —solté yo.

—No pasa nada —dijo Thomas—. Yo no tengo hambre. He merendado mucho.

Entonces nadie dijo nada. Era difícil saber cuál sería la decisión y quién iba a tomarla. Por un momento me puso nerviosa la posibilidad de que Melina me pidiera que lo decidiera yo, pero no lo hizo.

—Bueno, ¿por qué no entráis y os sentáis un rato, al menos? —ofreció Gil.

—Gracias —dijo Thena—. Eso estaría muy bien.

—Déjame coger tu abrigo —dijo Gil, y ayudó a Thena a quitárselo.

Mientras él se dirigía al armario, Melina condujo a Thena y a papá hasta la sala. Papá ocupó el sillón de Gil y Thena se sentó en un rincón del sofá. Yo aún estaba de pie delante del asiento central, mientras que Melina ya se había acomodado en el otro extremo. Cuando Gil volvió, se sentó en una silla al lado de Melina. Casi nadie se sentaba allí nunca porque estaba demasiado cerca de la tele.

—Ven con nosotros, Thomas —indicó Gil.

Thomas asintió y se sentó en el suelo, delante de la mesita de café.

—La pizza huele bien —comentó Thena.

—Gracias —dijo Melina.

—Es casera —intervine yo—. Incluso la masa.

Thena asintió como si estuviera impresionada.

—¿Puedo preguntarte cuándo sales de cuentas? —dijo, dirigiéndose a Melina.

—Oficialmente el veintitrés de abril, pero da la sensación de que puede ocurrir en cualquier momento. Ya está encajada.

—¿Encajada? —preguntó papá.

—Se resitúan en el útero a medida que se acerca el momento del parto —le explicó Melina.

Papá pareció incómodo, como si hubiera preferido no preguntar.

—¡Ah!

—¿Así que sabes que es una niña? —preguntó Thena.

Melina asintió.

—¡Qué emocionante! Felicidades.

—Gracias —dijo Melina.

—Las niñas son más divertidas que los niños —opinó Thena.

—¿Por qué? —preguntó papá—. ¿Cómo lo sabes?

—Todo el mundo sabe que las niñas tienen más personalidad.

Papá levantó una ceja. Probablemente quería decir algo así como que yo no tenía mucha personalidad, pero no lo hizo.

—Estoy de acuerdo —dijo Thomas—. En cuanto a lo de las niñas.

Papá lo miró.

—Disculpa, pero ¿puedo preguntarte qué estás haciendo aquí? —le dijo.

—Soy amigo de Jasira.

—Ajá —contestó papá—. Pero se supone que Jasira no debería verte.

Thomas se encogió de hombros.

—¿Por qué no? —preguntó Melina.

—Porque soy negro —dijo Thomas.

Papá no hizo ningún comentario.

—¿Es por eso? —le preguntó Thena a papá.

Papá no contestó.

—¡Por Dios! —dijo Thena—. Eso es ridículo.

—En primer lugar —explicó papá—, ella es demasiado joven para ir con chicos... eso lo primero.

—Estoy de acuerdo —opinó Melina.

Papá la miró. Se quedó callado un momento. Luego continuó:

—Y en segundo lugar, a una mujer blanca puede resultarle muy difícil mantener una relación interracial. Fue duro para la madre de Jasira, por ejemplo.

—Ella no es blanca —dijo Thomas.

—¡Oh, sí que lo es! En los formularios, a los de Oriente Próximo se les considera blancos. Caucásicos.

–¿Qué formularios? –preguntó Thomas.

–¡Cualquier formulario! –dijo papá. Yo sabía que no le gustaba que Thomas le estuviera hablando de aquel modo y que aquella era la verdadera razón de su enfado.

Justo entonces sonó el timbre del horno.

–Es hora de sacar la pizza –dijo Melina levantándose del sofá–. Ven a ayudarme, Jasira.

–Claro –dije, y la seguí hasta la cocina.

–Saca seis platos, ¿quieres? –dijo Melina cuando llegamos.

Noté el calor del horno en las piernas cuando Melina abrió la puerta y retiró las dos bandejas. Mientras reposaban y se enfriaban sobre el horno, fue al cajón de la cubertería y cogió un puñado de cuchillos y tenedores. La sidra no alcanzaría para todos, así que llenó seis vasos de limonada y los puso en una bandeja junto con los cubiertos y unas servilletas. Yo estaba esperando a que dijera lo que pensaba, pero no lo hizo. Simplemente se dedicó a cortar las pizzas con una ruedecilla afilada y a poner un trozo de cada sabor en cada plato.

–Supongo que se quedan a cenar –dijo por fin, después de soltar un suspiro.

–Eso parece.

–Lo siento, niña.

–Está bien –dije, y era la verdad.

Siempre estaba bien cuando Melina adivinaba lo que yo pensaba sin que tuviera que explicárselo.

Lo llevamos todo a la sala de estar: los platos con las pizzas y la bandeja con las demás cosas. En cuanto vio la comida, papá preguntó:

—¡Ah!, ¿vamos a cenar aquí?

Thena enseguida empezó a quitar las revistas de la mesita de café. Papá se puso a ayudarla, hasta que se topó con mi libro *Changing Bodies, Changing Lives* y entonces paró.

—¿Qué es esto? —preguntó.

Melina y Gil se miraron.

—¿De quién es? —quiso saber papá.

—Es mío —dije yo.

—¿Tuyo?

Asentí.

—¿De dónde has sacado semejante libro?

—Es para adolescentes —contesté—. Chicos y chicas adolescentes.

—Mira esto —dijo, y le tendió el libro a Thena. Ella no lo cogió.

—Vamos a cenar, Rifat —dijo, en cambio.

—Pero mira este libro —dijo papá, enseñándole algunas páginas—, mira qué fotos. —Thena cogió el libro y lo miró.

—Es solo un libro básico —dijo ella—, con la información básica.

—No lo es —dijo papá—. Esto no es información básica. Es un material muy gráfico. Yo no podría ni mentar la mayor parte de esto.

Melina suspiró.

—Mira, yo le regalé ese libro a Jasira; tenía muchas preguntas y pensé que el libro la ayudaría.

—¿Quién eres tú? —preguntó papá—. ¿Por qué tienes que ayudarla? ¿Quién te ha pedido que la ayudes?

Gil le dijo algo a papá en árabe y papá dejó de hablarle a Melina de aquel modo. Gil dijo otra cosa, extendió el brazo y papá le dio mi libro. Entonces todos nos sentamos a comernos la pizza.

—Está muy buena —dijo Thomas.

—Gracias —contestó Melina.

—Sí, muy buena —coincidió Thena.

—Queda un poco por si alguien quiere más —ofreció Melina.

—Cuenta conmigo —dijo Thomas, aunque antes había dicho que estaba lleno de la merienda.

—Dejad sitio para el *baklava* —murmuró papá.

—Papá hace un *baklava* muy bueno —dije.

Entonces papá me miró. No sonrió, pero algunas arrugas de su frente se relajaron un poco.

Cuando acabamos de cenar, Thena nos ayudó a Melina y a mí a llevar los platos a la cocina. Empezó a ponerse uno de los guantes de goma que Melina siempre dejaba en un rincón del fregadero.

—¡Oh no!, no te preocupes por los platos. Gil los lavará luego —le dijo Melina.

—Insisto —dijo Thena poniéndose el otro guante.

—Bueno, vale, estoy demasiado cansada para impedírtelo —cedió Melina.

—Jasira me ayudará a secarlos —dijo Thena, lo que me fastidió un poco porque quería volver a la sala de estar con Melina. Siempre quería estar con Melina. Aun así, en lugar de marcharme cogí un paño para secar los platos.

Melina se puso las manos en los riñones y se nos quedó

mirando. Supuse que tal vez a ella tampoco le gustaba la idea de que no la acompañara, pero finalmente dijo:

–Muy bien. No tardéis.

–Es muy maja, ¿verdad? –comentó Thena cuando Melina se marchó.

Asentí.

–Ya veo por qué te gusta tanto.

Me preocupaba que a Thena le salpicara el jabón y se le estropeara el precioso vestido.

–¿Quieres un delantal?

–Sí. Buena idea.

Fui al cajón hondo junto a la nevera en el que guardaban delantales limpios y paños para los platos. Sabía dónde estaba todo en la cocina de Melina: el celo, los bolígrafos, los cables alargadores, las libretas, los listines telefónicos, el betún, las bombillas, la escoba, los paraguas, el papel higiénico. Me dejaban ir a coger lo que necesitara, fuera lo que fuese, sin tener que pedirlo. Podía comer lo que quisiera a cualquier hora del día. Podía encender la tele y ver los programas que prefería cuando vivía con mi madre. Siempre que hacía algo nuevo sin pedir permiso, notaba que Gil y Melina se esforzaban en no fijarse en mí para que no me sintiera cohibida. Sabía que se suponía que no debía darme cuenta, pero me daba cuenta. Siempre me daba cuenta de todo. No podía evitarlo.

–Toma –dije dándole a Thena el delantal que apenas le servía a Melina a causa de su barriga–. Puedes ponerte este.

–Gracias. –Como tenía las manos mojadas y llenas de jabón, sonrió y añadió–: ¿Te importa?

Dije que no, se lo pasé por la cabeza y luego se lo até detrás con un lazo. Thena siguió lavando, y yo levanté un plato del escurridor y lo sequé.

—Entonces —dijo Thena—, ¿cuándo crees que podrás volver con tu padre?

Fui hasta el armario que estaba a su otro lado y guardé el plato.

—No lo sé —respondí. No le dije que esperaba que nunca. Que quería que Gil y Melina fueran mis nuevos padres.

—Él te echa de menos de veras, Jasira.

No contesté, solo cogí otro plato y lo sequé.

—¿Tú también le echas de menos? —me preguntó.

—No.

—¡Ah!

—Lo siento.

—No —dijo—. Lo comprendo. Es solo que… quiero decir que… la cuestión es que todos los padres pierden el control y pegan a sus hijos alguna que otra vez. Mis padres eran maravillosos y también lo hacían. Lo más seguro es que a Gil y a Melina les acabe pasando lo mismo.

—No, a ellos no les ocurrirá.

Entonces miré el fregadero intentando calcular cuántos platos más tendría que secar antes de que todo lo que quedaba cupiera en el escurridor y pudiera irme a la sala de estar.

—Tal vez me equivoque —dijo Thena—. No puedo hablar por Gil y Melina, ni tampoco es mi intención.

—No pasa nada.

Fui a colocar el segundo plato en el armario. Quería que

lo siguiente que lavara fueran las bandejas de pizza porque eran muy grandes. Sabía que si las lavaba ahora podría irme ya, y que si las dejaba para el final tendría que quedarme allí.

Thena suspiró.

—¿Cómo está tu madre? —preguntó.

—Bien —dije, aunque lo único que había oído de ella últimamente eran sus insistentes mensajes telefónicos.

—Eso es bueno.

Empecé a sentirme culpable porque Thena solo intentaba ser amable conmigo.

—Tiene un novio negro —comenté.

—¿En serio? —preguntó Thena.

Asentí.

—¿Y qué hace él?

Durante un segundo no conseguí recordarlo, pues siempre me parecía que lo más importante de él era el hecho de que fuera negro.

—Creo que es orientador profesional en el colegio de mi madre.

—¡Ah! —dijo Thena como si eso lo explicase todo, pero yo no estaba segura de que fuera así.

Puso un vaso al que aún le quedaban unas gotas de jabón en el escurridor y no supe qué hacer. No recordaba si las gotas de jabón eran malas para Dorrie. Una parte de mí no quería preocuparse, pero otra parte me decía que debía hacerlo.

—¿Puedes aclarar esto un poco más? —le pedí, dándole el vaso.

–Claro –asintió Thena.

–Gracias –dije, volviéndolo a coger cuando acabó.

–Bueno, te diré una cosa: no estoy de acuerdo con tu padre en que no puedas ser amiga de Thomas. Sencillamente, es ridículo. Y estoy segura de que él también lo sabe. Es solo que le preocupa tu bienestar.

Fui a guardar el vaso en el armario. Me hubiera gustado que no saliera siempre en defensa de papá. Melina nunca lo hacía. Ella no creía que papá tuviera una parte buena. Y aunque se equivocara, no me importaba. No quería pensar más en los sentimientos de papá. Estaba demasiado cansada.

Justo entonces, Thomas entró en la cocina.

–Hey. Yo acabaré de secar. Tu padre quiere que le enseñes tu cuarto.

–¿Por qué?

Thomas se encogió de hombros.

–Dice que tiene derecho a ver dónde duerme su hija.

–Se preocupa por ti, Jasira –dijo Thena–. Quiere asegurarse de que estás cómoda.

Decidí que prefería enseñarle a papá mi habitación antes que seguir escuchando a Thena hablar de aquel modo, así que le di a Thomas el paño.

–¿Me enseñas la casa? –dijo papá en la sala de estar.

Miré a Melina, que se había instalado en su rincón habitual del sofá, y luego a Gil, que estaba en su sillón.

–Vamos –dijo Gil levantándose enseguida–. Os acompaño.

Estaba segura de que a papá le fastidiaba que yo pensara que necesitaba protección, pero me importó un bledo. Sabía que no me pegaría, no era eso. Pero si nos quedábamos a solas podía decirme cosas terribles, como qué coño me creía que estaba haciendo allí y que si no volvía a casa en aquel mismo instante me castigaría con todas sus fuerzas. No estaba segura de si realmente le habría creído, pero no tenía ganas de averiguarlo. No quería estar con él y que me dijera aquellas cosas y supiera que yo aún le tenía miedo.

Gil subió la escalera primero, luego yo y luego papá.

–¡Qué ruido hacen los escalones de madera! –dijo papá cuando alcanzamos el descansillo.

–No es para tanto –dijo Gil. Luego se movió hacia la puerta de su derecha–. Este es el dormitorio principal.

Papá se asomó y asintió.

–Y aquí está el baño de Jasira –dijo Gil, un poco más allá en el pasillo.

Ni Melina ni yo lo habíamos llamado así antes, y me pregunté si el hecho de que yo ahora tuviera dos habitaciones en la casa significaba algo.

Nos paramos para que papá pudiera encender la luz y echar un vistazo.

–Muy bonito –dijo, aunque no parecía decirlo de corazón–. Pensé en buscar una casa de dos pisos para Jasira y para mí, pero me pareció demasiado grande para nosotros dos solos.

–Claro –dijo Gil.

–Y ahora solo para uno.

–Esta es la habitación de Jasira –dijo Gil encendiendo la luz y entrando.

Yo lo seguí y papá me siguió a mí. Puso los brazos en jarras mientras miraba a su alrededor. Mi cama estaba aún revuelta de cuando Thomas y yo la habíamos usado antes, pero no pareció notarlo.

—¿De quién es esa chaqueta?

Miré la chaqueta de Thomas, que colgaba del respaldo del sofá. Era un chubasquero azul.

—Esa chaqueta no es tuya.

—No —dije—. Es de Thomas.

—¿Qué?

—Subí para enseñarle mi habitación, debe de habérsela olvidado aquí.

—¿Se sentó? —preguntó papá—. No entiendo por qué se ha dejado aquí la chaqueta si no se sentó.

Gil fue a coger la chaqueta.

—Bueno, se la devolveré.

—¿Y eso qué resuelve? —preguntó papá—. En primer lugar, quiero saber por qué está aquí.

—Jasira acaba de decir que le ha enseñado a Thomas su habitación.

—Pero ¿por qué se dejó la chaqueta aquí si no se quedó?

—No se quedó —mentí.

—Ajá —dijo papá.

—Es buen momento para el *baklava* —cambió de tema Gil.

Papá no se movió.

—¿Tú y tu esposa no mantenéis ningún tipo de control?

—Claro que sí —dijo Gil—. Melina ya te ha dicho que está de acuerdo contigo en que Jasira es demasiado joven para ir con chicos.

Papá no dijo nada.

–Vamos. Haré un café.

Papá no parecía querer café. Más bien parecía querer buscar pruebas. Pero al final dio media vuelta y salió de la habitación. Dijo que tenía varias preguntas que hacerle a Melina cuando estuviéramos abajo.

–No –dijo Gil–. Nada de preguntas, por favor.

–Tengo derecho a hacer preguntas sobre el bienestar de mi hija.

–Jasira ya ha contestado a tus preguntas.

–Es una mentirosa –dijo papá.

–¿Perdón?

–Miente sobre todo.

–Nunca he visto que Jasira fuera una mentirosa –dijo Gil–. Siempre ha sido muy sincera conmigo y con Melina.

–Bueno, espera y verás.

–Ya es suficiente. Basta de conversaciones desagradables. Tomaremos un poco de *baklava* y luego tú y Thena deberíais iros.

–Perfecto –soltó papá–. Lo que tú digas.

Entonces entró en mi baño y cerró la puerta.

–Vamos, Jasira –me dijo Gil, que me puso una mano en el hombro y me guió hacia la escalera.

Yo me sentía fatal mientras caminábamos. Como si debiera decirle que apartara la mano porque era cierto, porque yo era una mentirosa.

–¿Dónde está tu padre? –preguntó Thena cuando llegamos a la sala.

Ella y Thomas ya debían de haber acabado de lavar los platos, porque él estaba otra vez en el suelo y ella sentada en el otro extremo del sofá de Melina.

–Está en el baño –dije.

–Toma –le dijo Gil a Thomas al dejar la chaqueta en su regazo.

–¡Ah, gracias!

–Se acabó lo de ir arriba, ¿vale?

Thomas asintió.

–Claro –dijo.

–Y ahora –preguntó Gil dando una palmada–, ¿quién quiere café?

–Yo me tomaría un descafeinado –dijo Thena.

–Un descafeinado –repitió Gil.

–Yo también –se apuntó Thomas.

–¿Y tú, Jasira? –preguntó Gil.

–Vale –dije. Nunca en mi vida me había preguntado si me apetecía un café. Siempre había considerado que era demasiado joven.

–Yo tomaré un poco de leche –dijo Melina.

Gil asintió y se metió en la cocina.

Me senté en el sofá entre Melina y Thena. Melina me acarició un poco el pelo.

–¿Todo bien? –preguntó.

–Sí –le dije.

–Bien.

Por encima de la mesita de café miré a Thomas, que ahora estaba tumbado en el suelo. Había doblado la chaqueta y se la había acomodado bajo la cabeza como si fuera una almohada. Tenía los ojos cerrados.

—¿Listo para ir a casa, Thomas? —le preguntó Melina.

—Sí —dijo Thomas, abriendo los ojos y mirándonos—. Pero antes me gustaría probar el *baklava*.

Thena asintió.

—A Rifat se le da bien la cocina.

Momentos más tarde, papá bajaba la escalera. Tenía una extraña expresión en el rostro y sostenía un pedazo de papel higiénico en la mano.

—Rifat —dijo Melina—, ya estamos preparados para tu *baklava*. —Era la primera vez que le oía decir su nombre.

Papá no contestó. Siguió bajando la escalera. Cuando llegó abajo, se acercó hasta el lugar donde Thomas estaba echado y le dijo:

—Levántate.

—¿Qué? —contestó Thomas.

—Levántate —repitió papá.

—¿Qué ocurre? —preguntó Thomas, sentándose—. ¿De qué está hablando?

Papá le dio la vuelta al papel higiénico y algo cayó en el regazo de Thomas.

—¡Qué coño! —dijo Thomas—. Es asqueroso.

—Es tuyo —contestó papá.

En un primer momento no supe decir qué era, pero en cuanto Thomas lo cogió vi que se trataba del condón de antes.

—¿Qué les has dejado hacer? —preguntó papá dirigiéndose hacia Melina.

–No les he dejado hacer nada –respondió Melina–. ¿De qué hablas? ¿Qué es eso?

–¡Es un condón! –dijo papá.

–¡Oh, Dios mío! –dijo Melina intentando levantarse. Le ofrecí un brazo para ayudarla a incorporarse, pero no lo veía.

Gil debió de oír los gritos de papá, porque entró y dijo:

–¿Qué pasa?

–He encontrado un condón en tu váter –explicó papá–. ¡En el váter de Jasira!

–¿Qué condón? –preguntó Gil.

–¡El condón de ese! –dijo papá señalando a Thomas–. Él es el único que necesita condón aquí.

Thomas cogió una servilleta de la mesita de café y metió el condón dentro. Se levantó.

–¿Dónde crees que vas? –aulló papá.

–A tirarlo a la basura –respondió Thomas–. Es asqueroso que lo sacara del váter.

–Dámelo –ordenó papá.

–No –respondió Thomas.

Papá lo embistió y le quitó la servilleta de las manos.

–¡Joder! –dijo Thomas.

–¡Tú no vas a ninguna parte! –exclamó papá–. ¡Tú te quedas aquí! –Luego miró a Melina y le dijo–: Quiero saber por qué permites que mi hija use condones.

–Yo no se lo permito –dijo Melina–. Yo no… –Por primera vez parecía bloqueada, como si no supiera qué decir.

–Entonces, ¿cómo es que he encontrado esto? –exigió saber papá.

–Sinceramente, no lo sé.

–¡Os creéis que soy despreciable! –dijo papá mirando a Melina y a Gil–. ¡Los dos pensáis que soy despreciable, pero dejáis que mi hija se lleve chicos a su habitación y use condones!

Estaba enrojecido, escupía al gritar y no hubiera podido decir con seguridad si tenía la cara sudorosa o estaba llorando. Temía que intentara pegarle a alguien, solo que no había nadie a quien pegarle. Si lo hubiera intentado con Thomas, Thomas se habría defendido.

–Rifat –dijo Thena. Se levantó del sillón y se acercó a él–. Intenta calmarte un momento, por favor.

–¡No! –gritó papá, y se apartó la mano de Thena del brazo. Luego se dirigió a mí y me dijo–: Ve a buscar tus cosas. Te vienes a casa. –Como no me moví de detrás de la mesita de café, gritó–: ¡Ahora mismo!

–Espera un momento –dijo Gil.

–¡Tú tienes una foto de su pierna y yo tengo este condón! –dijo papá–. Si le enseñas a la policía la foto, yo les enseñaré esto. ¡Tú también eres despreciable! ¡Tú también dejas que sucedan cosas despreciables!

–Mire –dijo Thomas–, lo siento de verdad, ¿vale? Es todo por mi culpa. Cúlpeme a mí.

–¡Claro que te culpo a ti! –dijo papá–. ¡Te culpo a ti y la culpo a ella! –Y señaló a Melina.

–Basta –dijo Gil con tono tajante–. Cálmate. Ni siquiera sabes lo que ha pasado.

–Sé exactamente lo que ha pasado –dijo papá–. ¡Sé que mi hija ha perdido la virginidad en esta casa!

–Eso no es cierto –dijo Thomas.

–¡Cállate! –le gritó papá. Luego se volvió hacia mí y añadió–: Ve a buscar tus cosas. ¡Ya te lo he dicho!

Nadie dijo nada. Ni Melina, ni Gil, ni Thena. Era como si todos pensaran que, por una vez, papá tenía razón. Como si no tuvieran manera de combatirlo. Y supongo que no la tenían. Lo cierto era que no. Pero yo sí. Y no quería volver a casa con él. No podía ni imaginarlo. No podía ni imaginar volver a vivir con él o con mi madre. Podía imaginarme visitándolos, pero, al final, necesitaría volver a casa con Gil y Melina. A desplegar la cama con la barra en medio. A mi cuarto de baño. A mi ropa en el armario de la ropa blanca.

–No perdí la virginidad en esta casa –dije.

–La perdió en mi casa –le dijo Thomas a mi padre.

–No, no fue allí –le corregí.

Thomas se me quedó mirando.

–La perdí en tu casa –le dije a papá–. El señor Vuoso lo hizo, con los dedos. Yo no quería, pero lo hizo.

En cuanto lo hube dicho, deseé no ver nada. Sobre todo no quería ver a nadie mirándome. No quería conocer a nadie que supiera esto de mí, y deseé no haberlo dicho. Era asqueroso, igual que sacar un condón del váter. Entonces me volví hacia la única persona que todavía era una desconocida para mí. Me volví hacia Dorrie, apoyé la cara donde estaba ella, grité más fuerte de lo que nunca hubiera creído que podía hacerlo, y cuando noté que me daba una patadita, me alegré de saber que una de las dos estaba tan viva.

12

Melina se echó a llorar. Dijo que todo era culpa suya. Gil le contestó que no e intentó abrazarla, aunque ella me estaba abrazando a mí.

–No me abraces –le dijo Melina–. A mí no me ha ocurrido nada.

Thomas cogió su chaqueta del suelo, se la puso y anunció que iba a la casa de al lado a matar al señor Vuoso. Gil se lo impidió y se puso delante de la puerta. Papá se sentó en el sillón de Gil y escondió la cara entre las manos. Supuse que se sentía igual que yo, como si no quisiera que nadie lo viera. Thena se acercó al sillón y le puso una mano sobre el hombro. En lugar de mirar a papá, yo solo miraba cómo temblaba la mano de Thena al ritmo del cuerpo de él.

Me alegré de que todo el mundo se preocupara de lo tristes que estaban y de quién tenía la culpa. Me alegré de que nadie me hablara. Me daban vergüenza las cosas que había dicho, las cosas que ahora todos sabían. Incluso delante de Thomas, con quien había hecho cosas íntimas, me sentía avergonzada.

Nadie consiguió calmarse en un buen rato. Dije que quería un vaso de agua, fui a la cocina y me senté a la mesa. Entró Thomas, me preguntó dónde estaba mi vaso de agua y finalmente sirvió dos vasos del grifo.

–Deberías habérmelo contado –dijo sentándose a mi lado. Como no respondí, me cogió la mano. Él era el más tranquilo de todos, tal vez porque era demasiado joven para pensar que era culpa suya. En realidad no pensaba que fuera culpa de ninguno de los adultos, pero me gustaba que pensaran que sí lo era. Me gustaba su aspecto horroroso y cómo temblaban y lloraban. Me sentía como si ya no tuviera que preocuparme más de las cosas, ahora que ellos lo hacían por mí.

Thomas jugueteó con mi mano. Me rascó todas las uñas con la punta de las suyas.

–¿Te dolió? –me preguntó.

Asentí.

–¿Sangraste mucho?

Volví a asentir.

–Esa sangre era mía –dijo Thomas–. No de ese cabrón.

En circunstancias normales me hubiera gustado que Thomas dijera algo así, que se comportara como si yo le perteneciera. Pero ahora aquello no me hizo sentir nada. Sobre todas las demás cosas pensaba que se trataba de mi sangre y que Thomas no debería volver a mencionar el tema.

Empezó el rumor grave de las conversaciones de los mayores en la sala de estar, y Thomas y yo nos quedamos callados para tratar de escuchar, pero nos costaba. No querían que los oyéramos. Me preocupó que hablaran de que yo volviera con papá, así que me levanté y me quedé en el umbral de la puerta, entre la cocina y la sala.

—¿Qué estáis diciendo? —pregunté.

Todos me miraron pero ninguno respondió. Notaba la respiración de Thomas a mi espalda.

—Ahora vivo aquí —les dije a todos los que estaban en aquella habitación y nadie lo negó.

—Thomas, debería llevarte a tu casa —dijo Thena al cabo de un momento.

—¿Por qué? —preguntó.

—Porque tu madre estará preocupada.

—No quiero marcharme —dijo, y nadie habló más de eso.

Todos parecían cansados y asustados. Papá ya no tenía la cara entre las manos. Había apartado los ojos de mí y estaba mirando fijamente el televisor apagado. Melina se había derrumbado en el sofá. Gil ya no estaba delante de la puerta aunque se había quedado cerca, como un guardameta en un momento de tregua que se aparta un poco de la portería.

—¿Qué va a ocurrir ahora? —preguntó Thomas.

Pensé que papá se pondría a gritarle y lo haría callar, pero no lo hizo.

—Tendremos que llamar a las autoridades —dijo.

—¿Por qué? —pregunté. Me preocupaba tener que volver a contar mi historia a gente a la que ni siquiera conocía.

—Porque sí —contestó mi padre, girándose para mirarme—. Lo que hizo ese hijo de puta es ilegal.

—Pero no quiero hablar más de eso.

–Pues lo siento.

Entonces Gil dijo algo en árabe, en un tono aún más fuerte y contundente que el que había empleado antes, cuando papá se dirigió de malos modos a Melina. Papá le puso una cara muy severa pero no le replicó. Sabía que Gil me estaba defendiendo y me sentía fatal por no entender lo que decía.

Melina suspiró.

–Tienes razón, Rifat. Tenemos que llamar a la policía.

–No –protesté yo.

–Yo estaré a tu lado –me tranquilizó Melina–, durante todo el tiempo.

Estaba a punto de volver a decir que no cuando papá intervino:

–Melina estará a tu lado –dijo. Entonces me callé. No quería estropear el hecho de que, por una vez, Melina y papá estuvieran de acuerdo.

–¿La llamamos ahora? –preguntó Gil. Nadie contestó–. ¿O esperamos hasta mañana?

–No lo sé –dijo papá–. No puedo pensar.

–Tal vez deberíamos esperar hasta mañana –dijo Thena.

Desde el principio flotaba en el aire el olor del café que había preparado Gil, proveniente de la cocina. Era extraño que hubiera sucedido algo tan malo cuando olía tan bien.

–El café ya está –dijo Thomas.

Nadie le hizo caso.

Se encogió de hombros y volvió a la cocina. Lo oí abrir las puertas del armario y sacar tazas y platitos, y luego abrir los cajones y sacar las cucharillas.

–Ayúdame, Jasira –pidió al cabo de dos minutos y entre los dos llevamos el café a los mayores.

Pusimos las tazas, la leche y el azúcar sobre la mesita de café, pero nadie se sirvió. Thomas regresó a la cocina y sacó el *baklava*. Había quitado el papel de aluminio de encima de la fuente, que ahora estaba en el medio de la mesa, con la masa de hojaldre que papá había cortado en rombos ordenados y perfectos. Thomas intentó sacar las porciones con una espátula, pero solo consiguió desmigajar las láminas de hojaldre y romperlas. Esperaba que papá le gritara que parase, pero no lo hizo. Esperaba que papá le dijera que había que repasar con el cuchillo los rombos después de hornearla, pero tampoco lo hizo. Esperaba que papá se enfadara conmigo por saber todo eso y no avisar yo misma a Thomas, pero simplemente se quedó allí, sentado, mirando cómo se desmoronaba todo, con el esfuerzo que le había costado.

Esa noche Gil llevó a todo el mundo a casa, incluso a papá y a Thena. Los acompañó hasta más allá de la casa de los Vuoso para que papá no se cabreara y aporreara la puerta. Aunque yo sabía que papá no hubiera hecho eso. No era como Thomas.

Aquella noche Melina vino a dormir a mi cama desde el principio. Supuse que estaría convencida de que yo iba a tener pesadillas, así que me arropó y se quedó.

–Lo siento –dijo mientras estábamos allí tumbadas en la oscuridad.

–¿Por qué?

–Porque debí imaginarme lo que estaba pasando.

–No quería que tú lo supieras –le dije.

–Sí, sí que querías.

Me quedé callada un momento. Tuve que pensar si aquello era cierto.

–¿Jasira?

–¿Sí?

–¿Hubo otras veces?

No contesté.

–Dime si hubo otras veces, por favor.

–No es bueno para el bebé.

–El bebé está bien.

–Sí –dije.

–¿Cuántas?

–Una.

–También vas a tener que contarle eso a la policía.

–¿Y si aquella vez yo sí quería hacerlo? –le pregunté.

Luego empecé a llorar de vergüenza. No porque realmente lo hubiera querido, sino porque me había comportado con el señor Vuoso como si así fuera, y él se lo contaría a la policía y eso lo convertiría en cierto.

–No importa. Si un adulto lo hace con alguien menor de dieciséis años, es violación. Aunque ella quiera hacerlo con él –me explicó Melina atrayéndome hacia sí.

–En realidad yo no quería –le dije–. Solo me comportaba como si quisiera.

–¿Por qué? –preguntó Melina.

–No lo sé.

Me acarició el pelo mientras yo intentaba dejar de llorar,

aunque me costaba porque estaba siendo muy buena conmigo.

–Antes odiaba a Dorrie –dije, cuando estábamos a punto de dormirnos.

Melina se rió un poco.

–Ya me había dado cuenta.

–Ahora no –dije, aunque aún me ocurría a veces.

–Puedes odiarla –dijo Melina–. Los niños mayores siempre odian a sus hermanos y hermanas pequeños.

Deseé que Melina no dijera nada más. Solo quería oír aquellas palabras repetirse una y otra vez en mi cabeza. Eran tan brillantes y cálidas como cuando mirabas el sol de Texas y luego al cerrar los ojos seguías viendo el perfil de la esfera.

A la mañana siguiente, el sábado, hablé con la policía. Papá los trajo mientras Melina y yo estábamos desayunando. Eran un hombre y una mujer, pero no tuve que hablar con el hombre, solo con la mujer. El hombre se quedó en la sala de estar con papá y con Gil. La mujer policía le preguntó a papá si quería estar presente durante la entrevista, pero contestó que no, que Melina se quedaría conmigo. La agente quiso saber si Melina era parienta nuestra y papá le explicó que era una amiga de la familia. Me pareció un poco raro, puesto que nadie más que yo en mi familia quería a Melina. Aun así, fue bonito oír a papá diciéndolo. Sobre todo, lo que más me alegraba era que él no estuviera allí escuchándome.

Estábamos sentadas en la cocina. La agente me grababa en

una cinta, pero a veces también tomaba notas en una libreta. Melina se dedicaba a su labor de punto, seguramente porque prefería que yo no pensara que me estaba prestando demasiada atención con lo avergonzada que me sentía.

Le dije a la agente lo que ya les había contado a todos la noche anterior, salvo que ella tenía muchas más preguntas que hacerme. Quería saber todos los detalles de lo que el señor Vuoso me había dicho, todas las maneras en que me había mirado o tocado. Algunas de las cosas que habían sido bonitas de nuestra relación parecían malas ahora que se las contaba a la agente. Como que el señor Vuoso me llevara a cenar, o me visitara mientras papá estaba en casa de Thena para decirme que la luz de la bandera estaba apagada, o que dejara que lo entrevistara para el periódico del colegio. Después de contarle aquellas historias, la agente me preguntó:

—Y cuando te visitaba, ¿él era consciente de que tu padre no estaba en casa?

Ese fue el preciso momento en que me di cuenta de que había tenido una percepción completamente equivocada de las cosas.

—¿Hay algo más? —me preguntó la agente cuando parecía que la entrevista había terminado.

Bajé la vista hacia la mesa. No quería hablar de la otra vez, cuando dejé que el señor Vuoso me lo hiciera porque creía que se iba a la guerra. No quería que nadie supiera lo estúpida que había sido al creerle.

—¿Jasira? —insistió la agente.

La miré. Era negra y robusta, y me gustaba cómo le quedaba el uniforme, que se ceñía a las curvas de su trasero y sus pechos.

—¿Sí?

—¿Tuviste algún otro contacto con el señor Vuoso?

—Sí, lo tuvo —dijo Melina porque yo no contestaba.

—¿Puedes contármelo? —preguntó la agente.

Miré a Melina.

—Adelante —me dijo.

Esperé un segundo y luego le conté a la agente lo de la otra vez. Me cansé de tener que decir palabras como vagina, pene, pechos y erección. Incluso decir dedos o boca me daba vergüenza. Noté que Melina tejía más deprisa de lo normal en las partes más fuertes de la historia. La miré e imaginé que yo era su motor. Como si mi conversación accionase algún tipo de pedal que hiciera que sus manos se aceleraran. No lloré hasta el final, cuando describí cómo el señor Vuoso me había llamado puta mientras lo estábamos haciendo. Entonces Melina dejó su labor y le dijo a la agente que probablemente habíamos hablado suficiente por ese día. La agente asintió y le puso el capuchón al bolígrafo. Luego apagó la grabadora y se puso en pie.

—Eres una buena chica. Te acuerdas de muchos detalles —dijo antes de marcharse, tocándome un brazo.

Minutos más tarde, papá entró en la cocina.

—¿Cómo ha ido? —preguntó—. ¿Contestaste a todas las preguntas?

Melina asintió.

—Lo ha hecho muy bien.

Papá la miró y luego volvió a mirarme a mí.

—¿Por qué lloras? —preguntó.

—Rifat —dijo Melina—, ha sido duro. Ha sido duro hablar de esas cosas.

Papá seguía mirándome.

—No comprendo por qué nunca me lo contaste.

—Pensé que te enfadarías.

—¿Por qué iba a enfadarme si alguien te estaba haciendo daño?

—No lo sé.

—Bueno, pues no me habría enfadado —contestó mirando a Melina—. No soy de esa clase de personas.

Melina no dijo nada. Justo entonces entró Gil.

—¿Todo bien? —preguntó.

Asentí.

—Estoy hecha polvo —declaró Melina.

—Bueno —dijo Gil—, quizá todos debiéramos tomarnos un tiempo para nosotros mismos.

—¿Qué significa eso? —preguntó papá.

—Solo digo que tal vez deberíamos tomarnos un descanso y reunirnos un poco más tarde.

—¿Estás diciendo que quieres que me vaya a casa? —insistió papá.

—Solo por un rato.

—¿Y si quiero quedarme con mi hija?

—Puedes verla más tarde. Cuando haya descansado.

—Puede descansar en mi casa. Allí tiene su propia habitación.

—Vamos, Rifat —dijo Gil.

Papá no contestó. Sostenía la tarjeta de visita de la agente de policía y ahora flexionaba el borde de la tarjeta con la uña.

—Puedes pasarte esta noche, ¿de acuerdo? —insistió Gil.

Papá se encogió de hombros. Después se dirigió a mí:

—¿No puedes venir a casa? ¿Ni siquiera por una tarde?

Yo no sabía qué decir. Miré a Gil.

—No —dijo papá—. Te estoy hablando a ti, no a él.

Respiré hondo y contesté:

—No puedo.

Papá se quedó en silencio un momento; luego dijo que bueno y se fue a casa.

Melina y yo fuimos a sentarnos a la sala de estar. Me preguntó cómo me sentía y le dije que bien. Volvió a decirme que me había portado como toda una mujer con la agente, pero que ahora debería prepararme porque tendría que contar mi historia unas cuantas veces más a algunas personas. Me advirtió también que además tendría que ir al médico.

—¿Qué clase de médico? —pregunté, aunque ya lo sabía.

—A mi médico. La doctora que lleva mi embarazo. Es muy maja. Iremos juntas.

—¿Vendrá también papá? —le pregunté.

—¡Dios, no! —dijo—. Me refiero a que no podremos evitar que se quede en la sala de espera, pero no entrará en la sala de reconocimiento. No está permitido.

—Vale.

Cogí el libro sobre adolescentes de la mesita de café y leí que cuando vas a un reconocimiento te meten una especie de instrumento para abrirte y así poder verte por dentro. Decía que se suponía que tenías que relajarte mientras te hacían eso, para que no resultara incómodo. Decía que el doctor intentaría enseñarme cómo era por dentro con un espejo, pues era fascinante. Mientras leía esto, sonó el teléfono. Contestó Gil, que aún estaba en la cocina. Luego me llamó.

–Es tu madre –dijo, pasándome el auricular.

Me hubiera gustado decirle que no quería hablar con ella, pero me figuré que no debía pedírselo porque ya había tenido que defenderme de papá. Temía que algún día se cansara de tener que decirle a la gente que me dejara en paz.

–Gracias –dije cogiendo el auricular.

Asintió, luego cogió la revista que había estado hojeando y se marchó.

–¿Hola? –contesté deseando que Gil se hubiera quedado conmigo.

–¿Jasira? –preguntó mi madre.

–¿Sí?

–¿Eres tú?

–Sí.

Se quedó en silencio un momento.

–Papá me acaba de llamar. Me ha contado lo que pasó.

–¡Ah!

–Voy a ir el fin de semana que viene, ¿vale?

–Ahora vivo con Melina.

–Sí, papá me lo ha dicho.

–Puedes quedarte en casa de papá, pero yo vivo con Melina.

–Vale.

Entonces no supe qué decirle. No se me ocurría nada.

–¿Qué vas a hacer cuando vengas? –le pregunté al fin.

–Bueno –dijo–, verte, supongo. Hablar contigo.

–¡Ah!

–Tal vez no debí enviarte a vivir allí.

–Me gusta esto –le dije, lo cual era cierto. Me gustaba.

Mi madre se puso a llorar.

–¿Cómo puede gustarte?

–No está tan mal.

Se quedó en silencio un momento.

–Fuiste muy valiente al hablar con la policía.

–Gracias.

–Ahora ese hombre irá a la cárcel y ya no hará daño a ninguna otra niña. Tú has evitado que haga daño a otras niñas.

–Ajá –dije.

En realidad no me gustaba pensar que el señor Vuoso iba a ir a la cárcel. Me molestaba. Sabía que había hecho cosas malas, pero también había hecho cosas buenas. A veces había sido mi amigo. Había tenido celos de Thomas. Le había gritado a su hijo para que se portara bien conmigo. Me había protegido de papá.

–Además –dijo mi madre–, estaré en primera fila en ese juicio, no se le olvidará en la vida mi mirada.

–¿Y si es en día de clase?

–¿Qué?

–¿Y si el juicio es en un día de clase y no puedes venir?

–Tendrán que buscarme un sustituto –contestó.

Cuando colgamos, fui a la sala de estar y le conté a Melina y a Gil que mi madre llegaría en una semana.

–No conozco a tu madre –comentó Gil.

–Yo sí –dijo Melina, pero no añadió nada más.

–No quiero vivir con ella –dije.

–Vale –asintió Melina.

–¿Tendré que hacerlo? –pregunté.

–No, si no quieres.

–¿Tendré que vivir con alguien que no quiera?

–Claro que no –me tranquilizó Melina.

–Thomas dice que no puedo vivir con los vecinos.

Melina suspiró.

–Bueno, Thomas no lo sabe todo.

Papá no regresó esa noche aunque Gil le había dicho que podía hacerlo. Una parte de mí se alegraba, pero otra parte lo echaba un poco de menos. Si hubiéramos estado juntos, nos habríamos reído de mi madre y de lo terrible que iba a ser su visita. O podríamos haber hablado del coche de policía que había estado aparcado en la puerta de la casa de los Vuoso a última hora de la tarde. O de que cuando se marcharon, el señor Vuoso los acompañaba y llevaba consigo una bolsa de loneta.

Denise me dio las fotos que nos habían hecho en Glamour Shots. Dijo que yo parecía una modelo y que algún día podría salir en una revista. Dijo que ella también parecía una modelo, pero solo si no le sacaban una foto de cuerpo entero. Le dio al señor Joffrey una copia de una de sus fotos, y al cabo de un par de días él se la devolvió y le dijo que no podía aceptarla pero que estaba muy guapa. Me preguntó si iba a darle una copia de mi foto al señor Vuoso, y le dije que seguramente no.

—¿Ya no estás enamorada de él? —me preguntó, y negué con la cabeza.

Le di a Thomas una de las fotos y dijo que la guardaría con cariño para siempre. Empezó a acompañarme a todas partes en el colegio, como si pensara que alguien iba a secuestrarme. Me esperaba en la acera cuando Melina me dejaba por la mañana y se quedaba conmigo por la tarde hasta que venía a recogerme. Me dijo que había decidido que no quería hacerlo más conmigo, no hasta que fuera mayor. En lugar de eso, me cogía de la mano y me besaba en la mejilla. No dijo nada egoísta sobre lo que yo debería hacer por él a cambio. Un día después del colegio vino a casa de Melina, pero todo lo que hicimos fue sentarnos y ver la televisión.

Papá debió de ver a los padres de Thomas ir a recogerlo, porque esa noche vino a llamar a la puerta. Dijo que ya no podía ver más a Thomas, no porque fuera negro sino porque lo habíamos hecho. Melina le contestó que se me permitía verle pero con supervisión. Papá insistió en que yo era su hija y que él ponía las reglas, y Melina respondió que esa era su casa y que las reglas las ponía ella. Papá dijo que no podía creerse que ya no tuviera ninguna autoridad sobre cómo había que educar a su propia hija, y Melina le respondió que estaba exagerando.

Mi madre llegó el viernes por la noche con su nuevo novio, Richard. Papá los dejó quedarse en su casa y él se fue a casa de Thena. Me pareció extraño que permitiera que un negro se quedara en su casa. Una parte de mí pensaba que lo hacía para tratar de impresionar a Melina, porque creía que lo consideraba racista injustamente.

—¿Cómo iba a ser yo racista? —me preguntó una noche, por teléfono. A veces me llamaba para darme las buenas noches o para preguntarme si había hecho los deberes—. Quiero decir, ¡mírame a mí!

Como no le contestaba, él respondía por mí.

—Bueno, difícilmente podría ser racista. Parece un chiste.

Mi madre llamó desde la casa de papá y me preguntó si me apetecía ir a conocer a Richard. Melina estaba de pie en la cocina, a mi lado, y se acariciaba la barriga por encima de la camiseta, como si intentara darle un masaje a Dorrie.

—Últimamente no voy por allí —le expliqué a mi madre.

—¿No puedes venir solo por una noche? —me preguntó—. Quiero decir, ya que hemos hecho el viaje hasta aquí.

Miré a Melina. Negó levemente con la cabeza, como si estuviera de acuerdo conmigo en que no tenía que ir.

—Podéis venir vosotros —sugerí.

Melina asintió con aprobación.

—¿Ir nosotros? —preguntó mi madre.

—Dice Melina que estaría bien.

—Ajá.

—Así conocerías a Melina y a Gil.

—Creo que a ella ya la conozco —dijo mi madre—, ¿no?

—¡Ah, sí!

—Supongo que pensé que romperías tu norma y vendrías

a pasar el fin de semana con nosotros. Quiero decir, tu padre ni siquiera está aquí.

Melina hizo una mueca. Yo la notaba preocupada por lo mucho que se estaba alargando la llamada y porque mi madre no hacía las cosas a nuestra manera.

—No me gusta ir al lugar donde el señor Vuoso me hizo daño —dije al fin.

En realidad no era cierto, pero había aprendido que cada vez que le hablaba a mi madre del señor Vuoso dejaba de molestarme.

—¡Ah! Ya veo. Bueno, vale. ¿Por qué no salimos todos a cenar, entonces? Richard y yo hemos alquilado un coche.

—¿Con Melina? —pregunté.

—Bueno —dijo mi madre—, estaba pensando que podíamos ir nosotros tres solos, por esta noche. ¿Qué te parece?

Miré a Melina, que se encogió de hombros.

—Vale —acepté, sobre todo porque tenía ganas de colgar de una vez—. Nos encontraremos en el camino de entrada.

—Genial —dijo ella—. Te va a encantar Richard.

—Vale.

—Tal vez quieras invitar a tu amigo Thomas.

No entendía por qué Thomas podía acompañarnos pero Melina no, así que me negué.

—¿Cuál es el problema? —preguntó Melina cuando colgamos.

—No quiere conocerte.

—Ya me conoce.

Me encogí de hombros.

—No quiere verte otra vez.

—¿Cómo es posible que no quieras conocer a la gente con la que está viviendo tu hija?

—No lo sé.

—Qué raro —dijo Melina.

—¿Puedo ir a cenar con ellos?

—Claro. Bueno, habría preferido conocer antes a ese tal Richard, pero da lo mismo.

Asentí y fui a por mis zapatos. Me pregunté si siempre me sentiría tan bien al pedirle permiso a Melina. No era el sí o el no lo que me importaba, sino lo que no decía pero daba a entender: que le preocupaba que alguien pudiera hacerme daño.

Resultaba extraño caminar de vuelta a casa de papá. Yo ya no solía salir a esta hora de la noche, pues era cuando Gil y Melina hacían la cena. Y, si salía, nunca lo hacía sola. Melina se relajó un poco con lo de dejarme salir cuando el señor Vuoso se marchó con la policía, pero dos días más tarde pagó la fianza y regresó, y ella se puso nerviosa otra vez. Pese a que ella insistía en que de ningún modo se atrevería a hacerme nada ahora, yo notaba que últimamente, cada vez que decía que quería salir, ella se inventaba algún motivo para tener que salir conmigo, o bien miraba a Gil, si estaba en casa, y se lo inventaba él.

A papá le reventaba que el señor Vuoso hubiera salido bajo fianza. Decía que cincuenta mil dólares no eran suficientes teniendo en cuenta lo que el señor Vuoso había hecho, y que no veía la hora de que lo sentenciaran en firme. A mí tampoco me gustaba verlo, aunque por distinto motivo que papá. No me gustaba verlo porque me costaba mucho no sentir lástima por él, aunque supiera que no debía sentirla. Cada vez que me daba lástima me parecía que estaba decepcionando a Melina, a pesar de que ella no podía saber lo que yo pensaba.

Aquella noche, al pasar por delante de la casa de los Vuoso, me fijé en que había un nuevo gato blanco en la ventana delantera. No podía creerlo. Se parecía tanto a Snowball que pensé que tal vez fuera ella, que tal vez había vuelto a la vida. Pero por supuesto no había resucitado. Aún estaba en el congelador, empaquetada entre la comida congelada de Melina.

Mi madre salió de la casa de papá y me abrazó. Llevaba tejanos, una camiseta azul claro y zapatillas deportivas. Tenía el pelo atado en una cola de caballo. Me pareció que intentaba parecerse a Melina, aunque no estaba segura de si recordaría qué aspecto tenía. La abracé hasta que me pareció que se iba a poner a llorar, y entonces me aparté. Sorbió un poco por la nariz y luego me presentó a Richard, que era calvo y tenía barba. Él se inclinó para darme la mano. Tuve la sensación de que no quería acercárseme demasiado, cosa que agradecí.

Fuimos a un sitio en el que servían montones de carne a la parrilla. Me gustaba que en lugar de pedir cierto plato con tal o cual nombre, solo tuvieras que decir: «Tomaré pollo» o «Tomaré carne». Nos llevaron a un apartado semicircular y mi madre se sentó entre Richard y yo, aunque más cerca de Richard. A veces, cuando él decía algo que a mi madre le parecía divertido o ingenioso o agradable, le revolvía la barba con los dedos. Cuando empezó a molestarse porque su carne no estaba en su punto, Richard le pasó su plato, que estaba más a su gusto, y ella se sintió mejor. Las dos veces que Richard se levantó para ir al lavabo, me preguntó qué opinaba de él. Le dije que pensaba que era distinto a papá y que tenía una voz muy suave. Ella asintió.

–Lo sé, es muy romántico.

Me alegró que Richard volviera enseguida porque así no tuve que pensar en más cosas que decir sobre él. Cuando mi madre fue al lavabo, Richard me preguntó sobre el colegio y si me gustaba vivir con Melina y Gil. Le respondí que me gustaba mucho y él dijo que la gente podía encontrar una familia en el lugar más insospechado.

Al día siguiente, mi madre tampoco vino a casa de Melina. Como excusa dijo que quería conocer a Thomas y a su familia. Me daba vergüenza, porque estaba convencida de que lo único que quería era que el señor y la señora Bradley vieran que tenía un novio negro. Me preguntaba si a Richard también le daría vergüenza, pero, si se la daba, no dijo ni pío. Se limitó a estrechar la mano de los Bradley, después nos sentamos en el salón y hablamos de los distintos planetas que el señor Bradley había visto por su telescopio.

En un momento dado, Thomas preguntó si podíamos ir arriba para tocarme una canción. Ninguno de los adultos parecía saber quién de entre ellos debía responder.

–Hum… claro, pero no tardéis –dijo al final mi madre.

Le aseguré que no tardaríamos y Thomas y yo nos levantamos del sofá.

–Tu madre es muy rara –me dijo cuando llegamos a su habitación.

–Lo sé.

–Me parece que no quería que subieras.

–No le hace gracia que yo guste a los chicos.

–¿Y eso por qué? Ella tiene su propio novio.

Me encogí de hombros.

Thomas cogió su guitarra y tocó unos pocos acordes, luego la dejó en su soporte y me preguntó si podía comerme el coño. Le contesté que no porque nuestros padres estaban allí abajo, pero dijo que se daría prisa; que no me lo habría pedido si hubiera llevado pantalones, pero como llevaba falda le sería más fácil meterse debajo.

–Pensé que ya no querías hacer estas cosas –le recordé.

Lo pensó un momento.

–Lo que no quiero es que tú me hagas cosas a mí, pero esto es para ti. Es distinto.

Le dije que vale y me tumbé en su cama. Me levantó la falda, me quitó las bragas y metió la cara entre mis piernas. Cuando empecé a sentir que iba a tener un orgasmo, me apreté contra su boca, y eso pareció hacer que me lamiera aún mejor.

Cuando acabó, subió hasta mi cara y me preguntó si quería que me hiciera alguna otra cosa, y le contesté que me gustaría que me dejara chuparle la polla. Por la forma en que había echado el cuerpo hacia atrás me había dado cuenta de que quería que viera su erección y le dijera algo así.

–Vale –dijo muy serio–. Quiero decir, si eso es lo que quieres.

Le contesté que era lo que quería y se desabrochó el cinturón. Mientras se la estaba chupando, me sentí aliviada. Desde que le había contado a todo el mundo lo que me había ocurrido y todos trataban de hacer lo correcto, me sentía un poco sola. No era que no quisiera que la gente hiciera lo correcto o que no quisiera que me ayudaran, pero también quería mi antigua vida. Deseaba hacer el amor. Quería que me dijeran qué hacer. No podía imaginar que aquellas sensaciones se hubieran acabado para siempre.

Cuando bajamos la escalera, mi madre me preguntó qué canción me había tocado Thomas porque no había oído ninguna música.

–Es porque el amplificador no estaba enchufado –explicó Thomas–. Estaba tocando sin ampli.

–¡Ah! –dijo mi madre.

Cuando volvimos a casa de papá, mi madre me pidió que entrara un momento para darme un regalo. Le sugerí que lo sacara a la entrada y dijo que no, que tenía que entrar. Como no me moví, suspiró y dijo que nadie iba a obligarme a quedarme en casa de papá si yo no quería.

–Dejaremos la puerta de atrás abierta de par en par –precisó Richard–, por si tienes que huir a toda prisa.

Le sonreí, pero mi madre le dirigió una mirada que me hizo pensar que más tarde se enfadaría con él.

Al final me dejé convencer y entré. Pasé por el estudio de papá, donde la maleta de mi madre estaba abierta en el suelo. Dentro había ropa que nunca le había visto, como un camisón de seda rosa. Desde allí eché un breve vistazo a la cama deshecha, intentando descubrir algo sobre mi madre y Richard por el modo en que habían quedado las sábanas y las almohadas.

–Toma –dijo mi madre dándome una cajita envuelta.

La abrí y encontré una maquinilla de afeitar. No de las desechables, sino una metálica y pesada con hojas de repuesto.

—¿Te gusta? —me preguntó.

—Sí —respondí—. Es muy bonita.

Asintió.

—Vamos al cuarto de baño. Te enseñaré a usarla.

—Ya sé —le contesté, mostrándole una de mis piernas desnudas y rasuradas. Lo sabía por Barry, por Thomas y por haberlo hecho yo misma.

—¡Ah! —exclamó. Parecía dolida.

—Me gusta mucho este regalo. De todos los que me has hecho, es mi regalo favorito.

—Me alegro —dijo, aunque no parecía alegrarse. Me miró como si fuera a ponerse a llorar otra vez. Aparté la maquinilla y la abracé—. Soy una madre pésima —añadió.

—No, no lo eres —la tranquilicé, pues me parecía que era lo que debía decir.

—Sí lo soy.

Se apartó y se secó los ojos. Me quedé callada. De repente me sentí cansada. Quería irme a casa.

—Estoy muy celosa de esa Melina —confesó mi madre.

—Lo siento.

—No quiero verla.

—Vale.

—Puedes vivir con ella si quieres, pero no puedo ir a su casa. Es que no puedo.

Asentí. Hicimos planes para desayunar en Denny's a la mañana siguiente, antes de que ella y Richard se marcharan. Cogí mi maquinilla de afeitar con el papel del envoltorio y la cinta. Volví a darle las gracias a mi madre y la besé. Le aseguré que la quería y que lo había pasado bien con ella ese día. No le dije que ya había cambiado de opinión respecto a cuál era el mejor regalo que me había hecho en la vida.

El señor Vuoso no hizo alegación alguna. Era como reconocer que era culpable sin tener que decirlo a las claras. Pero de todos modos el juez lo castigaría como si se hubiera declarado culpable. Lo mejor de todo era que ya no tendría que contar mi historia a nadie más, ni tampoco tendría que ir al médico. No sabía si el señor Vuoso lo había hecho para tratar de ser bueno conmigo, pero me pareció que sí. Un día, cuando se lo insinué a Melina, me dijo que en ningún caso se trataba de eso y que no debería engañarme.

—Lo que está intentando es ser bueno consigo mismo. Así, si tu padre lo demanda por la vía civil, aún podría declararse no culpable.

Melina y papá empezaron a hablar mucho de la sentencia del señor Vuoso y del tiempo que esperaban que pasara en la cárcel. Seguían discutiendo por distintas cosas —la hora en que debía irme a la cama, hasta dónde podía cortarme el pelo—, aunque se hacían cada vez más amigos en lugar de estar siempre enfadados. Al principio me alegré de que se cayeran mejor, pero luego me puso nerviosa lo que decían sobre el señor Vuoso. Sobre todo cuando comentaban que a los que estaban en la cárcel no les gustaban los hombres que hacían daño a los niños, y que a esos hombres les hacían cosas terribles.

A fin de cuentas, no le deseaba ningún mal al señor Vuoso. Solo quería que se arrepintiera, como cuando volvió después de haberme hecho daño la primera vez. Quería que siempre estuviera arrepentido, que siempre se preocupara por que yo aún estuviera dolida, que siempre intentara pensar en algún modo de compensarme. A veces también deseaba que él tratara de conseguir algo de mí. Pero que lo hiciera de una manera bonita y suave que solo me asustara un poco.

Una mañana, tras una noche sin pesadillas y en la que Melina no había venido a dormir conmigo, me desperté temprano y me levanté. Gil ya se había duchado y se había ido a trabajar, pues tardaba al menos una hora en llegar al centro de Houston con el tráfico que había todas las mañanas. Melina aún estaba dormida. Me vestí con la misma ropa del día anterior y bajé la escalera. Justo estaba amaneciendo y esperé a que el señor Vuoso saliera con su bandera. Cuando por fin lo vi, fui al congelador y saqué a Snowball.

La llevé conmigo y me paré en los escalones de la entrada. Vi al señor Vuoso en su jardín delantero, enganchando la bandera al asta. Al reparar en mí dejó lo que estaba haciendo. Tuve la sensación de que nos miramos durante mucho rato. Bajé los escalones y caminé hasta el límite del césped de Melina. Solo el camino de entrada a la casa de Melina me separaba del césped de los Vuoso. Al cabo de un momento, crucé el camino. No iría más allá.

–Hola –dije.

–Aléjate de mí.

Entonces no supe qué hacer, pues era muy diferente a lo que había pensado que él diría.

–Siento haberme chivado.

–¡Aléjate de mí de una puta vez! –dijo con rabia y entre dientes.

Me quedé allí y vi cómo tiraba de la cuerda para que la bandera subiera por el asta. Cuando acabó, se dirigió hacia su puerta.

–Papá mató a Snowball.

Se detuvo y se dio la vuelta.

–¿Qué?

–Fue un accidente. La atropelló y la congelamos. No sabíamos qué hacer.

–¡Joder!

–Aquí está –dije tendiéndole el paquete.

Permaneció quieto un momento, luego caminó hasta el borde del césped y se detuvo donde su hierba limitaba con el cemento de Melina.

–Tome.

Cogió a Snowball y miró su cuerpo congelado. Lo estuvo tanteando, como si intentara averiguar en qué posición estaba.

–Esto es la cabeza –indiqué, señalándola, y él asintió. Al cabo de un momento añadí–: Lo siento.

El señor Vuoso soltó un suspiro.

–No es culpa tuya.

–Se escapó mientras estaba hablando con Zack.

–No es culpa tuya –volvió a decir.

–Vale.

Entonces me miró de un modo muy triste, y supe que lo amaba. Nunca se lo contaría a Melina ni a nadie, pero era cierto. No podía evitarlo. Él lo lamentaba, lo lamentaba de verdad. No había querido hacerme daño. Él también me amaba. Entonces extendió un brazo y me puso la mano en la cara. Era aún muy temprano por la mañana y el cielo estaba rosado y calinoso. Se acercaba el calor del verano y resultaba difícil de creer que aquel iba a ser el momento más fresco del día. Noté su mano húmeda y cálida en mi mejilla. Cuando él la apartó, oí un grito a mi espalda y al volverme vi a Melina en los escalones de la entrada. Llevaba la ropa que se había puesto para dormir la noche anterior.

–¡Basta! –gritó–. ¡Basta ya! ¡No te atrevas a tocarla!

Y entonces se desplomó. Rodó por los escalones de la entrada y quedó tendida en el camino como un extraño bulto desmañado.

Di media vuelta y corrí por el césped hacia ella. Sus ojos estaban cerrados y vi que en la muñeca tenía un corte que empezaba a sangrar.

–¿Melina? –dije. No contestó. Estaba tumbada de costado–. ¿Melina? –volví a decir tocándole el hombro. Como no se despertaba, corrí a buscar a papá. El señor Vuoso ya había vuelto a meterse en su casa.

Papá estaba despierto y acabando las maletas para ir a Cabo Cañaveral. Él y Thena se marchaban aquella tarde, justo después del trabajo. Cuando me puse a gritar que Melina se había caído en los escalones, me preguntó de qué estaba hablando.

–¿Dónde está su marido? –me preguntó, aunque ya caminaba hacia la puerta de atrás para coger los zapatos.

Salimos juntos, pero no tomamos el camino sino que acortamos por el jardín delantero de los Vuoso.

–¡Melina! –gritó papá mientras corría–. ¡Hola! ¡Melina! Cuando llegamos hasta ella, aún no había abierto los ojos y papá le dio unos cachetes en las mejillas.

–¡Melina! –dijo–. ¡Tienes que despertarte! –Como no reaccionaba, me dijo que llamara a emergencias–. Diles que necesitamos una ambulancia para una mujer embarazada que se ha desmayado –ordenó, y yo asentí y entré.

Pero justo cuando descolgaba el auricular del teléfono de la cocina, oí una sirena. El sonido se iba acercando, y esperé un momento antes de marcar. Cuando estuve segura de que efectivamente entraba por nuestra calle, colgué y salí.

–¿Ya están aquí? –preguntó papá volviéndose para mirar las luces que destellaban, y yo me encogí de hombros.

Ni siquiera la atronadora sirena despertó a Melina. Solo cuando uno de los dos enfermeros le hizo oler sales, abrió los ojos.

–¡Te has desmayado! –le gritó papá, en el mismo volumen de voz con el que había estado intentando despertarla.

Ella asintió, aunque parecía algo confusa.

–¿Cuánto tiempo ha estado inconsciente? –preguntó el enfermero de las sales. Aún sostenía el paquete abierto en las manos, y el olor me asustaba y me fascinaba a un mismo tiempo.

Papá me miró.

–¿Cuánto tiempo?

Lo pensé un momento.

–Unos cinco minutos.

–¿Recuerda por qué se ha desmayado, señora? –le preguntó el otro enfermero, que llevaba un estetoscopio colgado del cuello y le estaba levantando la manga de la camisa a Melina para poder tomarle la presión.

–Me duele la mano –dijo ella.

–Tienes un corte –le expliqué, señalando el lugar por donde sangraba.

–Lo limpiaremos en un momento –dijo el enfermero de las sales.

–Quieren saber por qué te has desmayado –insistió papá.

–No lo sé –contestó Melina mirándome, y en ese instante me di cuenta de que sí lo sabía. Entonces hizo una mueca extraña y se cogió la barriga–. ¡Oh, Dios mío!

–¿Contracción? –preguntó el enfermero del estetoscopio.

–No lo sé. Es mi primer hijo.

Todos la miramos.

–Respire –indicó el enfermero, y ella lo hizo, jadeando un poco.

Cuando acabó, se movió un poco para intentar incorporarse, y entonces reparé en la mancha de sangre entre sus piernas. Le calaba los pantalones azul claro de cirujano que usaba de pijama.

–¡Oh, oh! –dije.

–¿Qué? –preguntó Melina.

–Tus pantalones.

Miró hacia abajo.

–¡Oh, Dios mío!

Papá se apartó enseguida.

–De acuerdo –dijo el enfermero de las sales, levantándose–. Es hora de ir al hospital.

–De acuerdo –contestó Melina, que parecía nerviosa.

Los enfermeros volvieron a la ambulancia para sacar la camilla.

–¿Quieres que llame a Gil? –le pregunté a Melina.

–No hay tiempo. Lo llamaremos desde el hospital.

–Yo lo llamaré –se ofreció papá–. Antes de ir a trabajar.

–¿Vas a ir a trabajar? –preguntó Melina.

–Son casi las siete –contestó papá. Era la hora en que salía cada día.

Melina lo miró.

–¿No vas a acompañarnos?

–¿Yo? –dijo papá.

Melina asintió.

–Puede que Gil no llegue a tiempo al hospital.

–Estarás con Jasira –dijo él–. Jasira irá contigo.

Melina parecía a punto de llorar.

–¡No puedo creer que no vengas!

Papá la miró y luego me miró a mí. Yo no sabía qué contestarle. Resultaba difícil decirle que no a Melina. Resultaba difícil, porque cuando ella quería que hicieras las cosas a su manera era cuando más sentías que te quería. Así que cuando papá cambió de idea y aceptó, cuando dijo que iría a buscar su coche, entonces supe con toda seguridad que le importaba lo que ella pensara.

En la ambulancia, el enfermero del estetoscopio se quedó atrás con nosotras para controlar el ritmo cardíaco de Melina. A medida que avanzábamos, las contracciones se sucedían cada vez más rápido y ella me apretaba la mano hasta que se le pasaban. Me dolía un poco, pero no quería que se diera cuenta para que no se sintiera mal. Ella le repetía una y otra vez al enfermero que tenía ganas de empujar pero él le respondía que debía esperar hasta que llegáramos al hospital.

–¿Por qué? –preguntó ella–. ¿No sabe asistir un parto? ¡Estoy segura de que les enseñan a asistir un parto!

–Por supuesto que sé hacerlo, señora –dijo el enfermero–. Es solo que aún no está preparada. Intente aguantar.

–¿Cómo lo sabe? Ni siquiera me ha examinado.

–Señora, ya estamos muy cerca del hospital.

Melina no dijo nada, simplemente me cogió la mano y jadeó durante otra tanda de contracciones. Por la ventana de atrás veía a papá siguiéndonos en su Honda. En un stop le saludé con la mano y él me devolvió el saludo.

–Ya sabes que no debes hablar con ese hombre. ¿Por qué hablabas con él? –me preguntó Melina al acabar una nueva tanda de contracciones, volviéndose hacia mí.

Durante un segundo pensé que se refería a papá. Luego me di cuenta de que estaba hablando del señor Vuoso.

–Quería darle a Snowball antes de que lo metan en la cárcel.

–No me importa lo que quisieras darle. Ahora vives conmigo y harás lo que te diga. Si te digo que no hables con alguien, espero que me hagas caso.

Noté que desde que dije la palabra «cárcel», el enfermero se volvía hacia nosotras tanto como se lo permitía el poco espacio que había dentro de la ambulancia; empezó a rellenar unos papeles sobre una tablilla. Me habría gustado contestarle a Melina que había sido el señor Vuoso quien había llamado a la ambulancia, pero estaba segura de que diría que cualquier idiota podía levantar un auricular. Así que en lugar de eso, dije:

—Lo siento.

—Estás castigada —me informó Melina—. En cuanto tenga el bebé, quedas castigada.

—¿Tendré que volver a casa de papá? —le pregunté.

—¡No! Ese tipo de castigo no. Tendrás que lavar los platos o algo así.

—Vale.

Entonces tuvo otra contracción y me gustó lo fuerte que me apretó la mano esta vez, como si quisiera aferrarse a mí.

En el hospital, papá tuvo que buscar aparcamiento mientras Melina y yo ingresábamos por la entrada de urgencias. Una enfermera mexicana llamada Rosario nos recibió justo al atravesar las puertas automáticas. Indicó a los enfermeros que la siguieran y nos abrimos paso entre toda la gente que estaba sentada en la sala de espera, y luego por un par de puertas dobles. No alojaron a Melina en una habitación de verdad, sino en un espacio dividido por cortinas. Los enfermeros bajaron una barandilla de la camilla y la acomodaron en otra cama que era más corta que la camilla. Bromeaban sobre lo mucho que pesaba y ella se rió hasta que llegó otra contracción. Rosario trabajaba muy rápido, girando a Melina sobre un costado y luego sobre el otro para poder quitarle toda la ropa. Después repitió la operación para ponerle una bata y le dio una sábana para que se cubriera la barriga. No entendí por qué se la había dado hasta que vi cómo la enfermera se situaba al pie de la corta cama y sacaba un par de estribos. Cuando cogió los pies de Melina y colocó cada uno en un estribo, las piernas le quedaron completamente abiertas. Sin la sábana que la cubría se le hubiera visto todo.

Yo había recogido el bolso de Melina antes de subir a la ambulancia, y ahora me pidió que sacara su cartera y cogiera unas monedas para llamar a Gil. En la mesa que tenía a su lado había una libreta y me anotó su número.

—Dile que se dé prisa. Y busca a tu padre.

Asentí y cogí el papel. Cuando salía, me fijé en que la enfermera se ponía un guante de goma y colocaba un taburete entre las piernas abiertas de Melina.

Los teléfonos públicos estaban fuera, junto a la sala de espera. La secretaria me informó de que Gil estaba en una reunión, pero en cuanto le conté lo que había pasado me dijo que iría a buscarlo. Al cabo de un momento, se puso al teléfono.

—¿Jasira? ¿Melina está bien?

—Ajá —dije—. Pero será mejor que te des prisa. Quiere empezar a empujar.

—¿Ya? ¿Tan rápido va?

Me daba demasiada vergüenza decirle que era culpa mía

que todo hubiera ido tan rápido y que no le diera tiempo a llegar.

–Sí –dije.

–Vale. Dile que voy para allá.

Le contesté que lo haría y colgué. Justo entonces apareció mi padre. Miraba a su alrededor la sala de espera como si no supiera qué hacer.

–Papá –lo llamé.

Me vio y se acercó a los teléfonos.

–Melina está en una habitación. Vamos, yo te indico.

–Esperaré aquí.

–Es que ella quiere que vayas.

–¿Por qué?

–Porque Gil aún no ha llegado.

–Tengo que llamar a la oficina –dijo papá–. Se preguntarán dónde estoy.

–¡Pero Melina está casi a punto de empujar!

–Bueno, sal a avisarme cuando haya terminado.

–No creo que eso le guste.

–No voy a ver cómo tiene el niño –insistió papá–. No es asunto mío.

–Pero le dijiste que irías.

–Le dije que vendría al hospital, no a su habitación.

–Creo que de veras quiere tener a una persona mayor que la acompañe.

Papá suspiró.

–Iré a decirle hola. Eso es todo. Luego tendrá que esperar a su marido. Ya estará de camino, ¿no?

Asentí.

–Bien. Esperemos que no haya demasiado tráfico.

–Está detrás de esas puertas –dije señalando y, como no se movía, lo cogí de la mano y me lo llevé.

Cuando entramos, Melina estaba diciéndole a una enfermera mayor a la que no había visto antes que quería empujar.

–Aún no –le ordenó la enfermera–. Aguante.

La enfermera salió.

–Gil está de camino –le dije.

–Bien –respondió Melina.

–Me quedaré solo un momento –informó papá. Al ver los pies de Melina en los estribos apartó la mirada.

–¿No viste nacer a Jasira? –preguntó.

Papá negó con la cabeza.

–¿Por qué no?

–Aquellos eran otros tiempos.

Melina se echó a reír.

–¡No lo eran! ¡Solo fue hace trece años!

–¿Y? –dijo papá–. Trece años es mucho tiempo.

Melina suspiró. Aunque el hospital tenía aire acondicionado, su cara se veía toda sudorosa por el dolor de las contracciones.

–¿De verdad que no puedes quedarte? –le preguntó.

–Preferiría no hacerlo –respondió papá.

Melina no dijo nada, simplemente parecía decepcionada.

–Se quedará Jasira. Será mucho mejor para ti. –Entonces me miró y añadió–: Es una buena chica.

–Sí –asintió Melina–. Lo es.

No sabía qué hacer al escucharles decir esas cosas sobre mí, así que me quedé mirando el reloj que estaba colgado de la pared de detrás de la cabeza de Melina. Al cabo de un minuto empezó a tener una contracción y me acerqué más a su lado para que pudiera cogerme la mano. Cuando la contracción acabó, papá ya se había marchado.

–¡Qué gallina! –dijo Melina.

–No le gusta lo que tiene que ver con el cuerpo –le expliqué.

–Supongo que no.

Gil no llegó a tiempo para ver nacer a Dorrie, pero yo estaba allí. Vi a Melina empujar para sacarla junto con todo lo demás que salió con el bebé. La lavaron y pesaron, y, como Gil no estaba allí, me dejaron cortar el cordón umbilical. Poco después le pusieron una gasa encima del muñoncito. Cuando se curara, se convertiría en su ombligo. Era algo que no sabía. No hasta aquel momento. Tampoco sabía que cuando viera a Dorrie por vez primera no iba a sentir celos. Para nada. Ni siquiera cuando Melina empezó a llorar. Dorrie también me hizo llorar. Era muy pequeña y estaba muy cansada, y supe que solo podría quererla.

Agradecimientos

Me llevó tres años escribir este libro. Durante ese tiempo, dependí enormemente del apoyo de Holly Christiana, Nina de Gramont, Ben Greenman y Bill Kravitz. Les agradezco a cada uno de ellos su amor y su amistad. Quiero dar las gracias a Deborah Ballard, Neizka Ebid, Stephen Elliott, Faulkner Fox, Don Georgianna, David Gessner, Carol y Georges de Gramont, Hania Jakubowska, Alison Lester, Toby Lester, Laura Maffei, Giovanna Marchant, Michael Martin, Gunther Peck, Linda Peckman, Melissa Pritchard, Martin Rapalski, Cory Reynolds, Samantha Schnee, Barbara Schock, Alissa Shipp, Jeremy Sigler, Lisa Stahl, Terry Thaxton y John y Ann Vernon por su inestimable ayuda. Gracias también a Gail Ghezzi, Daniel y Jake, mi otra familia de Brooklyn.

Mi editora de Simon & Schuster, Marysue Rucci, contrató este libro sin que estuviera acabado y con una forma distinta por completo. Me hizo unas cuantas sugerencias muy pertinentes y luego me dio total libertad para terminar la obra. Acabé desechando los cientos de páginas que ella había contratado y empezando otra vez. Le agradezco inmensamente que me lo tolerara y, sobre todo, le agradezco su enorme confianza.

Le estoy muy agradecida a Mary-Anne Harrington, mi editora de

Hodder/Headline en Reino Unido, que contrató este libro antes incluso de que fuera siquiera una idea. Ni una sola vez me ha mencionado el hecho de que lo entregara con dos años de retraso.

Agradezco mucho el apoyo constante que he recibido de Tara Parsons, de Simon & Schuster, y de Leah Woodburn, de Hodder/ Headline. También me gustaría dar las gracias a Loretta Denner de Simon & Schuster por su experta labor de producción editorial, y a Nora Reichard, mi igualmente maravillosa correctora.

Muchas gracias a Jesse Holborn, de Hodder/Headline, que hizo un trabajo increíble en el diseño del libro. Gracias también a Jackie Seow y Davina Mock, de Simon & Schuster, por su paciencia y acertadas modificaciones.

Gracias a Tony Peaje, de Peake Associates, que continúa ayudándome y alentándome desde el otro lado del charco.

El capítulo cuarto de este libro lo escribí en Seaside, Florida, donde me concedieron una residencia a través del programa «Escape to Create» del Seaside Institute. Me gustaría mostrar mi agradecimiento a todas las personas del instituto, muy especialmente a Peter Horn, Marsha Dowler, Nancy Holmes, Richard Storm, y Don y Libby Cooper, que me prestaron su fantástica casa durante un mes. Gracias también a Susan Horn, Peter, Junior y Tennyson, que me recibieron como si fuera de la familia.

Debo agradecer a mis parientes políticos —Margery Franklin, Mark Franklin y Diane Garner— que me ayudaran a financiar este libro. Habría tardado mucho más en terminarlo si no hubiera podido trabajar en él a tiempo completo.

Gracias a Joy por apoyarme siempre.

Gracias a tía Suzie y tío Conrad, que realmente decían en serio que su casa era la mía.

Poco después de que terminara la novela Howie Sanders y Andrew Cannava, de United Talent Agency, se la enseñaron a Alan Ball, que ha comprado la opción para llevarla al cine. Se haga o no la película, les agradezco su compromiso. También quisiera agradecer a Joe Regal, Bess Reed y Lauren Schott, de Regal Literary, que me acogieran tan cálidamente en su agencia.

Mi agente, Peter Steinberg, ha logrado que no dejaran de sucederme cosas buenas desde que lo conocí en 1999. Se ha preocupado por mí no solo como agente, sino también como amigo. Pocas cosas me hacen sentir mejor que haber quedado bajo su ala protectora.

Por último, quiero darle las gracias a David Franklin. Nos separamos durante el proceso de escritura de este libro, pero eso no impidió que generosamente continuara haciendo lo que lleva haciendo durante tantos años: pagar las facturas y mirar con lupa cada palabra que yo escribo.

08/08/12